AVANTURE NEVALJALE DEVOJČICE

Mario Vargas Ljosa

Sa španskog prevela
Ljiljana Popović-Anđić

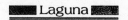

Naslov originala

Mario Vargas Llosa
TRAVESURAS DE LA NIÑA MALA

Biblioteka Bolero
Knjiga br. 1

BOLERO
BIBLIOTEKA

Za X, u sećanje na herojska vremena

BAROKNI REALIZAM
MARIJA VARGASA LJOSE

Kad neko kao Mario Vargas Ljosa ima šezdeset počasnih doktorata najboljih svetskih univerziteta i sva međunarodno bitna priznanja, kad desetak godina sasvim prirodno očekuje Nobelovu nagradu, kad je neko svetski značajan pisac i kad na svakih nekoliko godina objavi po jedan roman čitan širom planete, poslednje što bi trebalo da ga muči jeste sumnja u sopstveno delo; pa ipak, ima nešto u Mariju Vargasu Ljosi što ga čini osetljivim na šapatom izrečene kritike, nešto poput želje „dobrog dečka" da udovolji svima. Još od poznih šezdesetih godina prošlog veka, kad je uz Garsiju Markesa, Hulija Kortasara i Karlosa Fuentesa postao deo tvrdog jezgra „buma" nove hispanoameričke proze, Vargas Ljosa je imao potrebu da knjigama odgovara na žaoke i kritčke primedbe. Kad su mu posle tri vrhunska romana – *Grad i psi*, *Zelena kuća*, *Razgovor u katedrali* – neki kritičari počeli da prebacuju kako u njegovim knjigama nema humora i kako, navodno, piše stisnutih zuba, objavio je potpuno drukčiju, krajnje duhovitu knjigu *Pantaleon i posetiteljke*; kad su petnaestak godina kasnije počeli da se čuju komentari kako Vargas Ljosa više nije onaj stari i kako je postao previše opterećen političkom dimenzijom svojih knjiga, demantovao je takve glasine intimističkim romanom *Pohvala pomajci,* prepunim erotskog naboja. Bilo bi možda preterano reći da je neke od svojih najpopularnijih knjiga peruanski pisac napisao iz inata, ali je izvesno da su mnoge od njih bile neočekivana književna osveta zlim jezicima. U takve knjige spada i roman *Avanture nevaljale devojčice,* promovisan kao avanturističko-ljubavno štivo koje traje decenijama i dešava se uzduž i popreko globusa. Da li je posredi novo iznenađenje? Da li je peruanski pisac rešio da se opet osveti onima koji ga kritikuju i napiše takoreći jedan *new age* roman, ili jedan „žućkasti" ljubavni roman? Dve najbolje Vargasove knjige u poslednjih deset godina *Jarčeva proslava* i *Raj na drugom ćošku* romansirane su biografije dominikanskog diktatora Truhilja, Pola Gogena i Flore Tristan, njegove čuvene babe anarhistkinje. U njima se, osim ruke majstora, prepoznaje ogroman trud da se, uz pomoć dokumentacije, istorijskih podataka i njihove verne realističke obrade, minuciozno rekonstruišu epoha i sredina u kojima se protagonisti kreću i razvijaju. Od rafiniranog jezičkog eksperimentatora koji menja nekoliko tačaka gledišta u jednoj jedinoj rečenici (*Razgovor u katedrali*) do „biografskih" knjiga napisanih u novom milenijumu, Vargas Ljosa kao da je napravio pun krug postepenog prečišćavanja svog proznog izraza i povratka na tradicionalne forme devetnaestovekovnog romana; u istom razdoblju takođe je napravio pun ideološki krug, sleva nadesno – od buntovnog levičarskog studenta do konzervativnog neoliberala koji na kraju milenijuma prihvata apoteozu vladavine slobodnog tržišta. Mnogima se to nije dopalo, i protumačili su takvo pomeranje kao znak nedoslednosti autora. Moguće je, međutim, da je Vargas Ljosa uvek i jedino bio samo veran svom vremenu i kako se ono kretalo, od revolucionarnih šeždesetih prema ultrakonzervativnom kraju milenijuma, tako su se te promene odražavale i njegovom delu.

Treba imati u vidu da je Marija Vargasa Ljosu oduvek najviše oduševljavao pozni realistički roman devetnaestog veka, smatrao ga je vrhuncem proznog stvaralaštva i sopstvenim uzorom. To nije sramota priznati: na kraju krajeva, niko ne zamera Džonu Irvingu što dan-danas u Novoj Engleskoj pokušava da piše kao Čarls Dikens. Dovoljno je samo proučiti *Neprekidnu orgiju*, Vargasovu mamutsku studiju o Floberu, pa se uveriti odakle ta gotovo opsesivna strast prema faktografiji, digresiji, pojedinostima kojima strpljivo nastoji da stvori iluziju gotovo dokumentarne verodostojnosti svojih knjiga. U nekima od njih, u doba kad je pokušao da se aktivno bavi politikom – kao predsednički kandidat protiv Alberta Fuhimorija, na izborima u ranim devedesetim – rezultat nije bio na visini njegovog umetničkog dara; tada je napisao neka programska, gotovo pamfletska dela kao, na primer, *Lituma u Andima*. Kasnije, u pomenutim „biografskim" romanima, Vargasova kreativnost je pronašla neuporedivo bolji oslonac u dokumentarnosti, pripremajući teren za roman *Avanture nevaljale devojčice*, možda konačne tačke na prećutnu polemiku i istovremeno njegov odgovor na pitanje do koje mere se danas može biti istovremeno savremen i tradicionalan pisac.

Od kada je objavljen, roman *Avanture nevaljale devojčice* na čelu je mnogih lista bestselera, ali i probranih izbora književnih kritičara; *Njujork tajms* ga je svrstao među sto najboljih savremenih romana, u Evropi i Americi knjiga je postigla bukvalno milionske tiraže. Zavodljiva i varljivo laka za čitanje, ona u sebi nosi zamku iskusnog zanatlije: krajnje složenu sintaksu i višeslojnost značenja. Opisujući u vremenu i prostoru ljubavnu odiseju „dobrog dečka" i „nevaljale devojčice", pisac će bezbroj puta prekinuti svoju misao da bi u digresiji digresije saopštio u kojoj četvrti, u kojoj ulici, u kojoj kafani, za kojim stolom se dešavalo to što je imalo da se desi; šta su jeli a šta pili protagonisti kad su se na tom i tom mestu sreli; biće upletenih priča o čudesnoj gradnji lukobrana, o Parizu Sartra i Žilijet Greko i Londonu pop-revolucije, o javnim kućama Tokija i opskurnim kafanama Madrida; o rođenju i slomu peruanske levičarske gerile, o umetnicima, revolucionarima, prevodiocima i diplomatama, o umetnicima, revolucionarima, prevodiocima i diplomatama, o mikrokosmosima bogatih i siromašnih; preplitaće se istorijske i fiktivne ličnosti i priče, i na trenutke mnogi će čitalac pasti u iskušenje da se zapita je li zaista potrebna tolika minucioznost rekonstrukcije pre no što ga ona ne uvuče i proguta, dok grozničavo bude prevrtao stranice da vidi šta je posle bilo.

Može se slobodno reći da je romanom *Avanture nevaljale devojčice* Vargas Ljosa konačno zadovoljio svoj glavni hir: da u postmoderna vremena napiše veliki realistički roman. *Nevaljala devojčica* nije Ema Bovari dvadeset prvog veka, ali je po mnogo čemu u dijalogu s njom; određuje se prema Floberovom liku kao druga strana medalje. Ako je strast izazvala slom i na videlo iznela licemerje građanskog sistema vrednosti kod Floberove junakinje, upravo njeno potiskivanje – često prikazano kao „odsustvo" – jeste pravi *spiritus movens Nevaljale devojčice*. U oba romana ljubavna priča je, u stvari, samo pročelje dublje analize i kritike socijalnih nejednakosti, jedne freske raslojenog društva koje se razvija u nimalo simpatičnom pravcu. Stiče se, ipak, utisak da je Vargas Ljosa želeo da napravi i korak dalje: da dovede do ekstrema neki vanvremeni makijavelizam ljudi iz sloja bez prave prilike za uspeh u životu, rođen iz očaja društvene osujećenosti, istovremeno tragičan, uzaludan i patetičan, bez obzira na surovost i doslednost s kojima se sprovodi u delo. Kao da je osim slikara hteo da bude i sudija koji ima neku vrstu gorkog razumevanja za tu tragičnu vitalnost ljudi sa socijalnog dna, za njihovu uzaludnu, upornu, bespoštednu borbu kojoj sve podređuju i žrtvuju, bez obzira na neminovnost konačnog poraza na koji ih osuđuje neka surova društvena determinacija.

Da bi priču učinio istovremeno zanimljivom, univerzalnom i verodostojnom, Vargas Ljosa kao da je sledio Čestertonovu misao da je preterivanje mikroskop stvarnosti. Do krajnosti je zaoštrio suprotnosti svojih protagonista: bolesnu ambiciju da živi sred moći i bogatstva jedne inteligentne, sposobne žene sa društvenog dna, i dekadentnu neambicioznost obrazovanog čoveka iz dobre kuće, iz višeg građanskog staleža, pred kojim su svi putevi otvoreni još od dečačkih dana. U tom „preterivanju", Vargas Ljosa nije propustio da posegne za sopstvenim bogatim iskustvom dobrovoljnog izgnanika, svetskog putnika i erudite, čiji je dom već decenijama u Londonu, da bi priču smestio u nekoliko uzbudljivih svetskih prestonica, namerno je kiteći opisima i komentarima o svetu koji i te kako dobro poznaje. Rezultat je zato ubedljiva, žestoka, istovremeno ironično tužna, na momente komična priča, ispričana prekomernim baroknim realizmom, koja na raznim nivoima komunicira s najširim slojem mogućih čitalaca.

Branko Anđić
urednik biblioteke *Bolero*

I
ČILEANKICE

To je bilo čudesno leto. Došao je Peres Prado sa svojim orke-
strom od dvanaest muzičara da uveseli igranke u vreme karne-
vala u klubu *Terasas* u Mirafloresu[1] i *Loun Tenisu* iz Lime; na
Trgu Ačo organizovan je nacionalni šampionat u mambu, koji je
imao velikog uspeha uprkos pretnji kardinala Huana Gualberta
Gevare, nadbiskupa iz Lime, da će izopštiti sve parove koji su
učestvovali, a moj kraj „Vesela četvrt", koji su činile mirafloreske
ulice Dijego Fere, Huan Faning i Kolon, takmičio se u malom
fudbalu, biciklizmu, atletici i plivanju sa Ulicom San Martin, i
mi smo, naravno, pobedili.

Tog leta 1950. Ćopavi Lanjas je prvi put muvao jednu curu
– crvenokosu Seminauel – i ona mu je, na iznenađenje celog
Miraflonesa, rekla „da". Ćopavi je zaboravio na svoje šepanje
i od tada je išao ulicom prsivši se kao da je Čarls Atlas. Tiko
Tiravante je raskinuo sa Ilze i smuvao Lauritu, Viktor Oheda je
smuvao Ilze i raskinuo sa Inge, Huan Bareto je smuvao Inge i
raskinuo sa Ilze. U kraju je vladalo takvo sentimentalno prera-
spoređivanje da smo ostajali zbunjeni, ljubavi su se prekidale i
ponovo započinjale, i na subotnjim žurkama parovi koji su odla-
zili nisu uvek bili isti oni što su dolazili. „Kakva neozbiljnost!",

---

[1] Miraflores – rezidencijalna imućna četvrt u Limi. (Prim. prev.)

sablažnjavala se moja tetka Alberta, s kojom sam živeo od smrti svojih roditelja.

Talasi plaža u Mirafloresu lomili su se dva puta, daleko, prvi put na dvesta metara od obale, i do tamo smo išli mi hrabri da ih dočekamo grudima i puštali smo da nas nose jedno sto metara, do mesta gde su talasi umirali tek da bi se moćno povratili i ponovo lomili u drugom naletu, koji je nas što smo jurili za njima gurao do kamenčića plaže.

Tog izuzetnog leta, na žurkama u Mirafloresu svi su prestali da igraju valcer, korido, bluz, bolero i uarače, jer je mambo razbijao. Mambo, zemljotres koji je na žurkama u kraju sve parove – i dečje i adolescentske i zrele – naterao da se kreću, skaču, poskakuju i prave figure. I sigurno se isto dešavalo na žurkama van Mirafloresa, s one strane sveta i života, u Linseu, Brenji, Čoriljosu, ili još egzotičnijim četvrtima kao što su Viktorija, centar Lime, Rimak i Porvenir, gde mi iz Mirafloresa niti smo kročili niti smo mislili ikada da kročimo.

I kao što smo sa valcera, uaračea, sambe i polke prešli na mambo, takođe smo sa rolšua i trotineta prešli na bicikl, neki, kao na primer Tato Pop i Toni Ogledalo, na motocikl, a jedan ili dvojica čak i na automobil, kao lokalni rmpalija Lučin, koji je ponekad od tate krao ševrolet kabriolet i vozio nas sto na sat da napravimo krug po keju, od *Terasasa* do klanca Armendaris.

Ali najznačajniji događaj tog leta bio je dolazak u Miraflores iz Čilea, njihove daleke zemlje, dveju sestara čije su upadljivo prisustvo i neponovljiv način govora, brz, s gutanjem poslednjih slogova reči i s nedovršenim uzvikom na kraju rečenice koji je zvučao kao „pue", napravili revoluciju među nama, stanovnicima Miraflosesa koji smo upravo zamenili kratke pantalone dugim. I u meni, više nego u drugima.

Mlađa je izgledala starije i obrnuto. Starija se zvala Lili i bila je nešto niža od Lusi, godinu dana mlađe. Lili je imala najviše četrnaest-petnaest godina, a Lusi trinaest ili četrnaest. Pridev privlačna kao da je bio izmišljen za njih, ali iako Lusi jeste bila takva, nije bila baš kao njena sestra; ne samo zato što joj je kosa bila kraća i manje plava i što se oblačila ozbiljnije od Lili nego i zato što je bila ćutljivija i što je u plesu – iako je takođe pravila figure i izvijala se sa smelošću na koju se nijedna žiteljka Mirafloresa ne bi usudila – izgledala kao neka skromna, inhibirana i gotovo bezlična devojka u poređenju sa Lili, onom čigrom, onim plamenom na vetru, onom prikazom, kada su se puštale ploče na pikapu,[2] kada je treštao mambo i kada smo počinjali da igramo.

Lili je igrala kao živa vatra i vrlo graciozno, smeškala se i pevušila reči pesme, podizala ruke, pokazivala kolena i pokretala struk i ramena tako da je čitavo njeno malo telo, koje su tako zločesto i sa toliko krivina oblikovale njene suknje i bluze, izgledalo kao da se uvija, vibrira, i od glave do pete je učestvovalo u plesu. Onaj ko je igrao mambo s njom uvek bi izvukao deblji kraj, jer kako da sledi taj đavolski vihor razigranih nogu a da ne ispadne trapav? Nemoguće! Čovek bi od početka zaostajao za njom, vrlo svestan da su oči svih parova bile usredsređene na njene mambo poduhvate. „Kakva mala!“, zgražavala se moja tetka Alberta. „Igra kao Tongolele, kao igračica rumbe iz meksičkog filma.“ „Dobro, ne treba zaboraviti da je Čileanka“, odgovarala je sama sebi, „ženama iz te zemlje vrlina nije jaka strana.“

Ja sam se zaljubio u Lili do ušiju, na najromantičniji način da se čovek zaljubi – govorilo se takođe zacopati se. Tog nezaboravnog leta tri puta sam pokušao da je smuvam. Prvi put u gornjem parteru *Rikarda Palme,* bioskopa u Centralnom parku Mirafloresa, na nedeljnom matineu, ali nije pristala, rekla mi je da je još mlada da bi imala dečka. Drugi put na klizalištu koje je upravo tog leta otvoreno u dnu parka Salasar, i rekla mi je da neće, da treba da razmisli, jer iako sam joj se ja malo sviđao, roditelji su od nje tražili da nema dečka dok ne završi četvrti srednje, a ona je još bila u trećem. I poslednji put, nekoliko dana

---

[2] Engl.: *pick up* – glava gramofonske igle. (Prim. prev.)

pre velike gužve, u *Krem Riki* na Bulevaru Larko, dok smo pili milkšejk od vanile, i naravno, opet sam čuo „ne"; što bi mi rekla „da" kad smo već i ovako izgledali kao momak i devojka? Zar nas nisu uvek kod Marte, kad smo igrali igru istine, birali kao par? Zar nismo sedeli zajedno na plaži u Mirafloresu? Zar nije na žurkama najviše igrala sa mnom? Zašto bi mi onda formalno rekla „da" kad je ceo Miraflores mislio da smo par? S licem manekenke, tamnim i nestašnim očima i punim usnama, Lili je bila oličenje koketerije.

„Na tebi mi se sve sviđa", govorio sam. „Ali najviše način na koji pričaš." Bila je duhovita i originalna, po intonaciji i ritmu tako drukčija od Peruanki, a i zbog nekih izraza, reči i izreka od kojih smo mi iz kraja bili na sedmom nebu, pokušavajući da odgonetnemo šta znače i da li se u njima krije neki podsmeh. Lili je stalno govorila nešto dvosmisleno, pravila zagonetke, ili pričala neke viceve koji su bili toliko masni da su se devojke iz kraja zgražavale. „One male Čileanke su *užasne*", presuđivala je moja tetka Alberta, skidajući i stavljajući naočari nalik na profesorku, zabrinuta da te dve strankinje ne unište migrafloreski moral.

U Mirafloresu s početka pedesetih godina još nije bilo visokih zgrada; to je bila četvrt jednospratnih kućica, najviše dvospratnih, sa vrtovima i neizostavnim geranijumima, poncijanama, lovorima, bugenvilijama, travnjakom i terasama po kojima su se uspinjale kozja krv ili bršljan, s ljuljaškama gde su susedi čekali noć ćaskajući i udišući miris jasmina. U nekim parkovima bilo je bodljikave petlove kreste sa crvenim i ružičastim cvetovima, duž pravih, čistih trotoara raslo je drveće sučea, jakarande, kupine, a kolorit su davali kako cveće iz vrtova tako i žuta kolica sladoledžija firme *D'Onofrio* u belim mantilima sa crnim kapama, koji su obilazili ulice danju i noću, najavljujući svoje prisustvo sirenom čije je sporo zavijanje na mene imalo dejstvo varvarskog roga, kao iz praistorije. Još se čuo poj ptica u tom Mirafloresu gde su porodice sekle borove kada su devojke stasavale za udaju, jer ako to ne bi uradili, jadnice bi ostajale usedelice kao moja tetka Alberta.

Lili mi nikada nije rekla „da", ali istina je da smo izuzev te formalnosti u svemu drugom izgledali kao momak i devojka. Držali smo se za ruke na matine predstavama u bioskopima *Rikardo Palma, Leuro, Montekarlo* i *Kolina*, i mada se nije moglo reći da smo u mraku partera radili radnju kao parovi sa dužim stažom – raditi radnju bila je formula koja je obuhvatala sve, od bezazlenih poljubaca do cmakanja s jezikom i ružnog pipkanja, koje je svakog prvog petka valjalo priznati popu kao smrtni greh – Lili me je puštala da je poljubim u obraz, u ivicu uha, u ugao usana, i ponekad bi na sekund dotakla svojim usnama moje i udaljila ih s melodramatičnom grimasom: „Ne, ne, to ne, mršavko!" „Zacopan si, mršo, pečen si, mršo, istopićeš se koliko si se naložio, mršo", rugali su mi se drugovi iz kraja. Nikad me nisu zvali po imenu – Rikardo Somokursio, uvek nadimkom. Nisu ni najmanje preterivali: bio sam zaljubljen do ušiju u Lili.

Zbog nje sam se tog leta potukao s Lukenom, jednim od mojih najboljih drugova. Na jednom od onih okupljanja devojčica i momaka iz kraja na uglu Kolona i Dijega Ferea, u bašti Čakatlana, Luken je, praveći se duhovit, odjednom rekao da su Čileankice bile prostakuše jer nisu bile prave plavuše nego farbane i da su, meni iza leđa, u Mirafloresu počeli da ih zovu Blajhane. Zamahnuo sam da ga opalim direktom u bradu, on je eskivirao i otišli smo da rešimo sukob pesnicama na ćošku keja Rezerve, pored hridina. Nismo razgovarali cele nedelje sve dok nas na sledećoj žurki momci i devojke iz kraja nisu naterali da se pomirimo.

Lili je svako popodne volela da ide u taj ćošak parka Salasar pun palmi, tatula i zvončića, gde smo sa malog zida od crvene cigle posmatrali ceo zaliv Lime kao što kapetan broda sa komandnog mosta posmatra more. Ako je nebo bilo vedro – a mogao bih da se zakunem da je tog leta nebo stalno bilo bez

oblaka i da je sunce sijalo nad Mirafloresom ne izneverivši nije-
dan naš dan – tamo u dnu, na obzorju okeana video se crveni,
plamteći disk kako se oprašta sa zracima i užarenom svetlošću
dok tone u vodama Pacifika. Sa istim žarom s kojim je išla na
pričest na podnevnu misu u crkvu u Centralnom parku, Lili je
netremice gledala tu plamenu loptu i čekala trenutak kada će
more progutati poslednji zračak da zamisli želju koju će sunce
ili Bog da joj ostvari. I ja sam zamišljao želju, verujući samo
polovično da će se ostvariti. Naravno, uvek istu, da mi napokon
kaže „da", da budemo momak i devojka, da radimo radnju, da
se volimo, da budemo verenici, venčamo se i bogati i srećni
završimo u Parizu.

Otkako sam znao za sebe, maštao sam da živim u Parizu.
Verovatno krivicom mog tate, onih knjiga Pola Fevala, Žila Ver-
na, Aleksandra Dime i tolikih drugih koje me je terao da čitam
pre nego što je poginuo u nesreći zbog koje sam ostao siroče.
Ti romani su mi napunili glavu avanturama i ubedili me da je
u Francuskoj život bogatiji, veseliji, lepši i da je sve bolje nego
drugde. Zbog toga sam, osim mojih časova engleskog u Peru-
ansko-američkom institutu, uspeo da me tetka Alberta upiše
u *Francusku alijansu* u Bulevaru Vilson, gde sam išao tri puta
nedeljno da učim francuski. Iako sam voleo da se provodim s
ortacima iz kraja, bio sam priličan štreber, dobijao sam dobre
ocene i veoma sam voleo jezike.

Kada mi je džeparac to dozvoljavao, pozivao sam Lili na
čaj – još nije ušlo u modu reći „snek" – u *Tjendesitu blanku*, sa
snežnobelom fasadom, stočićima i nadstrešnicama na pločniku
i kolačima kao iz bajke – glazirani biskviti, medenjaci punjeni
belim filom, rolati! – na samom ćošku Bulevara Larko, Bulevara
Arekipa i Aleje Rikardo Palma, osenčene krošnjama visokih
fikusa.

Odlazak sa Lili u *Tjendesitu blanku* na sladoled i parče torte,
bila je sreća, nažalost gotovo uvek pomračena prisustvom njene
sestre Lusi, koju sam morao da trpim na svim izlascima. Ona

je sasvim mirno bila treća rupa na svirali, uništavajući mi plan i sprečavajući me da ćaskam nasamo sa Lili i da joj kažem sve lepe stvari koje sam maštao da joj šapnem na uho. Ali čak i kada je zbog Lusinog prisustva naš razgovor morao da zaobiđe izvesne teme, bilo je neprocenjivo biti pored nje, gledati ples njene kose kad god pomeri glavu, vragolasti sjaj njenih očiju boje tamnog meda, slušati kako priča, tako drukčije, i ponekad, kad je neoprezna, u dekolteu njene pripijene bluze ugledati početak onih malih grudi koje su se već ocrtavale, okrugle, sa nežnim kružićima i bez sumnje čvrste i glatke kao mlade voćke.

„Ja ne znam šta radim ovde sa vama kao treća rupa na svirali", izvinjavala se ponekad Lusi. Ja sam je lagao: „Šta ti je, nama je lepo u tvom društvu, zar ne, Lili?" Lili se smejala i uzvikivala: „Da, puuuuuuu...", dok joj je u zenicama iskrio podsmešljivi đavolak.

Tog leta je bilo u modi šetati Bulevarom Pardo, pod alejom fikusa preplavljenom pticama pevačicama, između kućica sa obe strane ulice po čijim su vrtovima i terasama trčkarala deca pod nadzorom guvernanti u belim uštirkanim uniformama. Kako je zbog Lusinog prisustva bilo teško pričati sa Lili o onome što bih želeo, razgovarao sam o običnim temama: planovima za budućnost, na primer, kada diplomiram, postanem advokat i odem u Pariz sa diplomatskim statusom – jer tamo, u Parizu, živeti znači živeti, Francuska je zemlja kulture – ili se možda posvetim politici, da malo pomognem ovom jadnom Peruu da ponovo postane veliki i napredan, zbog čega bih morao malo da odložim put u Evropu. A šta bi one volele da budu, da rade, kad porastu? Lusi, razborita, imala je vrlo određene ciljeve: „Pre svega da završim školu. Posle toga, da nađem dobar posao, možda u nekoj prodavnici ploča, mora da je strašno zanimljivo." Lili je razmišljala o nekoj turističkoj agenciji ili avio-kompaniji, da bude stjuardesa, ako ubedi roditelje, tako bi besplatno putovala po celom svetu. Ili možda glumica, ali nikada ne bi dozvolila da je snimaju u bikiniju. Da puno putuje, da upozna sve zemlje, to je bilo ono što joj se najviše sviđalo. „Dobro, bar poznaješ dve zemlje, Čile i Peru, šta još hoćeš?", govorio sam joj ja. „Uporedi se sa mnom, koji nikada nisam izašao iz Mirafloresa."

Stvari koje je Lili pričala o Santjagu bile su za mene predvorje pariskog neba. Sa kakvom zavišću sam je slušao! Tamo, za razliku od Perua, na ulicama nije bilo siromaha ni prosjaka, dečake i devojčice roditelji su puštali da ostaju na žurkama do jutra, da plešu *cheek to cheek* i nikada nije moglo da se vidi, kao ovde, kako matorci, mame, tetke, uhode mlade dok igraju pa da ih grde ako odu predaleko. U Čileu su dečake i devojčice puštali da uđu na filmove za odrasle i od petnaeste godine više nisu morali da se kriju kad puše. Tamo je život bio zabavniji nego u Limi jer je bilo više bioskopa, pozorišta, predstava, zabava sa orkestrima, i iz Amerike su u Santjago stalno dolazile klizačke, baletske, muzičke grupe i na svakom poslu Čileanci su zarađivali dva-tri puta više nego Peruanci ovde.

Ali, ako je bilo tako, zašto su roditelji Čileanki ostavili tu divnu zemlju da bi došli u Peru? Jer oni nisu bili bogati nego, očigledno, siromašni. Pre svega, nisu živeli kao mi, devojke i momci iz „Vesele četvrti", u kućama sa batlerima, kuvaricama, poslugom i baštovanima, nego u stanu, u nekoj uskoj trospratnoj zgradi u Ulici Esperansa, blizu restorana *Gambrinus*. A u Mirafloresu tih godina, za razliku od onoga što će se dogoditi nešto kasnije, kada su počele da niču zgrade i da nestaju kuće, u stanovima su živeli samo siromasi, ta beznačajna ljudska vrsta kojoj su – ah, kakva šteta – izgleda pripadale Čileankice.

Nikada nisam video njihove roditelje. One nikada nisu pozvale kući ni mene, niti bilo koju devojku ili dečka iz kraja. Nikada nisu ni slavile rođendan ni napravile žurku, niti nas pozvale na čaj, ni da se igramo, kao da su se stidele da vidimo kako je skromno mesto gde žive. Meni je to što su sirote i stide se zbog svega što nemaju izazivalo sažaljenje, povećavalo moju ljubav prema Čileanki i budilo nesebičnost: „Kada se Lili i ja venčamo, sa nama će živeti cela njena porodica."

Ali mojim drugovima, a posebno mojim drugaricama iz Mirafloresa, budilo je nepoverenje to što nam Lusi i Lili nisu otvarale vrata svoje kuće. „Zar su toliko sirote da ne mogu da organizuju nijednu žurku?", pitale su se. „Možda nisu sirote, nego cicije", pokušavao je da popravi stvar Tiko Tiravante, pogoršavajući je.

Momci iz kraja su odjednom počeli da govore loše o Čileankicama zbog načina na koji su se šminkale i oblačile, da se rugaju njihovoj oskudnoj odeći – svi smo napamet znali te suknjice, bluzice i sandale koje su, da se ne bi primećivalo, kombinovale na sve moguće načine – a ja sam ih branio, pun plemenitog gneva, ta ogovaranja bila su zavist, pakosna zavist, otrovna zavist, jer na žurkama Čileankice nikada nisu sedele, svi momci su stajali u redu da ih pozovu na ples – „Jer puštaju da ih stiskaju, ko bi tako sedeo", govorila je Laura – ili zato što su na okupljanjima u kraju, na igrama, na plaži, ili u parku Salasar, uvek bile u centru pažnje, i svi momci bi se sjatili oko njih, dok su ostale... – „Jer se prave važne i bezobrazne su zato što se pred njima usuđujete da pričate masne viceve koje mi ne bismo dopustile!", prelazila je Teresita u protivnapad – i, na kraju, zato što su Čileankice bile divne, moderne, dovitljive, a one, naprotiv, izveštačene, zaostale, staromodne, licemerne i pune predubeđenja. „Sa ponosom!", odgovarala je nadmeno Ilze.

Ali iako su ih ogovarale, devojčice iz „Vesele četvrti" i dalje su ih pozivale na žurke i izlazile s njima u grupi na plaže u Mirafloresu, na misu nedeljom u podne, na matinee i u obavezne šetnje po parku Salasar, od sumraka pa do prvih zvezda, koje su tog leta svetlucale na nebu Lime od januara do marta, a da ih – siguran sam – ni jednog jedinog dana nisu sakrili oblaci, kako to uvek biva u ovom gradu, četiri petine dana u godini. Radile su tako jer smo im mi, momci, to tražili i zato što su, u suštini, devojčice u Mirafloresu bile Čileankicama fascinirane kao ptičica kobrom koja je hipnotiše pre nego što je proguta, svetica grešnicom, anđeo đavolom. Zavidele su strankinjama iz te daleke zemlje Čilea na slobodi koju one nisu imale, da izlaze svuda i ostaju da se šetaju ili plešu do kasno, ne tražeći dozvolu da ostanu još malo, što njihovi tata ili mama, ili starija sestra ili tetka, nisu dolazili da kroz prozor uhode s kim i kako igraju ili da ih odvedu kući jer je već bila ponoć, vreme kada pristojne devojke ne igraju niti razgovaraju s muškarcima na ulici – to su radile uobražene, prostakuše i Indijanke – nego u svojim kućicama i u svojim krevetima lepo spavaju. Zavidele su im što su tako opuštene, što igraju tako neusiljeno, ne razmišljajući da li im se vide kolena i što mrdaju ramenima, grudima i guzom kao nijedna devojka u Mirafloresu, i što možda dopuštaju sebi takve slobode s momcima kakve se one nisu usuđivale ni da zamisle. Ali ako su bile tako slobodne, zbog čega ni Lili ni Lusi nisu htele da imaju dečka? Zbog čega su odbijale sve nas koji smo ih muvali? Nije Lili samo mene odbila; i Lala Molfina i Luča Klauksa, a Lusi je rekla „ne" Lojeru, Pepeu Kanepi i šminkeru Huliju Bjenvenidi, prvom Miraflorcu kome su roditelji poklonili folksvagen kada je napunio petnaest godina, iako nije završio školu. Zbog čega Čileankice, kada su bile tako slobodne, nisu htele da imaju dečka?

Ta i druge tajne vezane za Lili i Lusi neočekivano su se razjasnile 30. marta 1950, poslednjeg dana tog nezaboravnog leta, na žurki debeljuce Marirose Alvares-Kalderon; žurka koja će obeležiti epohu i zauvek ostati u pamćenju svih prisutnih. Kuća porodice Alvares-Kalderon, na uglu 28. jula i La Pasa, bila je najlepša u Mirafloresu, a možda i u Peruu, sa vrtovima i visokim drvećem, tipuanama sa žutim cvećem, zvončićima, ružičnjacima i bazenom sa pločicama. Marirosine žurke su uvek bile sa orkestrom i mnoštvom konobara, koji su tokom noći služili kolače, zalogajčiće, sendviče, sokove i sve vrste bezalkoholnih pića, žurke za koje smo se mi pozvani pripremali kao da ćemo se popeti na nebo. Sve je bilo fantastično dok se nisu pogasila svetla; nas stotinak dečaka i devojčica okružili smo Marirosu i otpevali joj *Happy Birthday*, a ona je dunula i ugasila petnaest svećica na torti, i stali smo u red da je, kao što je uobičajeno, izljubimo.

Kada su Lili i Lusi došle na red da je zagrle, Marirosa, srećno prasence čije je salce kipelo iz ružičaste haljine s velikom mašnom na leđima, širom je otvorila oči nakon što ih je poljubila u obraz:

– Vi ste Čileanke, zar ne? Upoznaću vas sa mojom strinom Adrijanom. I ona je Čileanka, upravo je stigla iz Santjaga. Dođite, dođite.

Uhvatila ih je za ruke i odvela ih u kuću dovikujući: – Strina Adrijana, strina Adrijana, imam za tebe iznenađenje!

Kroz stakla velikog prozora, osvetljenog pravougaonika koji je uokvirivao veliku salu s ugašenim kaminom, zidove sa pejzažima i portretima u ulju, foteljama, sofama, tepisima i desetak gospođa i gospode sa čašama u rukama, video sam kako nekoliko trenutaka kasnije uleće Marirosa sa Čileankicama; uspeo sam letimično da vidim vitku figuru jedne vrlo visoke, vrlo doterane, vrlo lepe gospođe, sa cigaretom koja se dimila na vrhu dugačke muštikle, kako sa predusretljivim osmehom prilazi da pozdravi svoje mlade zemljakinje.

Otišao sam da popijem sok od manga i da krišom popušim jedan vajsroj, između kabina za presvlačenje kod bazena. Tamo sam sreo Huana Bareta, mog prijatelja i druga iz škole Šampanjat, koji se takođe osamio da popuši. Iznenada me je pitao:

– Je l' imaš nešto protiv da muvam Lili, mršavi?

Znao je da, iako tako izgleda, mi nismo bili par i takođe je znao – kao i svi, precizirao je – da sam tri puta pokušao da je smuvam i da me je sva tri puta odbila. Odgovorio sam mu da sam i te kako protiv toga, jer iako me je Lili odbila, to je bila njena mala igra – u Čileu su devojke takve – ali da joj se ja u stvari sviđam, da smo nas dvoje zapravo kao momak i devojka i da sam to veče, pri tom, počeo da je muvam četvrti i poslednji put i da se ona spremala da pristane kad se pojavila torta sa petnaest svećica za debeljucu i prekinula nas. Ali sad kad završi razgovor sa Marirosinom strinom i kad se vrati, nastaviću da je muvam i ona će pristati, i od te večeri će biti moja devojka u pravom smislu reči.

– Ako je tako, moraću da muvam Lusi – pomirio se sa sudbinom Huan Bareto. – Štos je u tome što se meni sviđa Lili, ortak.

Ohrabrio sam ga da muva Lusi i obećao mu da ću dati sve od sebe da ona pristane. On i Lusi i ja i Lili bismo bili fenomenalna četvorka.

Dok smo Huan Bareto i ja razgovarali pored bazena i gledali kako na pisti za ples igraju parovi u ritmu orkestra braće Ormenjo – možda nije orkestar Peresa Prada, ali je bio odličan, koje trube!, koje udaraljke! – popušili smo dva vajsroja. Zašto je Marirosi palo na pamet da baš u tom trenutku upozna svoju strinu sa Lusi i Lili? Šta su toliko naklapale? Kvario mi se plan, do đavola. Jer, uistinu, kada su najavili tortu sa petnaest svećica, ja sam već bio počeo moju četvrtu – i bio sam siguran, ovoga puta uspešnu – izjavu ljubavi Lili, nakon što sam ubedio orkestar da odsvira *Me gustas*,[3] najprigodniji bolero za muvanje devojaka.

Trebala im je čitava večnost da se vrate. I vratile su se preobražene: Lusi vrlo bleda i sa podočnjacima, kao da je videla duha i da se oporavlja od nekog natprirodnog šoka, a Lili namrgođena, s kiselom grimasom – oči su joj sevale – kao da su je tamo unutra one gospođe i gospoda, oni lovani, doveli u nezgodnu situaciju. Odmah sam je pozvao da igramo, jedan od onih mamba koji su bili njen specijalitet – *Mambo broj pet* – i nisam mogao da verujem, Lili nije mogla da se sastavi, gubila je ritam, zbunjivala se, grešila je, spoticala se, spala joj je mornarska kapica, dajući joj pomalo smešan izgled. Nije se ni potrudila da je popravi. Šta se desilo?

Siguran sam da su po završetku *Mamba broj pet* svi na žurki znali, jer se debeljuca pobrinula da razglasi. Kako li se nasla-

---

[3] Šp.: *Me gustas* – sviđaš mi se. (Prim. prev.)

đivala ta žvakara dok je sve to prepričavala, onako detaljno, kiteći i preuveličavajući priču, i istovremeno širom otvarala oči od radoznalosti, zaprepašćenja i sreće! Kakvu nezdravu radost mora da su osetile – kakva zadovoljština, kakva sramota! – sve devojke u kraju koje su toliko zavidele tim Čileankicama pristiglim u Miraflores da naprave revoluciju u običajima nas dece koja smo tog leta položili ispit za adolescente!

Ja sam poslednji saznao, kada su Lili i Lusi već misteriozno nestale, ne pozdravivši se ni sa Marirosom niti bilo s kim – „Gutajući sramotu", presudila bi moja tetka Alberta – i kada se tajanstveno šuškanje već proširilo po celom podijumu za igru i uzbudilo stotinak dečaka i devojčica koji su se, zaboravivši na orkestar, na svoje momke i devojke, na to da rade radnju, sašaptavali, ponavljali, uzbunjivali, uzbuđivali, širom otvarajući oči užagrele od ogovaranja: „Je l' znaš? Jesi li čuo? Šta kažeš? Shvataš? Zamisli, zamisli!" „Nisu Čileanke! Ne, nisu! Čista izmišljotina! Niti su Čileanke niti znaju išta o Čileu! Lagale su! Prevarile nas! Sve su izmislile. Marirosina strina ih je raskrinkala! Kakve razbojnice, kakve razbojnice!"

Bile su obične Peruankice. Jadne! Sirotice! Strina Adrijana, koja je tek došla iz Santjaga, sigurno je doživela iznenađenje svog života kada je čula kako govore s onim akcentom koji je nas tako dobro varao, ali ga je ona odmah prepoznala kao obmanu. Kako su li se Čileankice loše osećale kada je debeljucina strina, razotkrivajući farsu, počela da im postavlja pitanja o porodici u Santjagu, o kraju u kojem su živele u Santjagu, o školi u kojoj su učile u Santjagu, o rodbini i prijateljima njihove porodice u Santjagu, terajući Lusi i Lili da progutaju najgorču pilulu njihovog kratkog života, iživljavajući se nad njima sve dok, kada su izašle iz sale, duševno uništene i fizički razorene, nije mogla da pred svojim rođacima i prijateljima i zapanjenom Marirosom izjavi: „Ma kakve Čileanke! Ove devojčice nikad nisu kročile u Santjago i isto su toliko Čileanke kao što sam ja Tibetanka!"

Tog poslednjeg dana leta 1950 – i ja sam upravo napunio petnaest godina – počeo je moj stvarni život, onaj koji razdvaja kule u vazduhu, iluzije i mitove od gole stvarnosti.

Kompletnu priču o lažnim Čileankicama nisam saznao precizno, niti je znao iko izuzev njih, ali jesam čuo razna nagađanja, ogovaranja, izmišljanja i navodna otkrića koja su, kao neki bučan trag, dugo pratila lažne Čileankice kada su one prestale da postoje – da tako kažem – pošto nikada više nisu bile pozvane na žurke, ni na igre, ni na čaj, ni na okupljanja u kraju. Zli jezici su govorili da iako ih pristojne devojke iz „Vesele četvrti" i celog Mirafloresa više nisu viđale i okretale su glavu kada bi ih srele na ulici, dečaci, momci, muškarci ih jesu tražili, krišom, kao što se traže devojčure – a šta su drugo bile Lili i Lusi nego dve devojčure iz neke četvrti poput Brenje ili Porvenira koje su se, da bi sakrile svoje poreklo, predstavile kao strankinje kako bi se uvukle među pristojne ljude u Mirafloresu – da rade radnju s njima, one stvari koje su samo Indijanke i devojčure dopuštale da im rade.

Kasnije su, pretpostavljam, svi polako zaboravljali Lili i Lusi, jer su druge osobe, druge teme, zamenile tu avanturu poslednjeg leta našeg detinjstva. Ali ja ne. Ja ih nisam zaboravio, naročito ne Lili. I mada su protekle tolike godine i Miraflores se toliko promenio – a isto tako i običaji, izgubile su se barijere i predrasude koje su se ranije tako napadno isticale, a sada se kriju – ja sam je zadržao u pamćenju i ponekad je se setim, čujem nestašni smeh i vidim podsmešljivi pogled njenih očiju boje tamnog meda, vidim je kao se njiše kao trska u ritmu mamba. I dalje mislim da je, uprkos tome što sam proživeo toliko leta, to bilo najčudesnije od svih.

II
GERILAC

Meksiko lindo je bio na uglu ulica De Kanet i Gizard, na korak
od Trga Sen Silpis, i moje prve godine u Parizu kad sam bio u
stisci s novcem, mnogo noći sam odlazio na zadnja vrata tog
restorana da sačekam da se Paul pojavi s malim paketom tama-
la, tortilja, karnita ili enčilada, koje bih pojeo u svom potkrovlju
u hotelu *Senat* pre nego što se ohlade. Paul je počeo da radi u
Meksiko lindu kao pomoćnik u kuhinji i ubrzo je, zahvaljujući
svojim kulinarskim sposobnostima, unapređen u pomoćnika
glavnog kuvara, i kada je ostavio sve da bi se telom i dušom
posvetio revoluciji, već je bio glavni kuvar u restoranu.

Tada, početkom šezdesetih godina, Pariz je živeo u groznici
kubanske revolucije i vrveo je od mladih sa svih pet kontinenata
koji su kao Paul maštali da u svojim zemljama ponove podvig
Fidela Kastra i njegovih bradonja i pripremali se za to, ozbiljno
ili u igri, u kafanskim zaverama. Osim što je zarađivao za život
u *Meksiko lindu*, kad sam ga upoznao nekoliko dana nakon što
sam došao u Pariz, Paul je išao na neke kurseve iz biologije na
Sorboni, koje je takođe napustio zbog revolucije.

Sprijateljili smo se u jednom kafeu u Latinskoj četvrti gde se
okupljala jedna grupa nas Južnoamerikanaca koje je Sebastijan
Salasar Bondi u svojoj knjizi priča nazvao *Jadni ljudi iz Pariza*.
Kada je Paul saznao za moje probleme, predložio mi je da mi

pomogne u pogledu hrane pošto je u *Meksiko lindu* nje bilo na pretek. Ako u deset uveče dođem do sporednih vrata, ponudiće mi „besplatnu i toplu gozbu", nešto što je već činio sa drugim siromašnim zemljacima.

Imao je najviše dvadeset četiri ili dvadeset pet godina, i bio je burence s nogama – vrlo, vrlo debeo – simpatičan, druželjubiv i pričljiv. Uvek je imao širok osmeh na licu i zbog toga naduvane obraze. U Peruu je nekoliko godina studirao medicinu i neko vreme je proveo u zatvoru zato što je bio jedan od organizatora čuvenog štrajka na Univerzitetu San Markos, 1952. godine za vreme diktature generala Odrije. Pre nego što je došao u Pariz, proveo je godinu-dve u Madridu, gde se oženio jednom devojkom iz Burgosa. Upravo su dobili dete.

Živeo je u Mareu, koji je onda, pre nego što je Andre Malro, ministar kulture generala De Gola, započeo veliko čišćenje i obnovu starih rastočenih i prljavih vila iz sedamnaestog i osamnaestog veka, bio kraj zanatlija, stolara, obućara, šnajdera, siromašnih Jevreja i velikog broja studenata i umetnika bez para. Osim tih brzih susreta na sporednim vratima *Meksiko linda*, sastajali smo se obično i u podne u *Petit sursu* kod Odeona ili na terasi *Klinija*, na uglu Sen Mišela i Sen Žermena, da popijemo kafu i ispričamo jedan drugom svoje dogodovštine. Moje su se sastojale isključivo og brojnih pokušaja da nađem posao, što nije bilo nimalo lako jer moja titula advokata sa peruanskog univerziteta nije impresionirala nikoga u Parizu, kao ni činjenica da sam se dobro snalazio na engleskom i francuskom. A njegove su bile pripreme za revoluciju koja će od Perua napraviti drugu socijalističku republiku u Latinskoj Americi. Jednog dana kada me je odjednom upitao da li bi me interesovalo da dobijem stipendiju za vojno obrazovanje na Kubi, rekao sam Paulu da me, iako mi je on lično krajnje simpatičan, politika ni najmanje ne interesuje; štaviše, mrzeo sam je i svi moji snovi su se svodili na to – izvinjavam se zbog sitnoburžoaske osrednjosti, drugar – da nađem stabilan posao koji bi mi omogućio da neupadljivo pro-

vedem svoje preostalo vreme u Parizu. Rekao sam mu takođe
da mu ne pada na pamet da mi priča išta o svojim zaverama, da
ne želim da živim s teskobom da će mi se oteti neka informacija
koja bi mogla da nanese štetu njemu i njegovim drugovima.

– Ne brini. Imam poverenja u tebe, Rikardo.

Imao je, zaista, i to toliko da me nije poslušao. Pričao mi je
sve što je radio, pa čak i najpoverljivije detalje složenih revolu-
cionarnih priprema. Paul je pripadao Pokretu revolucionarne
levice, MIR,[4] koji je osnovao Luis de la Puente Useda, jedan
disident Aprističke partije.[5] Kubanska vlada je MIR-u dodelila
stotinak stipendija da peruanski momci i devojke dobiju geril-
sku obuku. To su bile godine sukoba Pekinga i Moskve i u tom
trenutku je izgledalo da će se Kuba prikloniti maoističkoj liniji,
iako je na kraju, iz praktičnih razloga, ušla u savez sa Sovjetima.
Usled stroge blokade koju su SAD nametnule ostrvu, stipendisti
su morali da prođu kroz Pariz na putu ka svom odredištu i Paul
je tada imao muke da ih negde smesti.

Ja sam mu pomagao u tim logističkim operacijama da re-
zerviše sobe u krajnje bednim hotelima – „koje drže Arapi",
govorio je Paul – u koje smo zbijali po dvoje, a ponekad po
troje budućih gerilaca u neku bednu sobicu ili u *chambre de
bonne*[6] nekog Latinoamerikanca ili Francuza spremnog da dâ
svoj prilog svetskoj revoluciji. Jednom sam u svom potkrovlju
hotela *Senat* u Ulici Sen Silpis, krišom od upravnice madam
Okler smestio jednog od tih stipendista.

Činili su vrlo raznovrsnu faunu. Mnogi su bili studenti knji-
ževnosti, prava, ekonomije, nauke i pedagogije sa San Mar-
kosa koji su bili aktivisti u Komunističkoj omladini i drugim

---

[4] Šp.: MIR: *Movimiento de la Izquierda Revolucionaria* – Pokret revoluci-
onarne levice. (Prim. prev.)

[5] Šp.: APRA: *Alianza Popular Revolucionaria Americana* – Narodni revo-
lucionarni američki savez; peruanska partija. (Prim. prev.)

[6] Franc.: *chambre de bonne* – potkrovlje. (Prim. prev.)

levičarskim organizacijama, i osim stanovnika Lime, pojavlji-
vali su se mladići iz provincije, pa čak i neki seljaci, Indijanci
iz Pune, Kuska i Ajakuča, ošamućeni od skoka u Pariz iz svojih
andskih sela i zajednica, gde su ko zna kako regrutovani. Sve
su gledali zbunjeno. Iz malobrojnih rečenica koje sam sa njima
razmenjivao na putu od Orlija do njihovog hotela, ponekad su
mi ostavljali utisak da im nije mnogo jasna vrsta stipendije koju
će imati, niti da dobro shvataju iz čega se sastojala obuka koju
će dobiti. Nisu svi dobili stipendiju u Peruu. Neki su je dobili
u Parizu, u šarolikoj masi Peruanaca – studenata, umetnika,
avanturista, boema – koji su skitali po Latinskoj četvrti. Među
njima je najoriginalniji bio moj prijatelj Alfonso Spiritista, koga
je u Francusku poslala neka teozofska sekta iz Lime, na studije
parapsihologije i teozofije, a Paulova elokvencija ga je otela od
duhova i smestila u svet revolucije. To je bio jedan bledunjav,
stidljiv momak koji je jedva otvarao usta i u njemu je bilo ne-
što bestelesno i odsutno, kao prožeto preranom duhovnošću.
U našim podnevnim razgovorima u *Kliniju* ili u *Petit sursu*,
ja sam nagoveštavao Paulu da mnogi od tih stipendista koje
je MIR slao na Kubu i ponekad u Severnu Koreju ili Narodnu
Republiku Kinu, koriste priliku za malo turizma i da se nikada
neće popeti na Ande, niti se zavući u Amazoniju s puškom o
ramenu i rancem na leđima.

– Sve je proračunato, stari moj – odgovorio mi je Paul, u pozi
stručnjaka koji ima na svojoj strani zakone istorije. – Ako se
polovina njih pokaže kao sposobna, revolucija je gotova stvar.

Jeste, MIR je radio stvari malo na brzinu, ali kako je mogao
da dozvoli sebi luksuz da se uspava? Nakon što se toliko godina
kretala kao puž, istorija je odjednom, zahvaljujući Kubi, postala
bolid. Trebalo je delovati učeći, saplićući se, ustajući. Nije bilo
vremena da se regrutuju mladi gerilci koji će polagati ispite
znanja, fizičke spremnosti i psihološke testove. Ono najvažnije
bilo je iskoristiti tih sto stipendija pre nego što ih Kuba ponu-
di drugim grupama – Komunističkoj partiji, Oslobodilačkom

frontu, trockistima – koje su se nadmetale ko će prvi sprovesti u delo peruansku revoluciju.

Većina stipendista po koje sam išao na Orli da ih odvedem u hotelčiće i pansione gde će zatvoreni provesti boravak u Parizu, bili su muškarci i to vrlo mladi, neki adolescenti. Jednog dana sam otkrio da među njima ima i žena.

– Idi po njih i odvedi ih u onaj hotelčić u Ulici Ge Lisak – zamolio me je Paul. – Drugarica Ana, drugarica Arlet i drugarica Eufrasija. Lepo se ponašaj prema njima.

Pravilo koje su stipendisti dobro naučili bilo je da ne govore svoja prava imena. Čak su i među sobom koristili nadimke ili ratna imena. Čim su se tri devojke pojavile, imao sam utisak da sam već negde video drugaricu Arlet.

Drugarica Ana je bila crnka živahnih pokreta, nešto starija od ostalih, i po onome što sam od nje čuo tog jutra i dva ili tri puta koliko sam je video, mora da je bila vođa sindikata učiteljica. Drugarica Eufrasija, krhka Kineskinja, izgledala je kao da ima petnaest godina. Bila je mrtva umorna zato što na dugom putovanju nije oka sklopila i povraćala je nekoliko puta od turbulencija. Drugarica Arlet je imala ljupku figuru, tanušan struk, bledu kožu i mada je, kao i ostale, bila obučena vrlo jednostavno – grube suknje i džemperi, bluze od perkala i neke velike ravne cipele s onim pertlama koje prodaju na pijaci – bilo je nečeg vrlo ženstvenog u načinu na koji je hodala i kretala se, a naročito kako je pućila svoje pune usne kada je postavljala pitanja o ulicama kroz koje je taksi prolazio. U njenim tamnim, izražajnim očima titralo je nešto nespokojno dok je posmatrala bulevare oivičene drvećem, simetrične zgrade i mnoštvo mladih oba pola s kesama, knjigama i sveskama koji su skitali po ulicama i bistroima oko Sorbone, na našem putu prema hotelčiću u Ulici Ge Lisak. Dali su im sobu bez kupatila i prozora, sa dva kreveta koje je trebalo da podele njih tri. Kada sam se opraštao, ponovio sam im Paulóve instrukcije: da se ne miču odatle sve dok u nekom trenutku posle podne on ne dođe i objasni im plan rada u Parizu.

Bio sam na vratima hotela i palio cigaretu pre polaska kada mi je neko dodirnuo rame:

– Od ovog sobička imam klaustrofobiju – osmehnula mi se drugarica Arlet. – Osim toga, ne dolazi čovek svaki dan u Pariz, do đavola.

Onda sam je prepoznao. Mnogo se promenila, naravno, naročito način na koji je govorila, ali je i dalje iz nje izbijao sav onaj nestašluk koji sam dobro pamtio, nešto smelo, spontano i provokativno, što se videlo u njenom izazivačkom držanju, isturenim grudima i licu, jedna noga malo pozadi, podignuta guza i podsmešljiv pogled koji je sagovornika ostavljao u nedoumici da li govori ozbiljno ili se šali. Bila je sitna, imala je male ruke i stopala, a kosa, sada crna a ne svetla, bila joj je povezana trakom i sezala joj je do ramena. I onaj tamni med u njenim zenicama.

Upozorivši je da je ono što ćemo uraditi bilo kategorički zabranjeno i da će zbog toga drug Žan (Paul) da nas grdi, odveo sam je da obiđe Panteon, Sorbonu, Odeon i Luskemburšku baštu i na kraju – veliki trošak za moj džep! – da ručamo u *Akropolju*, grčkom restorančiću u Ulici de l'Ansijen Komedi. Za ta tri sata razgovora ispričala mi je, kršeći prava revolucionarne konspiracije, da je studirala književnost i prava na Katoličkom univerzitetu i da je godinama bila aktivista u ilegalnoj Komunističkoj omladini i da je, isto kao i ostali drugovi, prešla u MIR jer je to bio pravi revolucionarni pokret, a ne kao ona prethodna, za današnje vreme jedna sklerotična i anahrona partija. Govorila mi je te stvari nekako mehanički, bez mnogo ubeđenja. Ja sam joj pričao o mojoj jurnjavi u potrazi za poslom da bih mogao da ostanem u Parizu i rekao joj da su sada sve moje nade bile položene u jedan konkurs za prevodioce sa španskog koji je objavio Unesko i biće održan idućeg dana.

– Drži sebi pesnice i kucni u sto tri puta da položiš – rekla mi je drugarica Arlet, vrlo ozbiljna, gledajući me netremice.

– Da li su takva sujeverja spojiva s naučnom doktrinom marksizma-lenjinizma? – provocirao sam je.

– Da se postigne ono što hoćeš, sve važi – smesta mi je vrlo odlučno odgovorila. Ali odmah se, sležući ramenima, osmehnula: – Još ću da se pomolim da položiš ispit, iako nisam religiozna. Hoćeš da me prijaviš partiji što sam sujeverna? Ne verujem. Imaš facu dobrog čoveka...

Nasmejala se i na obrazima su joj se napravile iste onakve rupice kakve je imala kao devojčica. Otpratio sam je do hotela. Ako se slaže, rekao sam, tražiću od druga Žana dozvolu da je izvedem da vidi druga mesta u Parizu pre nego što nastavi svoje revolucionarno putovanje. „Odlično", rekla je, pružajući mi nežnu ruku, koja je oklevala da se odvoji od moje. Gerilka je bila mnogo lepa i mnogo koketna.

Sledećeg jutra sam polagao ispit za prevodioce u Unesku sa još dvadesetak kandidata. Dali su nam da prevedemo šest prilično lakih tekstova sa engleskog i sa francuskog. Oklevao sam oko izraza „art roman", koji sam prvo preveo kao „rimska umetnost", ali sam kasnije u proveri shvatio da je reč o „romaničkoj umetnosti". U podne sam otišao sa Paulom da pojedemo po viršlu sa krompirićima u *Petit sursu* i bez okolišanja sam mu tražio dozvolu da izvedem drugaricu Arlet dok je u Parizu. Gledao me je lukavo i pravio se da mi drži predavanje:

– Kategorički je zabranjeno kresati drugarice. Na Kubi i u Narodnoj Republici Kini, za vreme revolucije, tucanje sa gerilkom moglo je da te dovede do streljanja. Zašto hoćeš da je izvedeš? Je l' ti se dopada?

– Pretpostavljam da mi se sviđa – priznao sam, pomalo postiđeno. – Ali ako to može da ti napravi neki problem...

– Onda ćeš da se uzdržiš? – nasmejao se Paul. – Nemoj da si licemer, Rikardo! Izvedi je a da ja ne saznam. Ali da mi posle sve ispričaš. I, pre svega, koristi kondom.

Tog istog popodneva otišao sam po drugaricu Arlet u njen hotelčić u Ulici Ge Lisak i odveo je na *steak frites*[7] u *Petit Oteleri*, u Ulici de l'Arp. A zatim u mali *boîte de nuit*[8] *Eskal* u Ulici Mesje le Prens, gde je tih dana Karmensita, jedna mlada Špankinja obučena sva u crno, kao Žilijet Greko, uz gitaru pevala, ili bolje rečeno recitovala stare stihove i republikanske pesme iz vremena građanskog rata. Popili smo nekoliko čaša ruma sa koka-kolom, piće koje je već počelo da se zove kuba libre.[9] Lokal je bio mali, mračan, zadimljen, topao, pesme epske i melanholične, još nije bilo mnogo ljudi, i pre nego što smo završili piće i nakon što sâm joj ispričao da sam zahvaljujući njenom veštičjem umeću i njenoj molitvi dobro prošao na ispitu Uneska, uhvatio sam je za ruku i, ukrstivši prste s njenima, pitao sam je da li je shvatila da sam već deset godina zaljubljen u nju.

Počela je da se smeje:

– Zaljubljen u mene a da me ne znaš? Hoćeš da kažeš da već deset godina čekaš da se jednog dana u tvom životu pojavi devojka kao što sam ja?

– Znamo se vrlo dobro, samo se ti ne sećaš – odgovorio sam joj vrlo polako, prateći njenu reakciju. – Onda si se zvala Lili i predstavljala si se kao Čileankica.

Mislio sam da će od iznenađenja povući ruku ili da će je nervozno zgrčiti, ali ništa od toga. Ostavila ju je mirno u mojim rukama, nimalo se ne uzbudivši.

– Šta kažeš? – promrmljala je. U polumraku se nagnula i lice joj se toliko primaklo mome da sam joj osetio dah. Njene okice su me proučavale pokušavajući da me odgonetnu.

– Je l' još uvek umeš onako dobro da imitiraš intonaciju Čileanki? – pitao sam je dok sam joj ljubio ruku. – Nemoj mi reći da

---

[7] Franc.: *steak frites* – biftek sa prženim krompirićima. (Prim. prev.)
[8] Franc.: *boîte de nuit* – noćni klub. (Prim. prev.)
[9] Šp.: *Cuba libre* – slobodna Kuba. (Prim. prev.)

ne znaš o čemu pričam. Ne sećaš se ni da sam ti tri puta izjavio ljubav i da si mi svaki put dala korpu?

– Rikardo, Rikardito, Ričard Somokursio! – uzviknula je veselo i sada jesam osetio stisak njene ruke. – Mršavi! Balavac koji je bio tako udešen da je izgledao kao da je upravo došao sa pričešća? Ha, ha! To si bio ti. Jao, kako je smešno! Još onda si imao facu nevinašceta.

Pa ipak, kad sam je trenutak kasnije pitao kako i zašto je njoj i njenoj sestri Lusi palo na pamet da se predstavljaju kao Čileankice kada su se preselile u Ulicu Esperansa u Mirafloresu, odlučno je rekla da ne zna o čemu govorim. Otkud mi tako nešto? Reč je o drugim osobama. Niti se ona ikada zvala Lili, niti je imala sestru, niti je ikada živela u tom lovanskom kraju. To će ubuduće biti njen stav: da mi poriče priču o Čileankicama, iako bi ponekad, kao te noći u baru *Eskal* kada mi je rekla da u meni prepoznaje polušašavog balavca od pre deset godina, i iz nje nešto izbijalo – neka slika, neka aluzija – što ju je odavalo kao lažnu Čileankicu iz našeg detinjstva.

Ostali smo u baru *Eskal* do kasnih sati i mogao sam da je ljubim i mazim, ali mi nije uzvraćala. Nije sklanjala usne kada sam ih tražio; ali nije činila ni najmanji pokret da odgovori, puštala je ravnodušno da je ljubim i, naravno, nikada nije otvarala usta da bih mogao da osetim njenu pljuvačku. I njeno telo je izgledalo kao santa leda kada su je moje ruke milovale po struku, ramenima, i zaustavljale se na čvrstim grudima sa nabubrelim bradavicama. Ostala je mirna, pasivna, rezignirana pred tim izlivima, kao kraljica pred počastima vazala sve dok me, potpuno prirodno, primetivši da moja milovanja postaju smelija, nije udaljila.

– Ovo je moja četvta izjava ljubavi, Čileankice – rekao sam joj na vratima hotelčića u Ulici Ge Lisak. – Je li odgovor najzad „da"?

– Videćemo – dobacila mi je poljubac, udaljavajući se. – Ne gubi nadu, dobri dečko.

Tokom narednih deset dana drugarica Arlet i ja smo imali nešto nalik na medeni mesec. Viđali smo se svakodnevno i ja sam tom prilikom spiskao sav novac koji mi je ostao od pošiljaka tetke Alberte. Vodio sam je u Luvr i Že de Pom, u Rodenov muzej i kuće Balzaka i Viktora Igoa, Kinoteku u Ulici d'Ilm, na predstavu Narodnog nacionalnog pozorišta reditelja Žana Vilara (gledali smo Čehovljevu dramu *Platonov* u kojoj je sam Vilar igrao protagonistu), i u nedelju smo uzeli voz za Versaj, gde smo, nakon posete palati, dugo šetali po šumi; iznenadila nas je kiša i skroz smo pokisli. Tih dana svako bi nas smatrao ljubavnicima, jer smo se sve vreme držali za ruke i ja sam je, koristeći svaki, izgovor ljubio i milovao. Ona me je puštala, ponekad veselo, drugi put ravnodušno i uvek je moje izlive osećanja okončavala grimasom nestrpljenja: „Sad dosta, Rikardo." Ponekad, retko, ona je preuzimala inicijativu i rukom bi mi popravila ili razbarušila pramen kose ili bi mi oštrim prstom prešla po nosu ili usnama kao da želi da ih poravna, milovanje koje je podsećalo na gazdaricu nežnu prema svojoj kuci.

Iz te desetodnevne intimnosti izvukao sam izvestan zaključak: za politiku uopšte i revoluciju posebno drugaricu Arlet nije bilo briga. Verovatno je bila izmišljotina i njena aktivnost u Komunističkoj omladini i posle u MIR-u, kao i njene studije na Katoličkom univerzitetu. Ne samo da više nije govorila o političkim ili univerzitetskim temama već, kada sam ja pokretao razgovor o njima, nije znala šta da kaže, nije poznavala najelementarnije stvari i uspevala je da brzo promeni temu. Bilo je očigledno da je nabavila tu gerilsku stipendiju da bi izašla iz Perua i putovala po svetu, nešto što drukčije, kako je bila devojka siromašnog porekla – to je padalo u oči – nikada ne bi mogla. Ali nisam se usudio da je pitam ništa o tome da je ne bih doveo u neprijatnu situaciju i naterao da mi ispriča novu izmišljotinu.

Osmog dana našeg čednog medenog meseca, neočekivano je pristala da provede noć sa mnom u hotelu *Senat*. To sam je uzaludno pitao – molio – svih prethodnih dana. Ovoga puta ona je preuzela inicijativu.

– Danas ću da idem s tobom, ako hoćeš – rekla mi je uveče, dok smo jeli dva sendviča od bageta sa sirom grijer (više nisam imao sredstava za restoran) u jednom bistrou u Ulici de Turnon. U grudima je počelo da mi lupa kao da sam upravo trčao maraton.

Posle teških pregovora sa čuvarom hotela *Senat* – „*Pas de visites nocturnes à l'hôtel, monsieur!*"[10] – zbog čega se drugarica Arlet nije uzbuđivala, mogli smo da se popnemo pet spratova bez lifta do mog potkrovlja. Pustila je da je ljubim, milujem, skinem, stalno s tim neobičnim odsutnim stavom, ne dopuštajući mi da smanjim nevidljivu distancu koju je pravila u odnosu na moje poljupce, zagrljaje i nežnosti, iako mi je prepuštala telo. Bio sam uzbuđen što je vidim nagu, na krevetu, u ćošku sobe sa iskošenim plafonom i pri slaboj svetlosti jedine sijalice. Bila je vrlo mršava, skladnih oblika, s tako tankim strukom da mi se činilo da bih je mogao obuhvatiti sa moje dve šake. Ispod male mrlje stidnih dlačica, put je bila svetlija nego na ostalim delovima tela. Njena maslinasta koža, pomalo istočnjačkog izgleda, bila je meka i sveža. Pustila je da je dugo ljubim od glave do pete, zadržavajući uobičajenu pasivnost i slušala je, ne posvećujući joj pažnju, Nerudinu pesmu *Svadbeni materijal* koju sam joj recitovao na uho i ljubavne reči koje sam isprekidano mrmljao: to je bila najsrećnija noć u mom životu; nikada nisam želeo nekoga tako kao nju, uvek ću je voleti.

– Pokrijmo se ćebetom jer je mnogo hladno – prekinula me je, vraćajući me u grubu stvarnost. – Kako se ovde ne smrzneš?

Hteo sam da je pitam treba li da pazim, ali nisam to učinio, postiđen njenim tako slobodnim ponašanjem, kao da je imala vekovno iskustvo u ovim stvarima i pre bi se reklo da sam ja početnik. Vodili smo ljubav s teškoćama. Ona se predavala bez

---

[10] Franc.: Gospodine, u hotelu nisu dozvoljene noćne posete. (Prim. prev.)

ikakvih kočnica, ali se ispostavilo da je vrlo uska i u svakom mom pokušaju da prodrem u nju skupljala se s bolnom grimasom: „Lakše, lakše." Na kraju sam je voleo i bio sam srećan što sam je voleo. Bilo je izvesno da ništa nisam toliko želeo kao da budem s njom, bilo je izvesno da u mojim oskudnim i uvek prolaznim avanturama nikada nisam osetio tu mešavinu nežnosti i želje koju mi je ona budila, ali sumnjam da je to bio slučaj i sa drugaricom Arlet. Sve vreme sam više imao utisak da joj ono što je radila u suštini nije bilo važno.

Sledećeg jutra, kada sam otvorio oči, video sam je, okupanu i obučenu, u dnu kreveta, kako me posmatra pogledom koji je odavao dubok nemir.

– Jesi li stvarno zaljubljen u mene?

Potvrdio sam nekoliko puta i pružio ruku da uhvatim njenu, ali mi je ona nije dala.

– Hoćeš da ostanem da živim sa tobom ovde u Parizu? – pitala me je takvim tonom kakvim je mogla da mi predloži da idemo u bioskop i gledamo neki film novog talasa, Godara, Trifoa ili Luja Mala, koji su bili na vrhuncu stvaralaštva.

Ponovo sam potvrdio potpuno zbunjen. Da li je to značilo da se i Čileankica zaljubila u mene?

– Nije zbog ljubavi, što da te lažem – odgovoria mi je hladno. – Ali ne želim da idem na Kubu, a još manje da se vratim u Peru. Htela bih da ostanem u Parizu. Ti možeš da mi pomogneš da se oslobodim obaveze prema MIR-u. Razgovaraj sa drugom Žanom, i ako me oslobodi, doći ću da živim sa tobom – načas je oklevala i uzdahnuvši, napravila ustupak: – Možda se na kraju i zaljubim u tebe.

Devetog dana sam razgovarao s debelim Paulom na našem podnevnom susretu ispred dva *croque monsieura*[11] i dva espresa, ovoga puta u *Kliniju*. Bio je kategoričan:

---

[11] Franc.: sendvič sa sirom grijer. (Prim. prev.)

– Ne mogu da je oslobodim, to bi mogla samo uprava MIR-a. Ali čak i tako, samo kad bih to predložio, napravio bi mi se užasan problem. Neka ode na Kubu, neka ide na kurs. Neka pokaže da nema ni fizičke ni psihičke uslove za oružanu borbu. Onda bih mogao da sugerišem upravi da ostane ovde i da mi pomaže. Reci joj tako, i pre svega, da to nikome ne spominje. Ja sam taj koji bi bio zajeban, stari moj.

S bolom u duši otišao sam da drugarici Arlet prenesem Paulov odgovor. I još gore, ohrabrio sam je da posluša njegov savet. Meni je bilo teže nego njoj da se razdvojimo. Ali nismo mogli da upropastimo Paula niti je trebalo da ona dođe u konflikt sa MIR-om; to bi moglo da joj stvori probleme u budućnosti. Kurs je trajao nekoliko meseci. Neka od prvog trenutka pokaže potpunu nesposobnost za gerilski život i pri tom simulira nesvesticu. Ja ću u međuvremenu ovde u Parizu da nađem posao, uzmem neki stančić i da je čekam...

– Znam, plakaćeš, nedostajaću ti i mislićeš na mene dan i noć – prekinula me je sa nestrpljivim pokretom, tvrdim pogledom i ledenim glasom. – Dobro, vidim da nema druge. Videćemo se za tri meseca, Rikardito.

– Zašto se sada opraštaš?

– Drug Žan ti nije rekao? Sutra rano polazim na Kubu, preko Praga. Već možeš da počneš da liješ suze za rastanak.

Krenula je, zaista, sledećeg dana, i ja nisam mogao da je ispratim na aerodrom jer mi je Paul zabranio. Na našem sledećem susretu debeli me je potpuno obeshrabrio kada mi je rekao da neću moći da pišem drugarici Arlet, niti da dobijam pisma od nje jer, iz sigurnosnih razloga, stipendisti moraju da prekinu svaku komunikaciju za vreme obuke. Paul čak nije bio siguran ni da će, kada se kurs završi, drugarica Arlet ponovo proći kroz Pariz, na povratku u Limu.

Danima sam bio kao zombi, stalno prebacujući sebi što nisam imao hrabrosti da drugarici Arlet, uprkos Paulovoj zabrani, kažem da ostane sa mnom u Parizu, umesto da je savetujem da nastavi tu avanturu koja će se bogzna kako završiti. Sve dok mi jednog jutra, kada sam izlazio iz svog potkrovlja da odem na doručak u *Kafe de la Mari* na Trgu Sen Silpis, madam Okler nije uručila koverat sa žigom Uneska. Položio sam ispit i šef odeljenja za prevodioce zakazao mi je sastanak u svojoj kancelariji. Bio je sed i elegantan Španac sa prezimenom Čarnes, vrlo ljubazan. Dobronamerno se nasmejao kada me je pitao za moje „dugoročne planove" i ja sam mu odgovorio: „Da umrem od starosti u Parizu". Nije bilo nijednog slobodnog mesta za stalno, ali mogao je da me angažuje privremeno za vreme generalnog zasedanja i u periodima kada je ta institucija bila preopterećena poslom, što se događalo prilično često. Od tog trenutka bio sam siguran da je san koji sam imao oduvek – dobro, otkako znam za sebe – da živim u ovom gradu do kraja života, počinjao da se ostvaruje.

Od tog dana potpuno mi se promenio način života. Počeo sam da se šišam dva puta mesečno i da oblačim sako i stavljam kravatu svako jutro. Uzimao sam metro na Sen Žermenu ili kod Odeona do stanice Segir, najbliže Unesku, i bio sam tamo od pola deset do jedan i od pola tri do šest sati uveče, u malom boksu, prevodeći na španski uglavnom dosadne dokumente o selidbi hramova Abu Simbela na Nilu ili o čuvanju ostataka klinastog pisma otkrivenih u pećinama saharske pustinje u Maliju.

Čudnovato, u isto vreme kada i moj, promenio se i Paulov život. I dalje je bio moj najbolji prijatelj, ali smo počeli da se viđamo sve ređe, zbog mojih tek stečenih obaveza birokrate i zato što je on počeo da obilazi svet predstavljajući MIR na kongresima ili mirovnim skupovima za oslobođenje Trećeg sveta, za borbu protiv nuklearnog naoružanja, protiv kolonijalizma i imperijalizma i još hiljadu progresivnih stvari. Paul se ponekad osećao ošamućeno, kao da živi u nekom snu, pričao mi je – po povratku u Pariz, kad bismo jeli ili pili kafu, dva-tri puta nedeljno, dok je bio u gradu – da je upravo došao iz Pekinga,

Kaira, Havane, Pjongjanga ili Hanoja, gde je morao da govori o perspektivama revolucije u Latinskoj Americi pred hiljadu i po delegata pedeset revolucionarnih organizacija iz tridesetak zemalja, u ime peruanske revolucije koja nije ni počela.

Da nisam tako dobro poznavao čestitost koja je izbijala iz svih njegovih pora, mnogo puta bih mislio da preteruje kako bi me impresionirao. Kako je moglo biti moguće da je taj Južnoamerikanac iz Pariza koji se pre nekoliko meseci izdržavao kao pomoćnik u kuhinji *Meksiko linda* sada bio ličnost revolucionarnog džet-seta koji je išao na prekookeanska putovanja i družio se sa liderima Kine, Kube, Vijetnama, Egipta, Severne Koreje, Libije, Indonezije? Ali to je bila istina. Iz nepoznatih razloga i zbog čudnog spleta odnosa, interesa i konfuzija od kojih je bila sačinjena revolucija, Paul se pretvorio u ličnost iz međunarodnih krugova. To sam potvrdio tih dana 1962. godine kada je došlo do male novinarske gužve zbog pokušaja ubistva marokanskog revolucionarnog lidera Bena Barke, prozvanog Dinamo, koga će tri godine kasnije, u oktobru 1965, kidnapovati, da bi zauvek nestao po izlasku iz *Še Lipa*, restorana na Sen Žermen de Preu. Paul je u podne došao po mene u Unesko i otišli smo u kafe na sendvič. Bio je bled, s podočnjacima, i govorio je uzbuđeno, sa nervozom neubičajenom za njega. Ben Barka je predsedavao međunarodnim kongresom revolucionarnih snaga u čijoj upravi je bio i Paul. Poslednjih nedelja su se mnogo viđali i zajedno putovali. Pokušaj ubistva Bena Barke moglo je biti samo delo CIA i MIR je osećao da je u Parizu u opasnosti. Da li bih mogao, dok oni preduzimaju potrebne mere, da pričuvam dva kofera u mom potkrovlju?

– Ne bih ti tražio tako nešto da imam alternativu. Ako me odbiješ, nema nikakvog problema, Rikardo.

Učiniću to ako mi kaže šta je u koferima.

– U jednom su papiri. Čist dinamit: planovi, adrese, pripreme za akcije u Peruu. U drugom su dolari.

– Koliko?

– Pedeset hiljada.

Na trenutak sam razmislio.

– Ako predam CIA te kofere, hoće li me pustiti da zadržim pedeset hiljada?

– Pomisli da, kada revolucija trijumfuje, možemo da te imenujemo za ambasadora u Unesku – prihvatio je Paul moj ton.

Malo smo se šalili i predveče mi je doneo dva kofera koja smo gurnuli ispod mog kreveta. Nedelju dana sam se ježio pri pomisli na mogućnost da kad bi nekom lopovu palo na pamet da ukrade te pare, MIR nikad ne bi poverovao u krađu i ja bih se pretvorio u metu revolucije. Šestog dana Paul je došao sa tri nepoznate osobe da odnese te neprijatne goste.

Svaki put kad bismo se videli, pitao bih ga za drugaricu Arlet i on nikada nije pokušao da me prevari dajući mi lažne novosti. Bilo mu je mnogo žao što nije mogao ništa da proveri. Kubanci su bili vrlo strogi u pogledu bezbednosti i maksimalno su čuvali tajnu o njenom boravištu. Jedino je bilo sigurno da još nije prošla kroz Pariz, jer je on imao ceo registar svih stipendista koji su se vraćali u Peru.

– Kada prođe, ti ćeš prvi saznati. Baš si se zagrejao za curu, je li tako? Ali zašto, stari moj, da je bar toliko lepa!

– Ne znam zašto, Paule. Ali stvarno sam se baš zagrejao.

Zbog nove vrste života koji je Paul vodio, peruanska zajednica u Parizu počela je o njemu loše da govori. To su bili pisci koji nisu pisali, slikari koji nisu slikali, muzičari koji nisu svirali ni komponovali, i kafanski revolucionari koji su davali oduška svojoj frustraciji, zavisti i dosadi govoreći da je Paul „omekšao“, da je postao „birokrata revolucije“. Šta je radio u Parizu? Zašto nije bio tamo s onim momcima koje je prvo slao na vojnu obuku, a zatim krišom u Peru da započnu gerilske akcije u Andima? Ja sam ga branio u vatrenim diskusijama. Znao sam da, uprkos svom novom statusu, Paul i dalje živi apsolutno skromno. Donedavno je njegova žena čistila po kućama da održi porodični budžet. Sada ju je MIR, koristeći njen španski pasoš, često kao vezu slao u Peru u pratnji stipendista koji su se vraćali, ili da nosi novac i instrukcije, na putovanja zbog kojih je Paul strepeo. Sa druge strane, kako mi se poveravao, znao sam da ga je takav život, koji su mu nametnule okolnosti i koji mu je šef tražio da nastavi, sve više živcirao. Bio je nestrpljiv da se vrati u Peru, gde će akcije vrlo brzo početi. On je hteo da pomogne njihovim pripremama na samom terenu. Uprava MIR-a nije mu dopuštala i to ga je ljutilo. „Takve su posledice znanja jezika, do đavola", protestovao je smejući se uprkos svom neraspoloženju.

Zahvaljujući Paulu, tih meseci i godina u Parizu upoznao sam glavne rukovodioce MIR-a, počev od njegovog lidera i osnivača Luisa de la Puentea Usede, pa sve do Giljerma Lobatona. Lider MIR-a bio je jedan advokat iz Truhilja, rođen 1926, disident Aprističke partije, mršav, sa naočarima, svetle puti i kose koja mu je uvek bila zalizana unazad kao nekom argentinskom glumcu. Dva-tri puta što sam ga video, bio je obučen vrlo formalno, sa kravatom i jaknom od smeđe kože. Govorio je staloženo, kao advokat kad izlaže neke pravne nijanse koristeći birane reči iz sudskog domena. Uvek sam ga viđao u društvu dva-tri krupna tipa koji su sigurno bili telohranitelji, ljudi što su ga gledali s poštovanjem i nikada nisu iznosili svoje mišljenje. U svemu što je govorio bilo je nečeg toliko intelektualnog, toliko apstraktnog da mi je bilo teško da ga zamislim kao gerilca, s automatom o ramenu, kako se penje i spušta po Andima. Pa ipak, nekoliko puta je bio u zatvoru, u egzilu u Meksiku, i živeo je u ilegali. Više je ostavljao utisak da je rođen da zablista u sudnici, u parlamentu, na tribinama i u političkim pregovorima, to jest, u svemu onome što su on i njegovi drugovi prezirali kao izvrdavanja buržoaske demokratije.

Giljermo Lobaton je bio nešto drugo. Od mnoštva revolucionara koje sam zahvaljujući Paulu imao prilike da upoznam u Parizu, nijedan mi se nije učinio tako inteligentnim, obrazovanim i odlučnim kao on. Još je bio vrlo mlad, tek je prešao tridesetu, ali je već imao bogatu prošlost čoveka od akcije. Bio

je lider velikog štrajka na Univerzitetu San Markos, 1952. protiv
Odrijine diktature (od tada je bio Paulov prijatelj), usled čega
je bio zatvoren, poslat u Fronton[12] i mučen. Na taj način su
se prekinule njegove studije filozofije, gde se, pričali su u San
Markosu, takmičio sa Lijem Kariljom, budućim Hajdegerovim
učenikom, ko će biti najbolji student na fakultetu. Vojna vlada
ga je 1954. izbacila iz zemlje, i posle hiljadu peripetija stigao je
u Pariz, gde je u isto vreme zarađivao za život svojim rukama i
obnovio studije filozofije na Sorboni. Komunistička partija mu
je zatim nabavila stipendiju u Istočnoj Nemačkoj, u Lajpcigu,
gde je nastavio da studira filozofiju i bio u jednoj školi partijskih
kadrova. Tamo ga je iznenadila kubanska revolucija. Ono što
se dogodilo na Kubi navelo ga je na vrlo kritičko razmišljanje o
strategiji latinoameričkih komunističkih partija i o dogmatskom
duhu staljinizma. Pre nego što sam ga lično upoznao, pročitao
sam jedan njegov rad koji je kružio po Parizu odštampan na
mimeografu, gde je optuživao te partije da su se udaljile od masa
zbog svoje podređenosti diktatu Moskve, zaboravljajući da je,
kako je napisao Če Gevara, „prvi zadatak jednog revolucionara
da diže revoluciju". U tom radu u kojem je veličao primer Fidela
Kastra i njegovih drugova kao revolucionarne uzore, citirao je
Trockog. Zbog tog citata bio je izveden na disciplinski sud u
Lajpcigu i na sraman način izbačen iz Istočne Nemačke i Peru-
anske komunističke partije. Tako je stigao u Pariz, gde se oženio
jednom mladom Francuskinjom Žaklin, takođe revolucionar-
nom aktivistkinjom. U Parizu je sreo Paula, svog starog druga
iz San Markosa, i pristupio MIR-u. Na Kubi je dobio gerilsku
obuku i brojao je sate da se vrati u Peru i pređe u akciju. Za vre-
me invazije na Kubu u Zalivu svinja, video sam kako se upinje
iz sve snage, prisustvuje svim manifestacijama solidarnosti sa

---

[12] *Frontón* – ostrvo udaljeno sedam kilometara od Kaljaa, bivši zatvor.
(Prim. prev.)

Kubom i govori na nekoliko njih, na dobrom francuskom i s ubedljivom retorikom.

To je bio mršav i visok momak, kože boje svetle ebanovine, s osmehom koji je otkrivao besprekorne zube. Satima je na visokom intelektualnom nivou mogao da diskutuje o političkim temama, ali je u isto vreme bio kadar da se udubi u strasne dijaloge o književnosti, umetnosti ili sportu, posebno fudbalu i poduhvatima njegovog tima *Alijansa Lima*. Bilo je nečeg zaraznog u tom njegovom entuzijazmu, idealizmu, plemenitosti i nepokolebljivom osećanju za pravdu koji su rukovodili njegovim životom, nešto što ne verujem da sam primetio – pre svega na tako iskren način – ni kod jednog od revolucionara što su šezdesetih godina prolazili kroz Pariz. To što je prihvatio da bude samo aktivista MIR-a, gde nije bilo nikoga ko je imao njegov talenat i harizmu, jasno je govorilo o čistoti njegove revolucionarne vokacije. Tri-četiri puta, koliko sam s njim razgovarao, uprkos svom skepticizmu uverio sam se da bi Peru mogao da bude druga Kuba Latinske Amerike ako bi neko s Lobatonovim lucidnošću i energijom bio na čelu revolucionara.

Bar šest meseci posle njenog odlaska, ponovo sam preko Paula dobio vesti od drugarice Arlet. Kako mi je ugovor o povremenom radu ostavljao mnogo slobodnog vremena, počeo sam da idem na kurs simultanog prevođenja i da učim ruski, misleći da će, ako uspem da prevodim i s tog jezika – jednog od četiri zvanična u OUN i njenim filijalama u to doba – moj posao prevodioca biti sigurniji. Simultani prevodioci su imali intenzivniji i teži posao od običnih, ali upravo zbog toga su bili traženiji. Jednog od tih dana, kada sam izašao sa časa ruskog u školi Berlic, na Bulevaru de Kapisin, zatekao sam debelog Paula kako me čeka na vratima škole.

– Vesti od devojke, napokon – rekao mi je potišteno umesto pozdrava. – Žao mi je, ali nisu dobre, stari moj.

Da bih bolje svario lošu vest, pozvao sam ga u jedan bistro blizu Opere da nešto popijemo. Seli smo na terasu, na otvoreno.

Bilo je prolećno, toplo veče sa ranim zvezdama i ceo Pariz kao da se izručio napolje da uživa u lepom vremenu. Naručili smo dva piva.

– Pretpostavljam da posle toliko vremena više nisi zaljubljen u nju – pripremio me je Paul.

– Pretpostavljam da nisam – odgovorio sam. – Ispričaj mi već jednom i ne zezaj, Paule.

Upravo je proveo nekoliko dana u Havani i o drugarici Arlet su pričali svi peruanski momci iz MIR-a, jer je, prema zapenušalim glasinama, bila protagonista vatrene ljubavi sa komandantom Čakonom, zamenikom Osmanija Sjenfuegosa, mlađeg brata Kamila, velikog nestalog heroja revolucije. Komandant Osmani Sjenfuegos je bio šef organizacije koja je pružala pomoć svim revolucionarnim pokretima i bratskim partijama i koordinirao je pobunjeničke akcije u celom svetu. Komandant Čakon, jedan od preživelih sa Sijera Maestre, bio je njegova desna ruka.

– Možeš li da zamisliš novost s kojom su me dočekali? – češkao se Paul. – Ona mršavica na kojoj nema ničeg posebnog – u ljubavi s jednim od istorijskih komandanata! Ništa manje nego komandant Čakon!

– Da nije obično ogovaranje, Paule?

Odmahnuo je glavom, ožalošćen, i potapšao me je po ruci, ohrabrujući me.

– Bio sam lično s njima na jednom sastanku u Kući Amerika. Žive zajedno. Verovao ili ne, drugarica Arlet se pretvorila u uticajnu osobu, koja deli krov i hranu sa komandantima.

– Za MIR je super – rekao sam.

– Ali za tebe je sranje – ponovo me je potapšao Paul. – Do đavola, što sam morao da ti kažem takvu vest, stari moj. Ali bolje je da znaš, zar ne? Dobro, nije smak sveta. Osim toga, Pariz je pun strašnih žena. Samo pogledaj.

Nekoliko puta sam bezuspešno pokušao da se našalim, a onda sam upitao Paula za drugaricu Arlet.

– Kao devojci jednog komandanta revolucije pretpostavljam da joj ništa ne fali – izvukao se. – Jesi li to hteo da znaš? Ili da li je lepša ili ružnija nego kada je bila ovde? Mislim da je ista. Malo pocrnela od karipskog sunca. Ti znaš da meni ona nikada nije bila ništa posebno. Na kraju krajeva, nemoj da praviš takvu facu, nemoj da preteruješ, stari moj.

Mnogo puta – danima, nedeljama, mesecima posle tog susreta sa Paulom – pokušavao sam da zamislim Čileankicu kao devojku komandanta Čakona, obučenu kao gerilka, s pištoljem za pojasom, plavom beretkom i u čizmama, u društvu Fidela i Raula Kastra, na velikim revolucionarnim paradama i manifestacijama, na dobrovoljnom radu vikendom i kako se znoji u tršcacima, dok su se njene male ruke finih prstiju trudile da drže mačetu i možda je, s onom lakoćom za fonetsku metamorfozu koja mi je bila poznata, već govorila senzualno otežući kao Karibljani. Istinu govoreći, nisam uspevao da je zamislim u novoj ulozi: njena mala figura izmicala mi je kao da je bila klizava. Da li se zaljubila u tog komandanta? Ili je on bio sredstvo da se oslobodi gerilske obuke i, pre svega, obaveze prema MIR-u da vodi revolucionarni rat u Peruu? Nije mi bilo nimalo lepo da mislim na drugaricu Arlet svaki put sam se osećao kao da mi se otvara čir na želucu. Da bih to izbegao, što mi je pošlo za rukom samo delimično, tvrdoglavo sam se posvetio časovima ruskog i simultanog prevođenja u slobodno vreme, dok mi gospodin Čarnes, s kojim sam uspostavio odličan odnos, ne bi našao neki ugovor. A tetki Alberti, kojoj sam u jednom pismu – jer nisam odoleo slabosti – priznao da sam zaljubljen u devojku po imenu Arlet, te mi je ona stalno tražila njenu sliku, ispričao sam da smo raskinuli i da zauvek zaboravi tu priču.

Posle jedno šest do osam meseci od onog popodneva kada mi je Paul rekao loše vesti o drugarici Arlet, debeli, koga dugo nisam video, došao je po mene u hotel jednog jutra, vrlo rano, da zajedno doručkujemo. Otišli smo u *Turnon*, jedan bistro u istoimenoj ulici na raskrsnici s Ulicom Vožirar.

– Iako to ne bi smeo da ti kažem, došao sam da se pozdra-
vimo – najavio mi je. – Odlazim iz Pariza. Da, stari moj, idem
u Peru. Ovde niko ne zna, tako da ni ti ne znaš. Moja žena i
Žan-Pol već su tamo.

Vest me je ostavila bez reči. Odjednom me je uhvatio stravi-
čan strah, koji sam pokušao da sakrijem.

– Ne brini – smirivao me je Paul s onim osmehom koji mu je
naduvavao obraze i davao njegovom licu izgled pajaca. – Ništa
mi se neće desiti, videćeš. A kada revolucija trijumfuje, poslaće-
mo te kao ambasadora u Unesko. Obećavam!

Neko vreme smo pijuckali kafu u tišini. Moj kroasan je stajao
na stolu netaknut i Paul mi je u šali rekao da mi nešto očigledno
oduzima apetit i da će se on žrtvovati da dokrajči to krckavo
pecivo.

– Tamo kuda ja idem, kroasani su sigurno vrlo loši – dodao je.

Onda više nisam mogao da se uzdržim i rekao sam mu da
će počiniti neoprostivu glupost. Da neće pomoći ni revoluciji,
ni MIR-u, ni svojim drugovima. On je to znao isto tako dobro
kao ja. Njegova debljina, od koje je dahtao čim bi prešao jednu
ulicu na Sen Žermenu, u Andima će biti ogromna smetnja za
gerilu i zbog toga će on biti jedan od prvih koje će vojnici ubiti,
čim počne ustanak.

– Pustićeš da te ubiju zbog glupih ogovaranja šačice ogorče-
nih tipova u Parizu koji te optužuju da si oportunista? Razmisli,
debeli, ne možeš da napraviš takvu budalaštinu.

– Za ono što pričaju Peruančići u Parizu, boli me uvo, ortak.
Nije reč o njima, reč je o meni. To je stvar principa. Moja oba-
veza je da budem tamo.

I ponovo je počeo da se šali i da me ubeđuje kako je i pored
svojih sto dvadeset kila na vojnoj obuci prošao sve testove i da je
pri tom pokazao odlične rezultate u gađanju. Njegova odluka da
se vrati u Peru donela mu je diskusije s Luisom de la Puenteom i
upravom MIR-a. Svi su hteli da ostane u Evropi kao predstavnik
pokreta pred bratskim organizacijama i vladama, ali on je sa

svojom nepokolebljivom tvrdoglavošću na kraju pobedio. Kada sam video da se tu ništa ne može uraditi i da je moj najbolji prijatelj u Parizu rešio gotovo da izvrši samoubistvo, pitao sam ga da li njegov odlazak znači da će ustanak izbiti uskoro.

– Reč je o dva-tri meseca, možda i manje.

Imali su tri logora u brdima, jedan u području Kuska, drugi u Pjuri i treći u centralnom regionu, na istočnom obronku Kordiljera, na rubu huninske džungle. Suprotno mojim predskazivanjima, uveravao me je da je velika većina stipendista već u Andima. Bilo je manje od deset odsto dezertera. S entuzijazmom koji se povremeno pretvarao u euforiju, rekao mi je da je operacija povratka stipendista bila uspešna. Bio je srećan jer ju je on lično organizovao. Vraćali su se jedan po jedan ili dvoje po dvoje, na komplikovanim putovanjima koja su neke momke, da bi zameli tragove, naterala da naprave put oko sveta. Niko nije bio otkriven. U Peruu su De la Puente, Lobaton i ostali napravili urbane mreže za podršku, obrazovali lekarske ekipe, u logorima instalirali radio-stanice i raštrkana skrovišta za vozila i eksploziv. Kontakti sa seoskim sindikatima, pre svega u Kusku, bili su odlični i očekivalo se da će se mnogi seljaci uključiti u borbu kada počne ustanak. Govorio je radosno, ubeđen u svoje reči, sa sigurnošću i zanosom. Ja nisam mogao da sakrijem tugu.

– Znam da mi nimalo ne veruješ, neverni Tomo – promrmljao je na kraju.

– Kunem ti se da ništa ne bih voleo više nego da ti verujem, Paule. I da delim tvoj entuzijazam.

On je potvrdio, posmatrajući me sa svojim srdačnim osmehom nalik na pun mesec.

– A ti? – pitao me je, uhvativši me za ruku. – Šta ćeš ti, stari moj?

– Ja, ništa – odgovorio sam mu. – Ja ću biti ovde u Parizu, kao prevodilac Uneska.

Oklevao je na trenutak, u strahu da ono što će mi reći može da me povredi. To je bilo pitanje koje ga je sigurno odavno mučilo.

– Je li to ono što želiš da budeš u životu? Ništa više? Svi koji dolaze u Pariz žude da postanu slikari, pisci, muzičari, glumci, pozorišni režiseri, da napišu doktorat ili dignu revoluciju. Ti želiš samo to, da živiš u Parizu? Priznajem ti da to nikad nisam mogao da progutam, stari moj.

– Znam da nisi. Ali to je čista istina, Paule. Kao mali sam govorio da želim da budem diplomata, ali to je bilo samo zato da me pošalju u Pariz. To je ono što hoću: da živim ovde. Misliš da je to malo?

Pokazao sam mu drveće u Luksemburškom vrtu: puno zelenila prelivalo se preko ograde vrta i izgledalo raskošno pod oblačnim nebom. Zar to nije najbolje što je nekome moglo da se desi? Da živi, kao u Valjehovom stihu, među „lisnatim kestenovima Pariza"?

– Priznaj da krišom pišeš poeziju – insistirao je Paul. – Da je to tvoj tajni porok. Mnogo puta sam o tome pričao sa drugim Peruancima. Svi misle da pišeš, ali se ne usuđuješ da priznaš zbog svog samokritičnog duha. Ili iz stidljivosti. Svi Južnoamerikanci dolaze u Pariz da počine velika dela. Hoćeš da me ubediš kako si ti izuzetak od pravila?

– Kunem ti se da jesam, Paule. Nemam više nikakvih ambicija, osim da nastavim ovde kao do sada.

Otpratio sam ga do stanice metroa kod Odeona. Kad smo se zagrlili, nisam mogao da sprečim da mi oči zasuze.

– Čuvaj se, debeli. Nemoj da praviš budalaštine tamo gore, molim te.

– Da, da, naravno, Rikardo – ponovo me je zagrlio. I video sam da su i njemu vlažne oči.

Ostao sam tamo na ulazu u stanicu, posmatrajući ga kako polako silazi niz stepenice ometen svojim okruglim krupnim telom. Bio sam apsolutno siguran da ga poslednji put vidim.

Odlazak debelog Paula ostavio mi je neku pustoš, jer mi je on bio najbolji drug u tim neizvesnim vremenima mog boravka u Parizu. Srećom, zbog povremenih poslova za Unesko i časova ruskog i simultanog prevođenja, bio sam vrlo zauzet i uveče sam dolazio u svoje potkrovlje hotela *Senat* gotovo bez snage da mislim na drugaricu Arlet ili na debelog Paula. Od tada sam, bez namere, neosetno počeo da se udaljavam od Peruanaca u Parizu, koje sam ranije relativno često viđao. Nisam tražio samoću, ali ona mi nije bila problem otkako sam ostao siroče pa je tetka Alberta počela da se brine o meni. Zahvaljujući Unesku, više nisam imao briga oko preživljavanja; plata prevodioca i povremene pošiljke novca moje tetke bile su mi dovoljne da živim i plaćam svoja pariska zadovoljstva: bioskope, pozorišta, izložbe i knjige. Bio sam stalni klijent knjižare *Žua de Lir*, u Ulici Sen Severen i antikvara na dokovima Sene. Išao sam u TNP,[13] u *Komedi Fransez*, u Odeon, i ponekad na koncerte u dvoranu *Plejel*.

U to vreme sam takođe gotovo započeo romansu sa Karmensitom, Špankinjom koja je obučena u crno od glave do pete, kao Žilijet Greko, pevala prateći sebe na gitari u malom baru *Eskali*, u Ulici Mesje le Prens, gde su svraćali Španci i Južnoamerikanci. Premda Špankinja, nikada nije kročila u svoju zemlju, jer njeni roditelji, republikanci, nisu mogli ili nisu hteli da se vrate dok je Franko živ. Ta nejasna situacija ju je mučila i pojavljivala se često u njenim razgovorima. Karmensita je bila visoka, mršava, ošišana kao dečkić i imala je melanholične oči. Nije imala neki poseban glas, ali je bio vrlo melodičan i pre svega je fantastično govorila, šapćući, sa pauzama i vrlo efektnim naglašavanjem, pesme načinjene od stihova, pesama, poslovica i izreka iz zlatnog veka španske poezije. Nekoliko godina je živela s nekim glumcem i raskid s njim ju je toliko potresao – kako mi je rekla

---

[13] Franc.: TNP: *Théâtre National Populaire* – Nacionalno narodno pozorište. (Prim. prev.)

s onom grubošću koja me je u početku toliko iznenađivala kod mojih španskih kolega u Unesku – „da u ovom trenutku neće da se smuva ni sa kakvim frajerom". Ali prihvatala je moje pozive u bioskop, na večeru i jedne noći smo otišli u *Olimpiju* da slušamo Lea Ferea, koga smo oboje više voleli od drugih tada modernih pevača: Šarla Aznavura i Žorža Brasansa. Kada smo se posle koncerta pozdravljali na stanici metroa Opera, rekla mi je, dotakavši mi usne: „Počinješ da mi se sviđaš, Peruančiću." Svaki put kada sam izlazio s Karmensitom, apsurdno sam se osećao loše, kao da sam bio neveran ljubavnici komandanta Čakona, lika kog sam zamišljao s velikim brcima i parom pištoljčina na kukovima. Moj odnos sa Špankinjom nije otišao dalje od toga, ali jedne večeri sam je ugledao na ćošku bara *Eskal* vrlo raspilavljenu u rukama nekog gospodina sa šalom i zulufima.

Nekoliko meseci posle Paulovog odlaska, gospodin Čarnes je, kada nije bilo posla za mene u Unesku, počeo da me preporučuje kao prevodioca na međunarodnim konferencijama i kongresima u Parizu i drugim evropskim gradovima. Moj prvi ugovor bio je na konferenciji o atomskoj energiji u Beču, a drugi u Atini, na međunarodnom kongresu o pamuku. Ta putovanja od nekoliko dana, dobro plaćena, dopuštala su mi da upoznam mesta na koja drukčije ne bih otišao. Iako sam zbog novih poslova imao manje vremena, nisam napustio učenje ruskog ni vežbe simultanog prevođenja, ali sam ih nastavljao s prekidima.

Po povratku s jednog od tih kratkih poslovnih putovanja, ovoga puta u Glazgov, na konferenciju o carinskim tarifama u Evropi, u hotelu *Senat* sam zatekao pismo doktora Ataulfa Lamijela, advokata iz Lime, jednog rođaka mog oca. Taj stric kog sam jedva poznavao obaveštavao me je da je moja tetka Alberta umrla od upale pluća i da sam joj jedini naslednik. Bilo je neophodno da odem u Limu da ubrzam ostavinski proces. Stric Ataulfo je nudio da mi pošalje avionsku kartu na račun tog nasledstva, koje, najavljivao je, neće od mene napraviti milionera, ali će mi prilično pomoći dok živim u Parizu. Otišao sam na poštu u Vožiraru da mu pošaljem telegram i da mu saopštim da ću sam platiti kartu i doći u Limu što pre.

Smrt tetke Alberte duboko me je rastužila. Bila je zdrava žena i još nije napunila sedamdeset godina. Iako je bila krajnje konzervativna i puna predrasuda, ta tetka usedelica, starija sestra mog oca, uvek je bila vrlo nežna prema meni i ne znam šta bi bilo od mene bez njene velikodušnosti i brige. Posle smrti mojih roditelja u jednoj glupoj saobraćajnoj nesreći, u sudaru s kamionom koji je pobegao s mesta udesa kada su putovali u Truhiljo na svadbu ćerke nekih bliskih prijatelja – ja sam tada imao deset godina – ona ih je zamenila. Sve dok nisam završio za advokata i došao u Pariz, živeo sam u njenoj kući, i mada su me njene anahrone manije često dovodile do očajanja, mnogo sam je voleo. Otkako me je usvojila, posvetila mi se i dušom i telom. Bez tetke Alberte ostao bih sam kao pas i moje veze s Peruom bi, pre ili kasnije, nestale.

Tog istog popodneva otišao sam u poslovnicu *Er Fransa* da kupim povratnu kartu za Limu, a zatim sam svratio u Unesko da objasnim gospodinu Čarnesu da moram uzeti prinudni odmor. Prolazio sam kroz glavni hol kada sam naišao na jednu elegantnu gospođu na visokim štiklama, obavijenu crnim ogrtačem sa krznenim porubom, koja me je gledala kao da se poznajemo.

– Vidi, vidi, kako je svet mali – rekla mi je, približavajući se i pružajući mi obraz. – Šta ti radiš ovde, dobri dečko?

– Radim ovde, kao prevodilac – uspeo sam da promrmljam, potpuno zbunjen od iznenađenja i vrlo svestan parfema lavande koji mi je ušao kroz nos kad sam je poljubio. To je bila ona, ali bio je potreban veliki napor da se u tom licu, tako dobro našminkanom, tim crvenim usnama, tim oblikovanim obrvama, tim svilenkastim i izvijenim trepavicama koje su osenčivale nestašne oči, produžene i produbljene crnom olovkom i u njenim rukama s dugim noktima, kao upravo izašlim od manikira, prepozna drugarica Arlet.

– Kako si se promenila od poslednjeg puta! – rekao sam joj gledajući je od glave do pete. – Ima jedno tri godine, je li tako?

– Promenila nabolje ili nagore? – pitala me je, potpuno gospodareći sobom, dok je na licu mesta, s rukama na struku, pravila polukrug kao manekenka.

– Nabolje – priznao sam još uvek se ne pribravši od utiska. – Stvarno si prelepa. Pretpostavljam da više ne mogu da te zovem Čileankica Lili, ni drugarica Arlet, gerilka. Kako se, do đavola, sada zoveš?

Ona se nasmejala pokazujući mi zlatan prsten na desnoj ruci:

– Sada nosim ime svog muža, kako je običaj u Francuskoj: madam Robera Arnua.

Usudio sam se da je pozovem na kafu da se prisetimo starih vremena.

– Ne sada, čeka me muž – izvinila se podrugljivo. – On je diplomata i radi ovde, u francuskoj delegaciji. Sutra u jedanaest u *De Magou*. Znaš gde je?

Te večeri sam dugo ostao budan, misleći na nju i na tetku Albertu. Kada sam napokon utonuo u san, imao sam neku suludu noćnu moru gde su se obe pojavljivale divlje napadajući jedna drugu, ravnodušne prema mojim molbama da reše svoj sukob kao civilizovane osobe. Uzrok svađe je bio to što je moja tetka Alberta optuživala Čileankicu da je svoje novo ime ukrala od jednog Floberovog lika. Probudio sam se uzbuđen, u znoju, još je bio mrak i čulo se mjaukanje.

Kada sam došao u *De Mago,* madam Robera Arnua već je bila tamo, za jednim stolom na zastakljenoj terasi; pušila je na muštiklu od slonovače i pila kafu. Izgledala je kao manekenka *Voga*, obučena skroz u žuto, s belim cipelicama i cvetnim suncobranom. Promena je zaista bila izuzetna.

– Jesi li i dalje zaljubljen u mene? – odmah me je pitala, razbijajući led.

– Najgore je što mislim da jesam – priznao sam, osećajući da mi gore obrazi. – A da nisam, danas bih se ponovo zaljubio. Pretvorila si se u vrlo lepu i elegantnu ženu. Gledam te i ne verujem svojim očima, nevaljala devojčice.

– Vidiš šta si izgubio jer si kukavica – odgovorila je dok mi je namerno duvala dim u lice, a njene oči boje meda bile su prošarane podrugljivim iskrama. – Da si mi onda kad sam ti predložila da ostanem s tobom rekao da hoćeš, sad bih bila tvoja žena. Ali nisi hteo da se zameriš prijatelju, drugu Žanu, i poslao si me na Kubu. Propustio si životnu priliku, Rikardito.

– Ne može da se popravi? Zar ne mogu da preispitam savest, da osetim bol u srcu i nekako to nadoknadim?

– Sad je već kasno, dobri dečko. Kakva partija za ženu francuskog diplomate može da bude jedan pacer, Uneskov prevodilac?

Govorila je ne prestajući da se smeška, pomerajući usta sa još prefinjenijom koketerijom od one koju sam pamtio. Posmatrajući njene usne tako upečatljive i senzualne, očaran muzikom njenog glasa, imao sam ogromnu želju da je poljubim. Osećao sam kako mi lupa srce.

– Dobro, kad već ne možeš da mi budeš žena, uvek ostaje mogućnost da budemo ljubavnici.

– Ja sam verna i savršena supruga – uveravala me je, praveći se da je ozbiljna. I odmah zatim: – Šta je bilo sa drugom Žanom? Da li se vratio u Peru da diže revoluciju?

– Pre nekoliko meseci. Ne znam ništa ni o njemu ni o drugima. Nisam ni pročitao ni čuo da tamo ima gerile. Možda su sve te revolucionarne kule u vazduhu propale. I svi gerilci se vratili kućama i zaboravili na to.

Razgovarali smo oko dva sata. Naravno, uveravala me je da je ona ljubavna priča s komandantom Čakonom bila obična ogovaranje Peruanaca u Havani; s tim komandantom ju je zapravo vezivalo dobro prijateljstvo. Nije htela da mi priča ništa o svojoj vojnoj obuci i, kao i uvek, izbegla je svaki politički komentar i detalje o svom životu na ostrvu. Njena jedina kubanska ljubav bio je otpravnik poslova francuske ambasade, sada unapređen u ministra savetnika, Rober Arnu, njen muž. Umirući od smeha i sećajući se svog besa, pričala mi je o birokratskim preprekama koje su morali da reše kako bi se venčali, jer je na Kubi bilo gotovo nezamislivo da jedna stipendistkinja napusti obuku. Ali u tome je zaista komandant Čakon bio „divan" i pomogao joj je da pobedi prokletu birokratiju.

– Mogu da se kladim u šta hoćeš da si spavala sa tim prokletim komandantom.

– Da li si ljubomoran?

Rekao sam da jesam, i to mnogo. I da je tako lepa da bih prodao dušu đavolu, učinio bilo šta, samo da vodim s njom ljubav ili je bar poljubim. Uhvatio sam joj ruku i poljubio je.

– Budi miran – rekla mi je, osvrćući se oko sebe, lažno uznemirena. – Zaboravljaš da sam udata žena? A šta ako neko od ovih poznaje Robera i ispriča mu?

Rekao sam kako mi je potpuno jasno da je njen brak s diplomatom čista formalnost na koju je morala da pristane kako bi mogla da ode s Kube i nastani se u Parizu. Što mi se činilo ispravnim, jer sam i ja mislio da zbog Pariza čovek može sve da učini. Ali da, kada smo sami, ne igra ulogu verne i zaljubljene žene, jer oboje dobro znamo da su to puste priče. Ni najmanje se ne naljutivši, promenila je temu i ispričala mi da je i ovde birokratija bila užasna i da može dobiti francusko državljanstvo tek za dve godine, iako je po svim propisima udata sa francuskog državljanina. I da su upravo iznajmili jedan stančić u Pasiju. Sad ga je sređivala i kada bude za pokazivanje, pozvaće me da me upozna s mojim suparnikom, koji je, osim što je simpatičan, i vrlo obrazovan čovek.

– Sutra putujem u Limu – rekao sam joj. – Kako mogu da te nađem kad se vratim?

Dala mi je svoj telefon, kućnu adresu i pitala me da li i dalje živim u onoj sobici gde je bilo toliko hladno, u potkrovlju hotela *Senat*.

– Teško mi je da ga ostavim jer sam tamo imao najlepše iskustvo u životu. Zbog toga je za mene ta rupa prava palata.

– Je li to ono iskustvo na koje mislim? – pitala me je približavajući mi lice, na kojem se s radoznalošću i koketerijom stalno mešala i zloća.

– Upravo to.

– Zbog toga što si rekao, dugujem ti poljubac. Podseti me kada se sledeći put vidimo.

Ali trenutak kasnije, kada smo se opraštali, zaboravila je na svoju bračnu opreznost i umesto obraza ponudila mi je usne. Bile su pune i čulne, i onih nekoliko sekundi koliko su bile prislonjene uz moje, osetio sam kako se lagano pomiču, dodatno me maze, pune podsticaja. Kada sam već prešao Sen Žermen u pravcu mog hotela, okrenuo sam se da je vidim. I dalje je stajala tamo, na uglu *De Magoa*, svetla i blistava figura u belim cipelama koja je posmatrala kako se udaljavam. Mahnuo sam joj i ona mi je odgovorila rukom u kojoj je nosila cvetni suncobran. Bilo mi je dovoljno da je vidim pa da otkrijem da je tih godina nisam ni načas zaboravio, da sam i dalje bio zaljubljen u nju kao prvog dana.

Kada sam došao u Limu, u martu 1965, nešto pre nego što sam napunio trideset godina, fotografije Luisa de la Puentea, Giljerma Lobatona, debelog Paula i ostalih rukovodilaca MIR-a bile su u svim novinama i na televiziji – sad je u Peruu postojala televizija – i svi su govorili o njima. Pobuna MIR-a izgledala je ne može biti romantičnije. Fotografije su medijima poslali sami članovi MIR-a, najavljujući da je Pokret revolucionarne levice, usled nepravednih uslova eksploatacije čije su žrtve bili seljaci i radnici, i potčinjenosti vlade Belaundea Terija imperijalizmu, rešio da pređe u akciju. Rukovodioci MIR-a su pokazivali svoja lica i pojavljivali se s dugom kosom i naraslom bradom, s puškama u rukama i u vojničkim uniformama, u crnim džemperima sa rol-kragnom, u kaki pantalonama i čizmama. Primetio sam da je Paul debeo kao i uvek. Na slici koju je *Koreo* objavio na prvoj strani, okružen četvoricom, on se jedini osmehivao.

– Ovi blesani neće potrajati ni mesec dana – prognozirao je doktor Ataulfo Lamijel u svojoj kancelariji u centru Lime, u Ulici Bosa, onog jutra kada sam otišao da ga posetim. – Da pretvore Peru u drugu Kubu! Tvoja jadna tetka Alberta bi se srušila kad bi videla ta razbojnička lica naših novopečenih gerilaca.

Moj stric nije shvatao mnogo ozbiljno najavu oružanih akcija i to osećanje je izgleda bilo vrlo rasprostranjeno. Ljudi su mislili da je to bezumna inicijativa koja će se začas završiti. Te nedelje u Peruu proveo sam utučen i potišten i osećao sam se kao siroče u sopstvenoj zemlji. Živeo sam u stanu tetke Alberte, u Ulici Kolon, u Mirafloresu, još uvek prožetom njenim prisustvom, gde me je sve podsećalo na nju, kao i na univerzitetske godine i na mladost bez roditelja. Uzbudio sam se kada sam u njenom noćnom stočiću pronašao, hronološki poređana, sva pisma koja sam joj napisao iz Pariza. Video sam neke od starih prijatelja iz Mirafloresa, iz „Vesele četvrti", i sa nekoliko njih sam otišao u kineski restoran *Kuo va*, pored Vija Eksprese, da se podsetimo starih dana. Osim uspomena nismo više imali mnogo toga zajedničkog, jer njihovi životi mladih profesionalaca i poslovnih ljudi – dvojica su radili u preduzećima svojih očeva – nisu imali nikakve veze s onim što sam ja radio u Francuskoj. Trojica su se oženili, jedan je već imao decu, a ostala trojica su imali devojke koje će se ubrzo pretvoriti u njihove verenice. U šalama koje smo razmenjivali – način da popunimo praznine u razgovoru – svi su se pravili da mi zavide što živim u gradu zadovoljstava, što krešem one Francuskinje s reputacijom da su u krevetu živa vatra. Kako bi se iznenadili kad bih im priznao da je za sve godine u Parizu jedina devojka s kojom sam spavao bila Peruanka i ništa manje nego Lili, lažna Čileankica iz našeg detinjstva. Šta su mislili o gerili koja se najavljivala u novinama? Kao ni stric Ataulfo, nisu joj pridavali značaj. Ti kastristi koje je poslala Kuba neće dugo trajati. Ko bi mogao poverovati da će u Peruu da trijumfuje komunistička revolucija? Ako Belaundeova vlada nije u stanju da ih zaustavi, ponovo će doći vojska da zavede red, što im takođe nije bilo mnogo drago. Toga se plašio i doktor Ataulfo Lamijel.

– Jedino što će ti idioti postići igrajući se gerile jeste da vojsci serviraju na tanjiru izgovor za državni udar. I da nam uvale još osam ili deset godina vojne diktature. Kome pada na pamet da diže revoluciju protiv civilne i demokratske vlade, koju, povrh svega, cela peruanska oligarhija, počev od *Prense* i *Komersija*, optužuje da je komunistička zato što hoće da izvrši agrarnu reformu? Peru je u haosu, sinovče, dobro si učinio što si otišao da živiš u zemlji kartezijanske jasnoće.

Stric Ataulfo je bio visok i brkat četrdesetogodišnjak koji je uvek nosio prsluk i leptir-mašnu; bio je oženjen strinom Dolores, dobrom i bledom gospođom koja je već skoro deset godina bila invalid i koju je on predano čuvao. Živeli su u simpatičnoj kućici sa knjigama i pločama u Olivaru u San Isidru, gde su me pozvali na ručak. Strina Dolores je podnosila svoju bolest bez gorčine i zabavljala se svirajući klavir i gledajući sapunske serije. Kada smo spomenuli tetku Albertu, zaplakala se. Nisu imali dece; on je osim posla u advokatskoj kancelariji davao časove trgovačkog prava na Katoličkom univerzitetu. Imao je dobru biblioteku i vrlo ga je zanimala lokalna politika; nije sakrivao svoje simpatije za demokratske reforme, koje je u njegovim očima otelovljavao Belaunde Teri. Ponašao se vrlo dobro prema meni, ubrzavajući što je više mogao formalnosti oko nasledstva i odbijajući da mi naplati za svoje usluge: „Taman posla, ja sam veoma voleo Albertu i tvoje roditelje, sinovče.“ To su bili teški dani, s neprijatnim odlascima kod pisara i sudija; nosili smo dokumente u lavirintsku Palatu pravde, zbog čega ponekad nisam mogao da spavam i postajao sam sve nestrpljiviji da se vratim u Pariz. U slobodnim trenucima ponovo sam čitao Floberovo *Sentimentalno vaspitanje,* jer je sada gospođa Arnu iz romana imala ne samo ime nego i lik nevaljale devojčice.

Kada se oduzmu porezi na nasleđe i plate zaostali računi tetke Alberte, stric Ataulfo mi je najavio da ću moći da raspolažem sa šezdesetak hiljada dolara, možda nešto više ako se prodaju stan i nameštaj. Dobra suma koju nikada nisam mislio da ću imati. Zahvaljujući tetki Alberti, moći ću da kupim stančić u Parizu.

Čim sam se vratio u Francusku i popeo u svoje potkrovlje hotela *Senat*, još pre nego što sam se raspakovao, telefonirao sam madam Robera Arnua.

Zakazala mi je sastanak sledećeg dana i predložila da ručamo zajedno, ako želim. Otišao sam po nju u *Francusku alijansu* u Bulevaru Raspaj, gde je pohađala ubrzani kurs francuskog, i otišli smo da ručamo *curry d'agneau*[14] u *Kupoli*, na Monparnasu. Bila je jednostavno obučena, u pantalone, sandale i laku jaknu. Nosila je šarene minđuše koje su se slagale sa ogrlicom i narukvicom, i tašnu preko ramena; kako bi pokrenula glavu, kosa joj se veselo talasala. Poljubio sam je u obraze i ruke i ona me je pozdravila sa: „Mislila sam da ćeš više pocrneti na suncu Lime, Rikardito." Postala je zaista vrlo elegantna žena: kombinovala je boje s ukusom i šminkala se vrlo dražesno. Ja sam je posmatrao, još uvek zapanjen njenom promenom. „Neću da mi pričaš ništa o Peruu", upozorila me je tako kategorično da je nisam ni pitao zašto. Pričao sam joj onda o svom nasledstvu. Da li bi mi pomogla da potražim neki stančić u koji bih se preselio?

Radosno je zapljeskala rukama:

– Oduševljena sam idejom, dobri dečko. I pomoći ću ti da ga opremiš i središ. Imam iskustva sa svojim stanom. Baš postaje lep, videćeš.

Nakon što smo nedelju dana, svako popodne, posle njenih časova francuskog, obigravali agencije i stanove u Latinskoj četvrti, na Monparnasu i u četrnaestom arondismanu, našao sam jedan stan sa dve sobe, kupatilom i kuhinjom u Ulici Žozefa Granijea, u jednoj art deko zgradi iz tridesetih godina sa

---

[14] Franc.: jagnjetina s karijem. (Prim. prev.)

geometrijskim crtežima na fasadi – rombovima, trouglima i krugovima – u blizini Vojne škole, u sedmom arondismanu, nedaleko od Uneska. Bio je u dobrom stanju i mada je gledao na unutrašnje dvorište i zasada je trebalo peške se penjati četiri sprata – lift je bio u izgradnji – bio je vrlo svetao, jer je osim dva široka okna imao i veliki konkavni prozor na plafonu, koji ga je izlagao pariskom nebu. Koštao je oko sedamdeset hiljada dolara, ali nije bilo problema da mi *Sosijete ženeral*, banka u kojoj sam imao račun, pozajmi ono što mi je nedostajalo. Tih nedelja dok sam tražio stan i zatim, dok sam ga činio useljivim, čistio, krečio i opremao sa nekoliko stvarčica kupljenih u *Samaritenu*[15] i na buvljoj pijaci, svakodnevno sam viđao madam Robera Arnua, od ponedeljka do petka – subote i nedelje je provodila s mužem van grada – posle njenih časova pa sve do četiri-pet po podne. Zabavljalo ju je da mi pomaže u tim mojim obavezama, vežbala je francuski s agentima za nekretnine i nastojnicama i bila tako dobro raspoložena kao da ćemo – rekao sam joj – deliti taj stan kojem je davala život.

– To bi voleo, zar ne, dobri dečko?

Bili smo u bistrou u Aveniji de Turvil, pored Palate invalida, i ljubio sam joj ruke i tražio joj usne, lud od ljubavi i želje. Potvrdio sam nekoliko puta.

– Onog dana kad se preseliš, svečano ćemo ga otvoriti – obećala mi je.

Ispunila je svoje obećanje. To je bio drugi put da smo vodili ljubav, sada pri punoj svetlosti dana koja je u mlazevima ulazila kroz široki prozor na krovu, odakle su nas neki radoznali golubovi posmatrali gole i zagrljene na dušeku bez čaršava, tek oslobođenom plastike u kojoj ga je doneo kamion iz *Samaritena*. Zidovi su mirisali na svežu farbu. Njeno telo je i dalje bilo mršavo i lepo oblikovano kao u mom pamćenju, uskog struka koji kao da je mogao da stane među moje šake; njen pubis s retkim

---

[15] Samariten – robna kuća u Parizu. (Prim. prev.)

dlačicama bio je belji od glatkog stomaka ili butina, gde je koža tamnela i dobijala bledozelenkastu nijansu. Iz nje je izbijao neki fini miris, koji je jačao u toplom gnezdu njenih glatkih pazuha, iza ušiju i njenom malom i vlažnom međunožju. Na njenim izvijenim preponama kroz kožu su se videle plave žilice i ja sam se razneživao zamišljajući kako krv polako teče kroz njih. Kao i prošli put, pustila je da je milujem potpuno pasivno i slušala je ćuteći – glumeći preteranu pažnju ili kao da ništa ne čuje i misli na nešto drugo – vatrenu bujicu reči koju sam joj šaputao na uho ili uz usta, dok sam nastojao da joj razdvojim usne.

– Prvo me navedi da svršim – šapnula mi je tonom koji je prikrivao naređenje. – Ustima. Posle će ti biti lakše da uđeš. Nemoj još da svršiš. Volim da budem zalivena.

Govorila je tako hladno da nije ličila na devojku koja vodi ljubav, nego na lekara koji formuliše neki tehnički opis, daleko od zadovoljstva. Nije mi ništa bilo važno, bio sam savršeno srećan, kao što nisam dugo bio, možda nikada. „Nikada neću moći da ti platim za toliku sreću, nevaljala devojčice.“ Dugo su mi usne bile priljubljene uz njen stisnuti organ, osećao sam kako mi njene stidne dlačice golicaju nos dok sam pohlepno i nežno lizao njen malecki klitoris; a onda sam osetio kako se uzbuđeno mrda i svršava uz drhtaj stomaka i nogu.

– Sada uđi – prošaptala je istim zapovedničkim glasom.

Ni ovoga puta nije bilo lako. Bila je uska, stisnuta, opirala se, žalila dok napokon nisam uspeo. Osećao sam da mi je organ slomljen od te ustreptale utrobe koja ga je davila. Ali to je bio divan bol, vrtoglavica u koju sam drhtavo tonuo. Gotovo odmah sam ejakulirao.

– Mnogo brzo svršavaš – prekorela me je gospođa Arnu, povukavši me za kosu. – Ako želiš da uživam, moraš naučiti da se uzdržiš.

– Naučiću sve što hoćeš, gerilko, ali sada ćuti i ljubi me.

Tog istog dana, kada smo se pozdravljali, pozvala me je na večeru da me upozna s mužem. Popili smo piće u njenom lepom stanu u Pasiju, dekorisanom na najburžujskiji način koji se može zamisliti, s baršunastim zavesama, mekanim tepisima, stilskim nameštajem, stočićima s porcelanskim figurama i grafikama Gavarnija i Domijea s pikantnim scenama. Otišli smo na večeru u jedan bistro u susedstvu čiji je specijalitet, po diplomati, bio *le coq au vin*,[16] a za desert je preporučivao *tarte tatin*.[17]

Mesje Rober Arnu je bio nizak, ćelav, sa kratkim brčićima koji su se micali kad je govorio; nosio je naočari s debelim staklima i sigurno je bio duplo stariji od svoje žene. Ponašao se prema njoj veoma kavaljerski, prinosio joj ili udaljavao stolicu i pridržavao joj mantil. Cele noći je bio pažljiv, sipao joj vino kada joj se isprazni čaša i dodavao joj korpu sa hlebom. Nije bio mnogo simpatičan, više krut i odsečan, ali se činilo da je zaista bio vrlo obrazovan i govorio je o Kubi i Latinskoj Americi veoma sigurno. Španski mu je bio savršen, s lakim akcentom u kojem su se prepoznavale godine službe na Karibima. On zapravo nije bio u francuskoj delegaciji Uneska, nego ga je pozajmio Ke d'Orse kao savetnika i šefa kabineta generalnog direktora Renea Maea, druga Žana-Pola Sartra i Rejmona Arona iz Ekol Normala,[18] za koga se pričalo da je skromni genije. Ja sam ga video nekoliko puta, uvek u pratnji ovog razrokog ćelavca za koga se ispostavilo da je muž madam Arnu. Kada sam mu rekao da radim kao povremeni prevodilac u španskom odseku, ponudio mi je da me preporuči „Čarnesu, izvanrednoj osobi". Pitao me je šta mislim o dešavanjima u Peruu, a ja sam rekao da odavno nemam vesti iz Lime.

– Eto, ona gerila u planinama – rekao je sležući ramenima kao da tome ne pridaje mnogo značaja. – One pljačke imanja i napadi na policiju! Apsurdno! Baš u Peruu, jednoj od

---

[16] Franc.: petao u vinu. (Prim. prev.)
[17] Franc.: vrsta kolača s jabukama. (Prim. prev.)
[18] Franc.: *Ecole Normale Supérieure* – ugledni univerzitet u Parizu. (Prim. prev.)

malobrojnih latinskoameričkih zemalja koja pokušava da iz-
gradi demokratiju.

Znači već su izvršene prve akcije gerile MIR-a.

– Moraš što pre da ostaviš onog gospodina i da se udaš za
mene – rekao sam Čileankici kad smo se sledeći put videli. –
Hoćeš da me ubediš kako si zaljubljena u jednog Metuzalema
koji je, sem što izgleda kao da ti je deda, i strašno ružan?

– Još jedna kleveta protiv mog muža i nikad me više nećeš
videti – zapretila mi je i u jednoj od onih munjevitih promena
koje su bile njena specijalnost, nasmejala se: – Stvarno pored
mene izgleda mnogo star?

Taj moj drugi medeni mesec sa madam Arnu završio se ubr-
zo posle te večere jer je, čim sam se preselio u četvrt Vojne škole,
gospodin Čarnes obnovio moj ugovor. Onda sam zbog radnog
vremena mogao da je viđam samo nakratko, u podne, kada
bih u onih slobodnih sat i po, između jedan i pola tri, umesto
da se popnem u restoran Uneska, otišao u neki bistro da poje-
dem s njom sendvič, ili po podne, kada bi se ona, ne znam pod
kakvim izgovorom, oslobodila mesje Arnua da ode sa mnom u
bioskop. Gledali bismo film držeći se za ruke i ja sam je ljubio
u mraku. „*Tu m'embêtes*",[19] vežbala je ona francuski. „*Je veux voir
le film, grosse bête*".[20] Brzo je napredovala u Montenjevom jeziku;
slobodno je govorila bez i najmanjeg stida, a njene sintaksičke
i fonetske greške bile su zabavne, još jedna čar njene ličnosti.
Ponovo smo vodili ljubav tek mnogo nedelja kasnije, posle jed-
nog njenog samostalnog putovanja u Švajcarsku s koga se vratila
u Pariz nekoliko sati ranije da bude sa mnom u mom stanu u
Ulici Žozefa Granijea.

Sve u životu gospođe Arnu i dalje je bilo prilično tajanstve-
no, kao što je bilo u životu Čileankice Lili ili gerilke Arlet. Ako
je bila istina ono što mi je pričala, sada je vodila intenzivan

---

[19] Franc.: Gnjaviš me. (Prim. prev.)
[20] Franc.: Hoću da gledam film, budalo. (Prim. prev.)

društveni život, sa prijemima, večerama i koktelima, na kojima se družila sa *tout Paris* i, na primer, juče je upoznala Morisa Kuva de Mirvila, ministra spoljnih poslova generala De Gola, a prošle nedelje je videla Žana Koktoa na privatnoj projekciji filma *Umreti u Madridu*, dokumentarca Frederika Rosifa, ruku pod ruku sa njegovim ljubavnikom, glumcem Žanom Mareom, koji je, uzgred budi rečeno, bio vrlo zgodan; sutra će ići na čajanku koju su njene prijateljice organizovale za Faru Dibu, suprugu iranskog šaha u privatnoj poseti Parizu. Je li to bio puki delirijum veličine i snobizma ili ju je muž zaista uveo u taj svet sjaja i frivolnosti koji ju je zaslepljivao? Sa druge strane, stalno je putovala, ili mi je bar tako govorila, u Švajcarsku, Nemačku, Belgiju, na po dva ili tri dana, uvek iz nejasnih razloga: izložbe, svečanosti, proslave, koncerti. Kako su mi njena objašnjenja delovala kao očigledne izmišljotine, rešio sam da je više ne pitam o njenim putovanjima, praveći se da potpuno verujem u motive koje bi se ponekad udostojila da mi da o tim munjevitim pohodima.

Jednog popodneva, sredinom 1965, u Unesku, kolega iz kancelarije, stari španski republikanac koji je već godinama pisao „konačni roman o građanskom ratu što će ispraviti Hemingvejeve netačnosti" i zvaće se *Za kim zvona ne zvone*, dodao mi je primerak *Monda*. Gerilci MIR-a iz odreda Tupak Amaru, kojim je rukovodio Lobaton i koji je delovao u provincijama Konsepsion i Satipo, u oblasti Hunin, opljačkali su skladište eksploziva jednog rudnika, razneli most na reci Moranijok, zauzeli hacijendu Runatuljo i podelili namirnice seljacima. Nekoliko nedelja kasnije postavili su zasedu jednom odredu civilne garde u klancu Jauarina. Devet pripadnika civilne garde, među njima i major koji je komandovao patrolom, poginuli su u borbi. U Limi je bilo bombaških atentata u Hotelu *Krijon* i *Nacionalnom klubu*. Belaundeova vlada je proglasila vanredno stanje u celoj centralnoj planinskoj oblasti. Osetio sam kako mi se steže srce.

Tog dana, kao i sledećih, bio sam uznemiren, a lik debelog Paula nije mi izlazio iz glave.

Stric Ataulfo mi je ponekad pisao pisma – zamenio je tetku Albertu kao jedina osoba s kojom sam se dopisivao u Peruu – puna komentara o političkim prilikama. Preko njega sam saznao da su, iako je gerila delovala vrlo sporadično u Limi, vojne akcije u centru i na jugu Anda potresale zemlju. *Komersio* i *Prensa*, apristi i odrijevci sada udruženi protiv vlade, optuživali su Belaundea Terija za slabost prema kastrističkim pobunjenicima, pa čak i za tajno saučesništvo u ustanku. Vlada je naredila vojsci da uguši pobunu. „Ovo postaje ružno, sinovče, i bojim se da će u svakom trenutku doći do puča. Čuje se zveckanje sabalja u vazduhu. Kada pa nije bilo tako u našem Peruu!" U njegovim srdačnim pismima, strina Dolores me je uvek svojeručno pozdravljala.

Sasvim neočekivano, uspostavio sam dobar odnos sa mesje Roberom Arnuom. Jednog dana se pojavio u kancelariji za španski u Unesku da me pozove u kantinu da zajedno ručamo. Ni iz kakvog posebnog razloga, tek da malo popričamo, da popušimo po žitan s filterom, cigarete koje smo obojica pušili. Od tada je povremeno dolazio, kada su mu obaveze to dopuštale; išli bismo na kafu i da nešto pojedemo komentarišući političke prilike u Francuskoj i u Latinskoj Americi, kao i pariski kulturni život, u koji je bio takođe vrlo upućen. Načitan čovek i pun ideja, žalio se da je, iako je raditi sa Reneom Maeom bilo zanimljivo, bilo nezgodno to što je mu je samo vikendom ostajalo vremena da čita i da vrlo retko ode u pozorište i na koncerte.

Zahvaljujući njemu, morao sam da iznajmim smoking i da se formalno obučem prvi i, bez sumnje, poslednji put u životu, da bih u pariskoj Operi prisustvovao baletu, a zatim večeri i plesu u korist Uneska. Nikada nisam ušao u taj impozantan prostor, ukrašen Šagalovim freskama na kupoli. Sve mi je izgledalo prelepo i elegantno. Ali još više mi je bila takva bivša Čileankica i bivša gerilka, koja me je, u vazdušastoj haljini od belog tila sa cvetnim dezenom, otkrivenih ramena i podignute kose, sa mnogo nakita oko vrata, na ušima i na rukama, naterala da zanemim od divljenja. Cele večeri su joj neki starčići, poznanici mesje Arnua, prilazili, ljubili joj ruku i posmatrali je s lakomim sjajem u očima. *„Quelle beauté exotique!"*,[21] čuo sam kako govori jedan od tih uzbuđenih gnjavatora. Napokon sam mogao da je pozovem na ples. Stežući je, šapnuo sam joj na uho da nikada nisam mogao ni da zamislim da može izgledati tako lepo kao u tom trenutku. Srce mi se cepalo pri pomisli da će posle bala, u njenoj kući u Pasiju, njen muž, a ne ja, da je svuče i voli. *Beauté exotique* je sa snishodljivim osmehom dopuštala da je obožavam i završila je okrutnim komentarom: „Kakve mi banalnosti govoriš, Rikardito!" Ja sam udisao miris koji je izbijao iz nje i osećao toliku želju da je uzmem da sam jedva mogao disati.

Otkud joj pare za te haljine i nakit? Iako nisam bio stručnjak za luksuz, bio sam svestan da su, kako bi nosila te ekskluzivne modele i tako menjala garderobu – svaki put kad bih je video, bila je u novoj haljini i u novim divnim cipelicama – bili potrebni veći prihodi od onih koje je mogao da ima funkcioner Uneska, makar bio direktorova desna ruka. Pokušao sam da to izvučem iz nje i pitao je da li, osim što povremeno mesje Robera Arnua vara sa mnom, ne vara muža i s nekim milionerom zahvaljujući kome može da oblači modele iz luksuznih radnji i nosi nakit kao iz bajke.

– Kad bih samo tebe imala za ljubavnika, išla bih kao prosjak, paceru – odgovorila mi je i nije se šalila.

Ali odmah mi je dala objašnjenje koje je zvučalo savršeno, iako sam bio siguran da je lažno. Haljine i nakit koje je nosila nisu bili kupljeni, nego pozajmljeni od velikih kreatora iz Avenije Montenj i zlatara sa Trga Vandom, koji su ih kao reklamu za svoje modele davali šik damama koje su posećivale visoko društvo. Tako da je ona zahvaljujući svojim društvenim vezama

---

[21] Franc.: Kakva egzotična lepotica! (Prim. prev.)

mogla da se odeva i ukrašava kao elegantne dame Pariza. Ili sam možda mislio da sa platicom jednog francuskog diplomate ona može da se takmiči u luksuzu sa velikim damama Grada svetlosti?

Nekoliko nedelja posle onog bala u Operi, nevaljala devojčica mi je telefonirala u kancelariju Uneska.

– Rober ovog vikenda mora da prati šefa u Varšavu – najavila mi je. – Dobio si na lutriji, dobri dečko! Mogu da posvetim subotu i nedelju samo tebi. Vidi kakav ćeš program da mi spremiš.

Proveo sam sate razmišljajući šta bi moglo da je iznenadi i da je obraduje, koja zanimljiva pariska mesta ne poznaje, proučavajući koje predstave daju te subote i koji bi restoran, bar ili bistro mogao da joj privuče pažnju svojom originalnošću, ili tajnim i ekskluzivnim karakterom. Nakon što sam smislio hiljadu mogućnosti i sve ih odbacio, na kraju sam za subotu ujutro, ako bude lepo vreme, izabrao šetnju do groblja pasa u Aznijeru, na jednom ostrvcetu sa lisnatim drvećem nasred reke, i večeru u *Šez Alaru,* u Ulici Sent Andre dez Ar, za istim stolom gde sam jedne noći video Pabla Nerudu kako večera sa dve kašike, držeći po jednu u obe ruke. Da bi lokal izgledao ugledno u njenim očima, reći ću gospođi Arnu da je to omiljeni pesnikov restoran i izmisliću joj jela koja je uvek naručivao. Ideja da provedem celu noć s njom, da vodimo ljubav, da na svojim usnama okusim treptaj „njenog međunožja, poput noćnih trepavica" (stih iz Nerudine pesme *Svadbeni materijal,* koju sam joj recitovao na uho prve noći koju smo proveli zajedno, u mom potkrovlju u hotelu *Senat*), da osetim kako tone u san u mom naručju i da se probudim u nedelju ujutro uz njeno toplo telašce, držala me je u takvom stanju tri-četiri dana uoči subote da su mi iluzija, radost i strah da nešto ne upropasti plan jedva dopuštali da se usredsredim na posao. Lektor mojih prevoda morao je nekoliko puta da mi popravlja greške.

Ta subota je bila divna. U svom novom renou dofin, kupljenom mesec dana ranije, pre podne sam odveo madam Arnu na groblje pasa u Aznijeru, koje ona nije poznavala. Više od sat vremena proveli smo razgledajući grobove – osim pasa, bilo je mačaka, zečića i papagaja koji su tamo bili sahranjeni – čitajući osećajne, poetske, smešne i apsurdne epitafe kojima su se gazde oprostile od svojih dragih životinja. Izgledalo je da se stvarno zabavlja. Smeškala se, držala ruku u mojoj, a njene oči boje tamnog meda plamtele su od prolećnog sunca, dok joj je vetrić koji je duvao niz reku mrsio kosu. Nosila je laku, providnu bluzu koja je dopuštala da se vidi početak njenih grudi, široku jaknu koja je lepršala u ritmu njenih pokreta i čizmice s visokom štiklom boje cigle. Dosta dugo je posmatrala statuu nepoznatog psa na ulazu i melanholično je požalila što ima „tako komplikovan" život, jer bi inače volela da usvoji kucu. Upamtio sam to: to će biti moj poklon za njen rođendan, ako otkrijem kad je.

Stegao sam je oko struka, privukao je i rekao da joj, ako odluči da ostavi mesje Arnua i uda se za mene, obećavam da će imati normalan život i da će odgajiti sve pse koje bude htela. Umesto da mi odgovori, pitala me je rugajući se:

– Ideja da provedeš noć sa mnom čini te najsrećnijim čovekom na svetu, dečko iz Mirafloresa? Pitam te to ne bi li mi opet kazao neku banalnost koje toliko voliš da mi govoriš.

– Ništa ne bi moglo da me učini srećnijim – rekao sam joj, pritiskajući svoje usne na njene. – Već godinama sanjam o tome, gerilko.

– Koliko puta ćeš voditi ljubav sa mnom? – nastavila je istim podrugljivim tonom.

– Koliko god budem mogao, nevaljala devojčice. Deset, ako mi telo dozvoli.

– Dozvoljavam ti samo dva puta – upozorila me je, grickajući me za uho. – Jednom kad legnemo i drugi put kad se probudimo. E da, i nikakvo rano buđenje. Treba mi najmanje osam sati sna kako nikad ne bih imala bore.

Nikada nije bila tako razigrana kao tog jutra. I mislim takođe da nikada kasnije neće biti. Nisam je pamtio da se tako prirodno prepušta trenutku, bez poze, da ne izmišlja ulogu. Udisala je toplotu dana i puštala da je obožavam i da je preplavi svetlost koju su lučile krošnje žalosnih vrba. Izgledala je mlađa nego što je bila, skoro devojčurak, a ne žena od skoro trideset godina. Pojeli smo sendvič od šunke sa krastavčićima i popili po čašu vina u jednom bistrou u Aznijeru, na obali reke, a zatim smo otišli u Kinoteku u Ulici d'Ilm da gledamo *Les enfants du Paradis*[22] Marsela Karnea, koji sam ja već video, ali ona nije. Kada smo izašli, pričala je kako su mladi bili Žan Luj Baro i Marija Kasares, kako se više ne prave takvi filmovi, i priznala mi je da ju je kraj rasplakao. Predložio sam joj da odemo u moj stan da se odmorimo do večere, ali nije htela; ako sada uđemo u kuću, imaću ružne ideje. Bolje da iskoristimo tako lepo popodne i da malo šetamo. Ulazili smo i izlazili iz galerija u Ulici Sena, a zatim smo seli da nešto popijemo na jednoj terasi u Ulici de Bisi. Ispričao sam joj kako sam tamo jednog jutra video Andrea Bretona kako kupuje svežu ribu. Ulice i kafei bili su prepuni i Parižani su dobili onaj opušten i simpatičan izraz koji imaju kada je lepo vreme, takva retkost. Odavno se nisam osećao tako zadovoljan, pun optimizma i nade. Onda je đavo došao po svoje i video sam naslov u *Mondu* koji je čitao moj sused: „Vojska uništila generalštab peruanske gerile". Podnaslov je glasio: „Poginuli Luis de la Puente i drugi lideri MIR-a". Odjurio sam do kioska na ćošku da kupim novine. Vest je potpisao dopisnik iz Južne Amerike, Marsel Nidergangi; bio je i jedan uokviren tekst Kloda Žilijena, koji je objašnjavao šta je peruanski MIR, uz infomacije o Luisu de la Puenteu i političkoj situaciji u Peruu. U avgustu 1965, specijalne snage peruanske vojske opkolile su Mesa Peladu, planinu istočno od grada Kiljabamba, u dolini Kuska – Konvension, i osvojili logor *Illarec ch'aska* (zvezda Danica) pobivši mnoge gerilce. Luis

---

[22] Franc.: Deca raja. (Prim. prev.)

de la Puente, Paul Eskobar i šaka njihovih pristalica uspeli su da pobegnu, ali komandosi su ih posle dugog gonjenja opkolili i ubili. U članku je precizirano da su vojni avioni bombardovali Mesa Peladu koristeći napalm. Tela nisu predata porodici, niti pokazana štampi. Prema zvaničnom saopštenju, sahranjeni su na nepoznatoj lokaciji kako bi se izbeglo da njihovi grobovi postanu mesta revolucionarnog hodočašća. Vojska je pokazala novinarima oružje, uniforme i mnoga dokumenta, kao što su mape i radio-uređaji, koje su gerilci imali na Mesa Peladi. Tako je odred Pačakutek, jedno od pobunjeničkih žarišta peruanske revolucije, bio uništen. Vojska je očekivala da i odred Tupak Amaru, pod vođstvom Giljerma Lobatona, takođe opkoljen, ubrzo padne.

– Ne znam zašto praviš takvo lice. Znao si da će se ovo pre ili kasnije desiti – iznenadila se madam Arnu. – Sam si mi mnogo puta rekao da to može samo tako da se završi.

– To sam govorio zbog uroka, da se ne bi desilo.

Rekao sam joj to i tako sam mislio i toga se plašio, naravno, ali drugo je bilo znati da se to dogodilo i da je Paul, dobar prijatelj i drugar iz mojih prvih dana u Parizu, sada bio leš koji trune u nekoj pustoši istočnih Anda, možda nakon što je pogubljen i svakako mučen, ako su ga vojnici uhvatili živog. Nastojeći da ne klonem duhom, predložio sam Čileankici da zaboravimo tu temu i ne dopustimo da ta vest upropasti božji dar što je imam za sebe celog vikenda. Ona je to uspela bez po muke; Peru je za nju, činilo mi se, bilo nešto što je sasvim svesno izbacila iz svog pamćenja kao gomilu ružnih uspomena (siromaštvo, rasizam, diskriminacija, omalovažavanje, višestruka razočaranja), i možda je odavno donela odluku da zauvek raskrsti s rodnom zemljom. Ja, naprotiv, uprkos naporima da zaboravim na prokletu vest iz *Monda* i da se usredsredim na nevaljalu devojčicu, nisam to mogao. Tokom cele večeri u *Šez Alaru* duh mog prijatelja oduzimao mi je apetit i kvario raspoloženje.

– Čini mi se da nisi za *faire la fête*[23] – rekla mi je, puna razu-mevanja, za vreme deserta. – Hoćeš da ostavimo za drugi put, Rikardito?

Pobunio sam se i poljubio joj ruke i zakleo se da je, uprkos užasnoj vesti, provesti noć s njom za mene bilo nešto najdivnije. Ali kada smo stigli u moj stan u Ulici Žozefa Granijea i kada je izvadila iz svog koferčeta koketni *baby doll*, četkicu za zube i veš za sutradan, kada smo legli na krevet – kupio sam cveće za dnev-nu i spavaću sobu – i kada sam počeo da je milujem, shvatio sam, postiđen i ponižen, da nisam bio u stanju da vodim ljubav.

– To Francuzi zovu fijasko – rekla je, smejući se. – Znaš da mi se ovo prvi put dešava s nekim muškarcem?

– Koliko si ih imala? Pusti me da pogodim. Deset? Dvadeset?

– Užasna sam u matematici – naljutila se. I osvetila se nare-đenjem: – Bolje me ustima navedi da svršim. Ja nemam zbog čega da budem u žalosti. Jedva sam poznavala tvog prijatelja Paula, i osim toga, seti se, njegovom krivicom sam morala da idem na Kubu.

I ne rekavši ništa više, isto tako prirodno kao kad bi zapalila cigaretu, raširila je noge i legla na leđa, s jednom rukom preko očiju, u onoj potpunoj nepokretnosti, dubokoj koncentraciji u koju je, zaboravivši na mene i svet koji je okružuje, navikla da utone u iščekivanju svog zadovoljstva. Uvek joj je trebalo mnogo vremena da se uzbudi i da svrši, ali te noći joj je bilo potrebno duže nego obično, i dva-tri puta sam na nekoliko trenutaka morao da prestanem da je ljubim i ližem jer mi je jezik utrnuo. Svaki put me je njena ruka opominjala, povlačeći me za kosu ili golicajući mi leđa. Najzad sam osetio kako se pokreće, i čuo ono blago predenje koje kao da joj se iz stomaka penjalo u usta; osetio sam kako joj se udovi skupljaju i čuo njen dug, zadovoljan uzdah. „Hvala, Rikardito", promrmljala je. Gotovo odmah je zaspala. Ja sam dugo ostao budan i teskoba mi je stezala grlo.

---

[23] Franc.: provod. (Prim. prev.)

Imao sam težak san, s noćnim morama kojih sam se idućeg dana jedva sećao.

Probudio sam se oko devet ujutro. Više nije bilo sunca. Kroz prozor na krovu videlo se oblačno, sivo nebo, večno parisko nebo. Ona je spavala okrenuta leđima prema meni. Izgledala je vrlo mlada i krhka, s tim detinjim telašcem, sada smirenim, tek malo ustalasanim laganim i ritmičnim disanjem. Niko, kad bi je ovako video, ne bi mogao da zamisli težak život kakav je sigurno imala otkako se rodila. Pokušao sam da zamislim njeno detinjstvo, jer je bila siromašna u Peruu, koji je za siromašne pakao, i njenu mladost, možda još goru, hiljadu peripetija, napora, žrtava, ustupaka koje je morala da učini u Peruu, na Kubi, da napreduje i stigne tamo gde je stigla. I kako ju je tvrdom i hladnom učinilo to što je morala da se noktima i zubima bori brotiv nesreće, svi kreveti kroz koje je morala da prođe kako ne bi ostala zgažena na tom bojnom polju za koje ju je iskustvo ubedilo da je život. Osećao sam ogromnu nežnost prema njoj. Bio sam siguran da ću je, na moju sreću i na moju nesreću, uvek voleti. Gledajući i slušajući je kako diše, uzbudio sam se. Počeo sam da joj ljubim leđa, vrlo polako, isturenu guzu, vrat i ramena i, okrenuvši je, grudi i usta. Ona se pravila da spava, ali je već bila budna, jer se namestila na leđa tako da može da me primi. Osetio sam da je vlažna i prvi put sam mogao da uđem u nju bez teškoća, ne osećajući se kao da vodim ljubav s devicom. Voleo sam je, voleo sam je, nisam mogao da živim bez nje. Molio sam je da ostavi mesje Arnua i dođe kod mene, zaradiću mnogo para, razmaziću je, platiću joj sve hirove.

– Vidi, vidi, iskupio si se – počela je da se smeje – i čak si izdržao duže nego ranije. Mislila sam da si postao impotentan posle sinoćnog fijaska.

Predložio sam da joj spremim doručak, ali ona je više volela da jedemo napolju, jeo joj se *croissant croustillant*.[24] Tuširali smo

---

[24] Franc.: krckavi kroasan. (Prim. prev.)

se zajedno, pustila me je da je nasapunjam, da je obrišem, i da sedim na krevetu i posmatram kako se oblači, češlja i doteruje. Sâm sam joj obuo mokasine, poljubivši joj pre toga, jedan po jedan, prste na nogama. Držeći se za ruke, otišli smo zajedno u jedan bistro u Aveniji de la Burdone, gde su zaista kroasani krckali kao da su upravo izašli iz pećnice.

– Da si me onda, umesto da me pošalješ na Kubu, zadržao kod sebe ovde u Parizu, šta misliš koliko bismo trajali, Rikardito?

– Ceo život. Učinio bih te tako srećnom da me nikada ne bi ostavila.

Prestala je da se šali i pogledala me, vrlo ozbiljno i pomalo potcenjivački:

– Kako si naivan i kakav si sanjar – izgovarala je to polako, reč po reč, izazivajući me očima. – Ne poznaješ me, ja bih zauvek ostala samo sa vrlo bogatim i moćnim čovekom. Ti, nažalost, nikad nećeš biti takav.

– A ako novac nije sreća, nevaljala devojčice?

– Niti znam šta je sreća, niti me zanima, Rikardito. Ali ubeđena sam da to nije ta tvoja romantična i banalna stvar. Novac daje sigurnost, štiti te, dopušta ti da potpuno uživaš u životu ne brinući za sutra. Jedina sreća koja se može dodirnuti.

Posmatrala me je s onim hladnim izrazom koji se ponekad čudno zaoštravao i kao da je ledio život oko sebe.

– Ti si dobar čovek, ali imaš užasnu manu: nedostatak ambicija. Zadovoljan si onim što si stekao, zar ne? Ali to nije ništa, dobri dečko. Zbog toga ne bih mogla da budem tvoja žena. Ja nikada neću biti zadovoljna onim što imam. Uvek ću hteti više.

Nisam znao šta da joj odgovorim, jer iako me je bolelo, rekla je nešto tačno. Za mene je sreća bila da imam nju i da živim u Parizu. Je li to značilo da si nepopravljivo prosečan, Rikardito? Da, verovatno. Pre nego što se vratila u stan, madam Robera Arnua ustala je da telefonira. Vratila se zabrinutog izraza.

– Žao mi je, ali moram da idem, dobri dečko. Nešto mi se iskomplikovalo.

Nije mi dala dalja objašnjenja niti je pristala da je odvezem kući ili tamo kuda je trebalo da ide. Popeli smo se da uzme svoj koferčić i ispratio sam je do taksija kod stanice metroa Vojna škola.

– Uprkos svemu, to je bio lep vikend – pozdravila se, dotakavši mi usne. – Ćao, *mon amour*.

Kada sam se vratio kući, iznenađen njenim naglim odlaskom, otkrio sam da je u kupatilu zaboravila četkicu za zube. Jednu predivnu četkicu na čijoj je futroli bilo utisnuto ime proizvođača: Gerlen. Zaboravljena? Možda i ne. Možda je to bilo namerno, da bi mi ostavila neku uspomenu na tu tužnu noć i to srećno buđenje.

Te nedelje nisam mogao ni da je vidim ni da razgovaram s njom, a sledeće je njen telefon ostao potpuno nem; otišao sam bez pozdrava u Beč da radim petnaestak dana na skupu posvećenom atomskoj energiji. Bio mi je divan taj barokni, elegantni i bogati grad, ali je posao privremenog prevodioca, kada međunarodne organizacije imaju kongrese, generalne skupštine ili godišnju konferenciju – kada su potrebni dodatni prevodioci i simultanci – bio toliko intenzivan da mi nije ostavljao vremena za muzeje, koncerte i operske predstave, osim poneko podne, za brzu posetu Albertini. Uveče sam, mrtav umoran, jedva uspevao da odem u neki od onih starinskih kafea, *Central, Lantman, Havelka, Frauenhuber*, koji su bili dekorisani u stilu *belle époque*, da pojedem *wiener schnitzel*,[25] austrijsku verziju pohovanog bifteka koji je spremala moja tetka Alberta, i popijem čašu penušavog piva. Dolazio sam do kreveta napola grogi. Nekoliko puta sam zvao nevaljalu devojčicu, ali niko se nije javljao na telefon ili je stalno bilo zauzeto. Nisam se usuđivao da telefoniram Roberu Arnuu u Unesko, da ne pobudim njegovu sumnju. Kada je prošlo tih petnaest dana, gospodin Čarnes mi je poslao telegram i predložio mi desetodnevni posao u Rimu,

---

[25] Nem.: *wiener schnitzel* – bečka šnicla. (Prim. prev.)

na nekom seminaru posle kojeg je sledila konferencija FAO, tako da sam otputovao u Italiju ne prolazeći kroz Pariz. Ni iz Rima nisam mogao da razgovaram s njom. Čim sam se vratio u Francusku, pozvao sam je. Naravno, bez uspeha. Šta se dešava? Potišten, počeo sam da pomišljam na neku nesreću, neku bolest, na kućnu tragediju.

Bio sam toliko nervozan što nisam mogao da komuniciram sa madam Arnu da sam dva puta morao da pročitam pismo strica Ataulfa koje me je čekalo u Parizu. Nisam mogao da se usredsredim, da izbacim Čileankicu iz glave. Stric Ataulfo mi je naširoko objašnjavao peruansku političku situaciju. MIR-ov odred Tupak Amaru na čelu sa Lobatonom još nije bio uhvaćen, iako su saopštenja vojske izveštavala o neprekidnim sukobima, u kojima su uvek stradali gerilci. Prema štampi, Lobaton i njegovi ljudi su se zavukli u džunglu i našli saveznike među amazonskim plemenima, posebno u plemenu Ašaninka, raštrkanom u oblasti između reka Ene, Perene, Satipo i Anapati. Bilo je glasina da su zajednice Ašaninka bile očarane Lobatonovom ličnošću i poistovetile ga s mitskim herojem, atavističkim borcem za pravdu Itomijem Pavom, koji će, prema legendi, jednog dana da se vrati i vaspostavi moć tog naroda. Vojna avijacija je bombardovala sela u džungli, sumnjajući da sakrivaju članove MIR-a.

Posle novih bezuspešnih pokušaja da razgovaram sa madam Arnu, rešio sam da odem u Unesko i potražim njenog muža, pod izgovorom da ih pozivam na večeru. Pre toga sam svratio da pozdravim gospodina Čarnesa i kolege iz odeljenja za španski. Zatim sam se popeo na neprikosnoveni šesti sprat, gde su bile kancelarije šefova. Sa vrata sam ugledao izmučeno lice i kratke brčiće mesje Arnua. Čudno se trgao kada me je video i primetio sam da je odbojniji nego ikada, kao da mu je moje prisustvo bilo neprijatno. Da li je bio bolestan? Izgledao je kao da je za nekoliko nedelja, koliko ga nisam video, ostareo deset godina. Bez reči mi je pružio mlitavu ruku. Čekao je da ja progovorim, prodorno uperivši u mene svoje mišje oči.

– Ovog poslednjeg meseca radio sam van Pariza, u Beču i Rimu. Voleo bih da vas pozovem na večeru ovih dana, kada ste slobodni.

Nastavio je da me gleda ne odgovarajući. Sada je bio vrlo bled, imao je očajnički izraz i stiskao je usta kao da mu je naporno da priča. Drhtale su mi ruke. Hoće li mi reći da mu je žena umrla?

– Onda vi ne znate – promrmljao je suvo. – Ili se izmotavate?

Zbunjen, nisam znao šta da mu odgovorim.

– Ceo Unesko zna – dodao je, tiho i muklo. – U organizaciji mi se svi smeju. Žena me je ostavila, čak ne znam ni zbog koga. Mislio sam da je zbog vas, gospodine Somokursio.

Pre nego što je izgovorio moje prezime, prekinuo mu se glas. Brada mu je podrhtavala i činilo mi se da mu cvokoću zubi. Promrmljao sam da mi je žao, da nisam bio u toku, glupo sam ponovio da tog meseca nisam bio u Parizu, da sam radio u Beču i Rimu. I pozdravio sam se, ali mesje Arnu mi nije odgovorio na „do viđenja".

Iznenađenje i neprijatnost bili su toliki da mi je u liftu pripala muka i ispovraćao sam se u malom toaletu u hodniku. S kim li je otišla? Da li sa svojim ljubavnikom i dalje živi u Parizu? Svih sledećih dana pratila me je jedna misao: onaj vikend koji mi je poklonila bio je za rastanak. Da imam nešto posebno za čim da žudim. Ostaci koji se bacaju psu, Rikardito. Posle te kratke posete mesje Arnuu usledili su nesrećni dani. Prvi put u životu imao sam nesanicu. Provodio sam noći u znoju, ne misleći ni na šta, stiskajući četkicu za zube gerlen, koju sam kao amajliju držao na noćnom stočiću, utonuo u svoj očaj i ljubomoru. Sledećeg dana bio bih ruševina, telo smrvljeno jezom, bez volje da radim bilo šta, čak i da jedem. Lekar mi je prepisao nembutale, koji su me više onesvešćivali nego uspavljivali. Budio sam se uznemiren i nervozan kao da imam strašan mamurluk. Sve vreme sam proklinjao samog sebe što sam ispao onako glup kad sam je poslao na Kubu, postavljajući svoje prijateljstvo s

Paulom ispred ljubavi koju sam osećao prema njoj. Da sam je zadržao, i dalje bismo bili zajedno i život ne bi bio ova nesanica, ova praznina, ovaj jad.

Gospodin Čarnes mi je dao jednomesečni ugovor i tako mi pomogao da izađem iz dugotrajnog emocionalnog rasula. Poželeo sam da mu zahvalim na kolenima. Zahvaljujući rutini posla u Unesku, malo-pomalo sam izlazio iz krize u kojoj me je ostavio nestanak bivše Čileankice, bivše gerilke, bivše madam Arnu. Kako li se sada zove? Kakvu ličnost, kakvo ime, kakvu priču je usvojila u ovoj novoj etapi svog života? Njen novi ljubavnik mora da je bio vrlo važan, mnogo važniji od savetnika direktora Uneska, koga je ostavila kao krpu, već suviše skromnog za njene ambicije. Na to me je jasno upozorila onog poslednjeg jutra: „Ja bih zauvek ostala samo sa čovekom koji je vrlo bogat i moćan." Bio sam siguran da je ovoga puta neću ponovo videti. Treba da to prevaziđeš i zaboraviš Peruankicu sa hiljadu lica, dobri dečko, da se uveriš da je ona bila samo ružan san.

Ali nekoliko dana nakon što sam opet počeo da radim u Unesku, mesje Arnu se pojavio u sobičku od moje kancelarije dok sam prevodio izveštaj o dvojezičnom obrazovanju u zemljama supsaharske Afrike.

– Žao mi je što sam pre neki dan bio grub prema vama – rekao mi je s nelagodom. – U tom trenutku bio sam vrlo loše raspoložen.

Predložio mi je da zajedno večeramo. I mada sam znao da će ta večera biti katastrofalna za moje raspoloženje, radoznalost da čujem priču o njoj, da saznam šta se dogodilo, bila je jača i pristao sam.

Otišli smo u *Chez Eux*, restoran u sedmom arondismanu, nedaleko od moje kuće. To je bila najnapetija i najteža večera na kojoj sam ikad bio. Ali takođe fascinantna, jer sam na njoj otkrio mnogo toga o bivšoj madam Arnu i saznao sam takođe koliko je daleko već odmakla u svom traganju za tom sigurnošću koju je ona izjednačavala s bogatstvom.

Naručili smo viski s ledom i perije kao aperitiv, a zatim crno vino uz hranu koju smo jedva probali. *Chez Eux* je imao stalan jelovnik, sastavljen od specijaliteta koje su služili u nekim dubokim činijama, i naš sto se punio paštetama, puževima, salatama, ribom i mesom, koje su iznenađeni kelneri odnosili gotovo netaknute da bi napravili mesta za veoma raznovrsne deserte, jedan preliven vrelom čokoladom, ne shvatajući zašto zanemarujemo sve te poslastice.

Rober Arnu me je pitao otkada je poznajem. Slagao sam da sam je upoznao tek 1960. ili 1961. u Parizu, kada je prošla na putu za Kubu kao jedna od stipendistkinja MIR-a za gerilsku obuku.

– To jest, ništa ne znate o njenoj prošlosti, o njenoj porodici – potvrdio je gospodin Arnu kao da govori sam. – Ja sam oduvek znao da me laže. Hoću da kažem, o porodici i detinjstvu. Ali opravdavao sam je. Ta laži su mi delovale kao dobroćudne, da sakriju detinjstvo i mladost kojih se stidela. Jer ona mora da je iz vrlo skromne sredine, zar ne?

– Nije volela da govori o tome. Nikada mi nije pričala ništa o svojoj porodici. Ali svakako iz vrlo skromne sredine.

– Meni je bilo žao, naslućivao sam to brdo predrasuda peruanskog društva, velika prezimena, rasizam – prekinuo me je. – Pričala je da je pohađala Sofijanum, najbolju školu monahinja u Limi, gde su se obrazovale devojke iz visokog društva. Da je njen otac bio vlasnik plantaža pamuka. Da je prekinula odnose sa svojom porodicom zbog idealizma, kako bi postala revolucionarka. Nikad je nije zanimala revolucija, siguran sam. Otkako sam je upoznao, nisam čuo od nje nijedno političko mišljenje. Sve bi uradila da ode s Kube. Čak i da se uda za mene. Kada smo otišli, predložio sam joj da putujemo u Peru, da upoznam njenu porodicu. Ispričala mi je druge bajke, naravno. Da će je, ako kroči u Peru, uhapsiti zato što je bila u MIR-u i na Kubi. Ja sam joj opraštao te fantazije. Shvatao sam da potiču od njene nesigurnosti. Otrovale su je te socijalne i rasne predrasude koje su tako jake u južnoameričkim zemljama. Zbog toga mi je izmislila tu biografiju aristokratske devojčice, što nikada nije bila.

Na trenutke sam imao utisak da je mesje Arnu zaboravljao na mene. Čak se i njegov pogled gubio u nekoj tački u praznini i toliko je utišavao glas da su njegove reči postajale nečujno mrmljanje. Drugi put bi me, povrativši se, gledao s nepoverenjem i mržnjom i terao me da mu kažem je li imala nekog ljubavnika. Ja sam joj bio zemljak, prijatelj, zar mi se nikada nije poveravala?

– Nikada mi nije rekla ni reči. Nikad nisam posumnjao. Mislio sam da se vi dobro slažete, da ste srećni.

– I ja sam mislio – promrmljao je pokunjeno. Naručio je novu flašu vina. I dodao je kiselim glasom i krijući pogled: – Nije bilo potrebe da uradi ono što je uradila. Bilo je ružno, prljavo, nelojalno da se tako ponese prema meni. Ja sam joj dao svoje ime, žudeo sam da je učinim srećnom. Doveo sam u opasnost svoju karijeru da je izvučem s Kube. To je bila prava golgota. Nelojalnost ne može da dođe do ovih krajnosti. Toliko računice, toliko licemerja, to je neljudski.

Odjednom je ućutao. Pokretao je usne ne praveći zvuka i njegovi četvrtasti brčići su se skupljali i razvlačili. Uhvatio je praznu čašu i stezao je kao da hoće da je smrvi. Oči su mu bile vlažne i zakrvavljene.

Nisam znao šta da mu kažem, svaka utešna rečenica zvučala bi mi lažno i smešno. Odjednom sam shvatio da za toliki očaj nije zaslužno samo napuštanje. Postojalo je još nešto što je hteo da mi ispriča, ali mu je bilo teško.

– Cela moja životna ušteđevina – prošaputao je mesje Arnu i gledao me optužujući kao da sam ja kriv za njegovu tragediju. – Da li shvatate? Ja sam stariji čovek, nisam u prilici da krenem iz početka. Razumete? Ne samo da me je prevarila ko zna s kim, s nekim gangsterom s kojim je sigurno planirala zločin. Povrh toga i ovo: otišla je sa svim novcem koji smo imali na računu u Švajcarskoj. Ja sam joj dao taj dokaz poverenja, vidite li? Zajednički račun. U slučaju neke nesreće, iznenadne smrti. Da porez na nasledstvo ne odnese sve što je zarađeno u jednom životu punom rada i požrtvovanja. Shvatate li kakva nelojalnost, kakva podlost? Otišla je u Švajcarsku da deponuje novac, i odnela sve, sve – i dovela me do propasti. *Chapeau, un coup de maître!*[26] Znala je da je ne mogu optužiti a da se ne odam, da ne uništim svoju reputaciju i položaj. Znala je da ću, ako je optužim, ja prvi biti oštećen zato što imam tajne račune, što izbegavam porez. Shvatate li koliko je to dobro smišljeno? Mislite li da je moguća tolika okrutnost prema nekome ko joj je pružio samo ljubav i odanost?

Stalno se vraćao na istu temu, s prekidima u kojima smo u tišini pili vino, svako obuzet sopstvenim mislima. Je li bilo perverzno što sam se pitao šta ga je bolelo više, to što ga je napustila, ili što mu je opljačkala tajni račun u Švajcarskoj? Bilo mi ga je žao i grizla me je savest, ali nisam znao kako da ga ohrabrim. Povremeno sam samo ubacivao kratke, prijateljske fraze. On zapravo nije hteo sa mnom da priča. Pozvao me je jer mu je bio potreban slušalac, da pred svedokom naglas kaže ono što ga je mučilo otkako mu je žena otišla.

– Izvinite, bilo mi je potrebno da dam sebi oduška – rekao mi je na kraju, kada su otišli svi gosti i kada smo ostali sami, dok su nas kelneri u *Chez Euxu* nestrpljivo posmatrali. – Zahvaljujem vam na strpljenju. Nadam se da će mi od ove katarze biti bolje.

Rekao sam mu da će posle izvesnog vremena sve ovo ostati iza njega, da nijedna muka nije doveka. I dok sam to govorio, osećao sam se kao pravi licemer, toliko kriv kao da sam ja isplanirao bekstvo bivše madam Arnu i krađu s tajnog računa.

– Ako je nekada vidite, recite joj, molim vas. Nije bilo potrebno da to uradi. Ja bih joj sve dao. Htela je moj novac? Dao bih joj ga. Ali ne tako, ne tako.

---

[26] Franc.: Svaka čast, majstorski potez! (Prim. prev.)

Rastali smo se na vratima restorana, pod sjajem svetlosti Ajfelove kule. To je bio poslednji put da sam video izmučenog mesje Robera Arnua.

MIR-ov odred Tupak Amaru pod komandom Giljerma Lobatona trajao je jedno pet meseci duže nego njegov generalštab na Mesa Peladi. Kao što je bilo sa Luisom de la Puenteom, Paulom Eskobarom i miristima koji su poginuli u dolini Konvension, vojska takođe nije dala detalje o načinu na koji je uništila sve članove te gerile. Tokom celog drugog semestra 1965, Lobaton i njegovi drugovi su uz pomoć Indijanaca Ašaninka iz područja Gran Pahonal izbegavali poteru specijalnih snaga vojske što su se kretale helikopterima i po zemlji i žestoko kažnjavale indijanska naselja koja su krila i hranila gerilce. Na kraju je 7. januara 1966. odred uništen, dvanaest ljudi izmučenih od komaraca, umora i bolesti, palo je u blizini reke Sociki. Jesu li poginuli u borbi ili su ih uhvatili žive i pogubili? Nikad se nisu našli njihovi grobovi. Prema neproverenim glasinama, Lobatona i njegovog zamenika iz helikoptera su bacili u džunglu da životinje dokrajče njihove leševe. Lobatonova devojka, Francuskinja Žaklin je godinama, kampanjama u Peruu i inostranstvu, bezuspešno pokušavala da prinudi vladu da otkrije gde su grobovi pobunjenika te kratkotrajne gerile. Je li bilo preživelih? Da li su bili u ilegali u tom potresenom i podeljenom Peruu za vreme poslednjih dana Belaundea Terija? Dok sam se malo-pomalo oporavljao od nestanka nevaljale devojčice, pratio sam te daleke događaje preko pisama strica Ataulfa. Primećivao sam da je sve pesimističniji u pogledu mogućnosti opstanka demokratije u Peruu. „Sami vojnici koji su pobedili gerilu sada se spremaju da pobede pravnu državu i izvrše novi puč", uveravao me je.

Jednog lepog dana, potpuno neočekivano sam u Nemačkoj naleteo na jednog preživelog sa Mesa Pelade: ni manje ni više nego na Alfonsa Spiritistu, onog momka koga je u Pariz poslala teozofska grupa iz Lime, a debeli Paul ga je oteo od duhova i onostranog da od njega napravi gerilca. Bio sam u Frankfurtu i radio na međunarodnoj konferenciji o komunikacijama, i na jednoj pauzi sam svratio u prodavnicu da nešto kupim. Na kasi me je neko uhvatio za ruku. Odmah sam ga prepoznao. Za četiri godine koliko ga nisam video, ugojio se i pustio kosu – nova moda u Evropi – ali njegovo bledunjavo lice, rezervisanog i pomalo tužnog izraza, bilo je isto. U Nemačkoj je bio već nekoliko meseci. Dobio je status političkog izbeglice i živeo je s jednom devojkom iz Frankfurta koju je upoznao u Parizu, u Paulovo vreme. Otišli smo u kafe koji su držali Turci u samoj prodavnici, pun gospođa sa bucmastom decom.

Alfonso Spiritista se čudom spasao od napada komandosa koji su sravnili Mesa Peladu. Nekoliko dana ranije Luis de la Puente ga je poslao u Kiljabambu; komunikacije nisu dobro funkcionisale sa bazama urbane podrške i u logoru nisu imali vesti o jednoj grupi od pet momaka, već obučenih, čiji se dolazak nedeljama očekivao.

– Baza podrške u Kusku bila je infiltrirana – objasnio mi je, govoreći onako spokojno kako sam ga pamtio. – Mnoge su uhvatili, i prilikom mučenja neko je progovorio. Tako su stigli do Mesa Pelade. Mi zapravo još nismo bili započeli operacije. Lobaton i Maksimo Velando već su se aktivirali u Huninu. I posle one zasede u Jauarini u kojoj je pobijeno toliko policajaca, poslali su vojsku na nas. Mi u Kusku još nismo počeli da delujemo. Ideja De la Puentea nije bila da ostane u logoru, već da se premešta s mesta na mesto. „Gerilsko žarište je stalno kretanje", Čeova pouka. Ali nam nisu dali vremena i ostali smo zatvoreni u zoni bezbednosti.

Spiritista je govorio s jednom zanimljivom distancom, kao da se to dogodilo pre mnogo vekova. Nije znao kakvim je sticajem okolnosti izbegao racije koje su rasturile baze podrške MIR-a u Kiljabambi i u Kusku. Bio je sakriven u kući jedne porodice u Kusku koju je odavno poznavao preko svoje teozofske sekte. Uprkos strahu, ponašali su se veoma lepo prema njemu. Posle nekoliko meseci, izvukli su ga iz grada i, skrivenog u kamionu s

robom, dovezli do Puna. Odatle mu je bilo lako da pređe u Boli-
viju, gde je, posle dugotrajnih formalnosti, uspeo da ga Zapadna
Nemačka prihvati kao političkog izbeglicu.

– Pričaj mi o debelom Paulu, tamo gore, na Mesa Peladi.

Očigledno se dobro prilagodio tom životu na 3800 metara
visine. On nikada nije klonuo duhom, iako mu je povremeno,
tokom marševa na kojima su ispitivali teren oko logora, njegovo
veliko telo pravilo probleme. Posebno kada je trebalo da se penje
na brdo ili spušta u provaliju po velikom pljusku. Jednom je pao
niz blatnjavi obronak i kotrljao se dvadeset, trideset metara.
Njegovi drugovi su mislili da je razbio glavu, ali on se podigao
živ i zdrav, sav u blatu.

– Prilično je oslabio – dodao je Alfonso. – Onog jutra kada
sam se oprostio od njega u *Illarec ch'aski,* bio je gotovo isto tako
mršav kao ti. Ponekad smo pričali o tebi. „Šta li radi naš amba-
sador u Unesku?", govorio je. „Da li se usudio da objavi one
pesme koje krišom piše?" Nikad nije izgubio smisao za humor.
Uvek je pobeđivao na humorističkim takmičenjima koje smo
uveče pravili da nam ne bude dosadno. Njegova žena i sin sada
žive na Kubi.

Hteo sam da ostanem još dugo sa Alfonsom Spiritistom,
ali sam morao da se vratim na konferenciju. Pozdravili smo se
zagrljajem i dao sam mu svoj telefon da mi se javi ako nekad
bude prolazio kroz Pariz.

Nešto pre ili nešto posle ovog razgovora, ostvarila su se
mračna proročanstva strica Ataulfa. Vojnici su 3. oktobra 1968,
na čelu sa generalom Huanom Velaskom Alvaradom, izvršili
puč koji je dokrajčio demokratiju Belaundea Terija; njega su
proterali iz zemlje i zavedena je nova vojna diktatura u Peruu,
koja će trajati dvanaest godina.

III
PORTRETISTA KONJA U
SWINGING LONDONU[27]

U drugoj pólovini šezdesetih, London je istisnuo Pariz kao centar raznih moda koje su se iz Evrope širile svetom. Muzika je zamenila knjige i ideje kao središte pažnje mladih, posebno počev od Bitlsa, ali i Klifa Ričarda, Šedousa, Rolingstonsa sa Mikom Džegerom, i drugih engleskih grupa i pevača, kao i hipika i psihodelične revolucije dece cveća. Kao što su ranije odlazili u Pariz da dižu revoluciju, mnogi Latinoamerikanci su emigrirali u London da se upišu u sledbenike marihuane, pop muzike i promiskuitetnog života. Karnabi strit je zamenio Sen Žermen kao pupak sveta. U Londonu su rođeni mini suknja, duga kosa i ekscentrična odeća koju su proslavili mjuzikli *Kosa* i *Isus Hrist Superstar*, u modu su ušle droga, od marihuane do lizergične kiseline, fasciniranost indijskom duhovnošću i budizmom, slobodna ljubav, javno otkrivanje homoseksualnosti i pârade gej ponosa, kao i potpuno odbijanje buržoaskog establišmenta, ne u ime socijalističke revolucije, prema kojoj su hipici bili ravnodušni, već u ime

---

[27] Engl.: *swinging London* – razigrani London, termin korišćen tokom 1960-ih i 1970-ih da označi London kao središte svetske pop kulture. (Prim. prev.)

hedonističkog i anarhističkog pacifizma, blažeg zbog ljubavi prema prirodi i životinjama i odricanja od tradicionalnog morala. Za mlade buntovnike merila nisu bile diskusije u sali *Mitialite*, novi roman, ni rafinirani kantautori kao Leo Fere ili Žorž Brasans, već Trafalgar skver i parkovi gde su, iza Vanese Redgrejv i Tarika Alija, demonstrirali protiv rata u Vijetnamu sred masovnih koncerata velikih idola i dima kolumbijske trave, i gde su pabovi i diskoteke bili simboli nove kulture zbog koje je milione mladih oba pola magnetski privlačio London. U Engleskoj su to takođe bile godine pozorišnog sjaja i postavke drame *Mara-Sad* Petera Vajsa koju je 1964. režirao Piter Bruk, do tada poznat pre svega po svojim revolucionarnim režijama Šekspira, što je bio događaj u celoj Evropi. Nikada na sceni nisam ponovo video ništa što mi se toliko snažno urezalo u pamćenje.

Zbog jednog od onih čudnih sticaja okolnosti koje napravi sudbina, krajem šezdesetih sam mnogo vremena provodio u Engleskoj i živeo u samom srcu *swinging* Londona: u Erls Kortu, vrlo živoj i kosmopolitskoj zoni Kensingtona, koja je pod navalom Novozelanđana i Australijanaca bila poznata kao Dolina kengura (*Kangaroo Valley*). Konkretno, majska avantura iz 1968, kada su mladi u Parizu ispunili Latinsku četvrt barikadama i izjavili da treba biti realan tražeći nemoguće, mene je iznenadila u Londonu, gde sam, usled štrajkova koji su paralisali francuske stanice i aerodrome, ostao nekoliko nedelja zarobljen, bez mogućnosti da proverim da li se nešto desilo mom stančiću kod Vojne škole.

Kada sam se vratio u Pariz, otkrio sam da je stan netaknut, pošto majska revolucija 1968. zapravo nije prešla granice Latinske četvrti i Sen Žermen de Prea. Suprotno onome što su mnogi proricali u tim euforičnim danima, nije imala većeg političkog značaja, osim što je ubrzala pad De Gola, otvorila kratku petogodišnju eru Pompidua i otkrila postojanje levice modernije od Francuske komunističke partije („*la crapule stalinienne*",[28]

---

[28] Franc.: staljinisticki ološ. (Prim. prev.)

prema izjavi Kona Bendita, jednog od lidera šezdeset osme).
Običaji su postali slobodniji, ali s kulturnog stanovišta, s nestankom cele jedne ugledne generacije – Morijak, Kami, Sartr, Aron, Merlo Ponti, Malro – tih godina je došlo do diskretnog kulturnog nazadovanja, gde su, umesto stvaralaca, *maîtres a penser*[29] postali kritičari – prvo strukturalisti, kao Mišel Fuko i Rolan Bart, a zatim dekonstruktivisti kao Žil Delez i Žak Derida – sa arogantnom i ezoteričnom retorikom, izolovani u krugovima sledbenika i udaljeni od široke publike, čiji se kulturni život, usled tog razvoja, sve više banalizovao.

To su za mene bile godine velikog rada, iako, kao što bi rekla nevaljala devojčica, osrednjih uspeha: skok od prevodioca do simultanca. Kao i prvi put, ispunio sam prazninu tako što sam se opteretio obavezama. Obnovio sam časove ruskog i simultanog prevođenja, čemu sam se ustrajno posvećivao posle sati koje sam provodio u Unesku. Proveo sam dva leta u SSSR-u, svaki put po dva meseca, prvi put u Moskvi, drugi u Lenjingradu, na intenzivnim kursevima ruskog jezika specijalno za simultane prevodioce, u nekim tužnim univerzitetskim prostorijama gde smo se osećali kao u jezuitskom internatu.

Otprilike dve godine nakon moje poslednje večere s Roberom Arnuom, imao sam pomalo beskrvnu sentimentalnu vezu sa Sesil, funkcionerkom Uneska, koja je bila privlačna i simpatična, ali apstinent, vegetarijanka i predana katolikinja; i s njom je odnos bio savršen samo kada smo vodili ljubav, jer smo u svemu drugom bili krajnje suprotni. U jednom trenutku smo razmišljali o mogućnosti da živimo zajedno, ali oboje smo se uplašili – posebno ja – perspektive zajedničkog življenja budući da smo tako različiti i da, u suštini, među nama nije bilo ni senke prave ljubavi. Naš odnos je splasnuo od dosade i jednog lepog dana prestali smo da se viđamo i da se javljamo jedno drugom.

---

[29] Franc.: majstori mišljenja. (Prim. prev.)

Bilo mi je teško da kao simultanac dobijem prve poslove, iako sam položio sve testove i imao odgovarajuće diplome. Ali taj krug je bio zatvoreniji nego prevodilački, i profesionalna udruženja, prave mafije, primala su nove članove vrlo retko. Uspeo sam tek kada sam engleskom i francuskom, jezicima koje sam prevodio na španski, mogao da dodam i ruski. Prevodilački poslovi su mi omogućili da mnogo putujem po Evropi i često u London, posebno na ekonomske konferencije i seminare. Jednog lepog dana 1970, u peruanskom konzulatu u Sloun stritu, gde sam otišao da obnovim pasoš, sreo sam se sa Huanom Baretom, jednim drugom iz detinjstva, iz škole Šampanjat u Mirafloresu, koji je došao istim poslom.

Pretvorio se u hipika, ali ne u onog odrpanog, nego u elegantnog. Nosio je puštenu svilenkastu kosu do ramena, s ponekom sedom, i imao je proređenu bradicu koja je oko njegovih usta pravila fini okvir. Ja sam ga pamtio bucmastog i niskog, ali sada je bio nekoliko centimetara viši od mene i mršav kao prut. Nosio je plišane pantalone boje višnje i sandale koje su izgledale kao da su od pergamenta a ne od kože, istočnjačku šarenu bluzu od svile, blesak boje usred raskopčanog i zvonastog prsluka, koji me je podsetio na prsluke nekih turkmenskih pastira iz jednog dokumentarca o Mesopotamiji koji sam video u *Pale de Šajou*, u okviru serije *Connaissance du monde*,[30] koju sam pratio svakog meseca.

Otišli smo na kafu u blizini konzulata i razgovor je bio toliko prijatan da sam ga pozvao na ručak u pab u Kensington Gardensu. Proveli smo zajedno više od dva sata, on je govorio, a ja sam slušao i ubacivao pokoju reč.

Njegova priča je bila za roman. Sećao sam se da je poslednjih godina u školi Huan počeo da sarađuje sa radio-stanicom *Sol* kao fudbalski komentator i spiker, i da smo mu mi, njegovi školski drugovi, proricali sjajnu budućnost sportskog no-

---

[30] Franc.: Poznavanje sveta. (Prim. prev.)

vinara. „Ali to je zapravo bila dečja šala", rekao mi je, „moja prava vokacija oduvek je bilo slikarstvo." Bio je u Školi lepih umetnosti u Limi i učestvovao na jednoj kolektivnoj izložbi u Institutu savremene umetnosti u Ulici Okonja. Zatim ga je otac poslao da nastavi kurs crtanja i boje u *St. Martin School of Arts*[31] u Londonu. Čim je došao u Englesku, zaključio je da je to njegov grad („Kao da me je čekao, brate!") i da ga nikada neće napustiti. Kada je saopštio ocu da se neće vratiti u Peru, ovaj je prestao da mu šalje novac. Onda je započeo siromašan život uličnog umetnika, pravio je portrete turistima na Lester skveru ili na vratima *Herodsa*[32] i na trotoarima slikao kredom Parlament, Big Ben ili Londonsku kulu, a zatim pronosio kapu posmatračima. Spavao je u YMCA[33] i u bednim *bed and breakfast* pansionima[34] kao i drugi *drop outs*,[35] u zimskim noćima se sklanjao u crkvena pribežišta za sirote i stajao u dugim redovima u parohijama i dobrotvornim institucijama gde su dva puta dnevno davali tanjir tople supe. Mnogo puta je prenoćio na otvorenom, u parkovima, ili pokriven kartonima, u ulazima u radnje. „Ponekad sam bio očajan, ali ni jedan jedini put za sve to vreme nije mi bilo toliko loše da tražim od oca kartu za povratak u Peru."

Uprkos besparici, sa drugim hipicima lutalicama uspeo je da stigne u Katmandu, gde je otkrio da je u produhovljenom Nepalu bez para mnogo teže preživeti nego u materijalističkoj Evropi. Solidarnost drugara s kojima je putovao spasla ga je da ne umre od gladi ni od bolesti, jer je u Indiji imao maltešku groznicu, zbog koje zamalo nije otišao na onaj svet. Devojka

---

[31] Engl.: Umetnička škola Sveti Martin. (Prim. prev.)
[32] *Herods* – robna kuća u Londonu. (Prim. prev.)
[33] Engl.: *YMCA: Young Men's Chistian Association* - Hrišćanska asocijacija mladih ljudi, humanitarna organizacija. (Prim. prev.)
[34] Engl.: mali hoteli ili pansioni s prenoćištem i doručkom. (Prim. prev.)
[35] Engl.: marginalci. (Prim. prev.)

i dva momka koji su putovali s njim smenjivali su se pored njegovog uzglavlja, dok se oporavljao u jednoj prljavoj bolnici u Madrasu gde su pacovi šetali između bolesnika koji su ležali po asurama na podu.

– Već sam se potpuno navikao da živim kao skitnica, na to da mi je ulica kuća, kad mi se promenila sudbina.

Za nekoliko funti slikao je portrete ugljem na vratima Muzeja Viktorije i Alberta u Brompton roudu, kada je neočekivano jedna žena sa suncobranom i rukavicama od tila zatražila da napravi portret kuce koju je šetala, jedne španijelke king čarls, s belim i krem mrljama, očetkane, oprane i očešljane kao *lady*. Kuca se zvala Ester. Dvostruki crtež koji joj je napravio Huan, „anfas i iz profila", oduševio je gospođu. Kada je htela da mu plati, otkrila je da nema ni pare, jer su joj ukrali novčanik ili ga je zaboravila kod kuće. „Nije važno", rekao joj je Huan. „Bila mi je čast da radim za tako izuzetan model." Gospođa je zbunjena i puna zahvalnosti otišla. Ali posle nekoliko koraka vratila se i pružila Huanu vizitkartu. „Ako neki put prođete ovuda, zazvonite na vrata da pozdravite svoju novu prijateljicu." Pokazivala je na kucu.

Misiz Stabard, medicinska sestra u penziji, udovica bez dece, pretvorila se u njegovu dobru vilu čiji je čarobni štapić izvukao Huana Bareta s londonskih ulica; malo-pomalo ga je čistila („Jedna od posledica toga što si *tramp*[36] jeste da se nikada ne kupaš, niti osećaš koliko smrdiš"), hranila, oblačila, i na kraju lansirala u najengleskiju sredinu među Englezima: svet vlasnika ergela, konjanika, trenera i ljubitelja konjičkog sporta u Njumarketu, gde se rađaju, rastu, umiru i sahranjuju se najčuveniji trkački konji Velike Britanije, a možda i sveta.

Misiz Stabard je živela sama, s malom Ester, u kućici od crvene cigle, sa vrtom koji je samostalno sređivala i izvrsno održavala u mirnom i naprednom delu Sent Džons Vuda. Nasledila ju je od svog muža, pedijatra, koji je proveo ceo život u paviljo-

---

[36] Engl.: skitnica. (Prim. prev.)

nima i ordinacijama bolnice Čering kros vodeći brigu o tuđoj deci; nije mogao da ima sopstvenu. Huan Bareto je zazvonio na udovičina vrata jednog podneva kada je bio gladniji, usamljeniji i utučeniji nego obično. Ona ga je odmah prepoznala.

– Došao sam da vidim kako je moja prijateljica Ester. I, ako ne tražim mnogo, da mi date parče hleba.

– Uđite, umetniče – osmehnula mu se ona. – Da li biste mogli malo da istresete te vaše grozne sandale? I usput operite noge na česmi u vrtu.

„Misiz Stabard je bila anđeo koji je pao s neba", rekao je Huan Bareto. „Uramila je moj crtež kuce ugljenom i držala ga je na jednom stočiću u dnevnoj sobi. Veoma lepo je izgledao." Naterala je Huana i da opere ruke vodom i sapunom („Od prvog trenutka je zauzela taj stav stroge mame, koji još uvek ima prema meni"); pripremila mu je dva sendviča od paradajza, sira i krastavčića i dala mu šolju čaja. Razgovarali su veoma dugo i ona je zahtevala da joj Huan ispriča svoj život od početka do kraja. Bila je spremna i željna da sazna sve o svetu i insistirala je da joj Huan detaljno opiše kakvi su bili hipici, odakle su dolazili i kakve su živote vodili.

„Verovao ili ne, na kraju sam ja bio fasciniran bakicom. Išao sam kod nje ne samo da mi dâ da jedem nego zato što sam se super provodio razgovarajući s njom. Imala je sedamdesetogodišnje telo, ali duh petnaestogodišnjakinje. I, da znaš, pretvorio sam je u hipika."

Huan je svraćao u kućicu u Sent Džons Vudu jednom nedeljno, kupao i češljao Ester, pomagao misiz Stabard da potkreše i zalije baštu i ponekad je pratio u kupovinu u obližnju samoposlugu Sensberi. Stanovnici Sent Džons Vuda, naviknuti na uredan građanski život, posmatrali su začuđeno asimetričan par. Huan joj je pomagao da kuva – naučio ju je peruanske recepte za punjeni krompir, piletinu sa paprikom, seviče[37] – prao

---

[37] Šp.: peruanski specijalitet, sirova riba s limunom. (Prim. prev.)

joj je tanjire, a zatim su razgovarali za stolom, a Huan je puštao ploče Bitlsa i Rolingstonsa, pričao joj svoje avanture i anegdote momaka i devojaka hipika koje je upoznao na lutanjima po Londonu, Indiji i Nepalu. Radoznalost misiz Stabard nije se zadovoljila Huanovim objašnjenjima o tome kako marihuana izoštrava lucidnost i senzibilnost, naročito za muziku. Na kraju je, pobedivši svoje predrasude – bila je aktivni metodista – dala Huanu pare da joj nabavi marihuanu da je proba. „Bila je tako uzbuđena, kunem ti se, da bi se – da sam je podstakao – usudila da uzme kapsulu LSD-a." Seansa sa marihuanom imala je kao pozadinu muziku iz filma Bitlsa *Yellow Submarine*, koji su misiz Stabard i Huan otišli ruku pod ruku da gledaju u jednom premijernom bioskopu na Pikadili cirkusu. Moj prijatelj se plašio da će njegovoj zaštitnici i prijateljici teško pasti trip i zaista, na kraju se žalila na glavobolju i zaspala je nauznak na tepihu dnevne sobe, posle dva sata izuzetnog uzbuđenja, tokom kojih je govorila kao papagaj, praskajući u smeh i praveći baletske figure pred zapanjenim očima Huana i Ester.

Taj odnos se pretvorio u nešto više od prijateljstva, u saučesničko i bratsko drugarstvo, uprkos razlici u godinama, jeziku i poreklu. „S njom sam se osećao kao da mi je mama, sestra, ortak i anđeo čuvar."

Kao da Huanova svedočanstva o hipi supkulturi nisu bila dovoljna, misis Stabard mu je jednog dana predložila da pozove dva-tri druga na čaj. Mučile su ga razne sumnje. Plašio se posledica tog pokušaja da se pomešaju voda i ulje, ali je na kraju organizovao sastanak. Među najpristojnijima od svojih hipi prijatelja odabrao je troje i upozorio ih da će, ako dovedu misiz Stabard u nezgodnu situaciju ili ukradu nešto iz njene kuće, odustati od svoje miroljubivosti i zavrnuti im šiju. Dve devojke i momak – Rene, Džodi i Aspern – prodavali su mirišljave štapiće i pletene torbe po navodno avganistanskim modelima na ulicama Erls Korta. Ponašali su se manje-više dobro i pojeli su celu tortu od jagoda sa šlagom i kolačiće koje im je pripremila misiz Stabard, ali kada su zapalili jedan štapić, objašnjavajući domaćici da će se tako duhovno pročistiti ambijent i da će se karma svakog od prisutnih bolje ispoljiti, ispostavilo se da misiz Stabard ima organizam alergičan na pročišćavajuće oblačiće: spopalo ju je bučno i neprekidno kijanje, od kojeg su joj oči i nos pocrveneli, a Ester je počela da laje. Kada je taj incident prevaziđen, veče se nastavilo manje-više dobro, sve dok Rene, Džodi i Aspern nisu objasnili misiz Stabard da čine ljubavni trougao i da voditi ljubav utroje znači odavati počast Svetom trojstvu – Bog Otac, Bog Sin, i Sveti duh – i još čvršći način da se sprovede u delo moto „Vodite ljubav, a ne rat", koji je na poslednjim demonstracijama protiv rata u Vijetnamu na Trafalgar skveru odobrio ništa manje nego filozof i matematičar Bertrand Rasel. Za metodistički moral u kojem je vaspitana, to sa trojnom ljubavlju bilo je nešto što misiz Stabard nije mogla da zamisli ni u najgoroj noćnoj mori. „Jadnica je zinula i ostatak večeri je s katatoničnim zaprepašćenjem gledala trio koji sam joj doveo. Kasnije mi je melanholično priznala da je, vaspitana onako kako su se vaspitavale Engleskinje njene generacije, bila lišena mnogih zanimljivih stvari u životu. I ispričala mi je da nikada nije videla svog muža golog, jer su od prvog do poslednjeg dana vodili ljubav u mraku."

Od poseta jednom nedeljno, Huan je prešao na dve, pa na tri, da bi na kraju počeo da živi sa misiz Stabard. Ona mu je sredila sobicu koja je pripadala njenom pokojnom mužu, jer su poslednjih godina spavali u odvojenim sobama. Suprotno od onoga čega se Huan plašio, zajednički život je bio savršen. Gazdarica nije pokušavala nikako da se meša u Huanov život, niti ga je pitala zbog čega nekad prenoći van kuće ili ide na spavanje kada susedi iz Sent Džons Vuda odlaze na posao. Dala mu je ključ od kuće. „Jedino što ju je brinulo bilo je da se dva-tri puta nedeljno okupam", smejao se Huan. „Ali, verovao ili ne, skoro tri godine koje sam proveo na ulici kao hipik odvikle su me od tuširanja.

U kući misiz Stabard sam malo-pomalo ponovo otkrio mira-floresku perverziju svakodnevnog tuširanja."

Osim što joj je pomagao u bašti, u kuhinji, da šeta Ester i izbacuje đubre, Huan je vodio sa misiz Stabard duge porodične razgovore; oboje su držali u ruci šolju čaja i pred sobom činiju sa keksom od đumbira. On joj je pričao o Peruu, a ona o jednoj Engleskoj koja je iz perspektive *swinging* Londona izgledala kao praistorija: dečaci i devojčice koji su do šesnaeste godine ostajali u strogim internatima u kojima je, izuzev u ozloglašenim četvr-tima kao što su Soho, Sent Pankras i Ist End, život prestajao u devet uveče. Jedina zabava koju su sebi dopuštali misiz Stabard i njen muž bila je da povremeno odu na neki koncert ili na operu u Kovent Garden. Tokom letnjeg odmora provodili su nedelju dana u Bristolu, u kući nekih rođaka, a drugu na jezerima Škot-ske, koje je njen muž obožavao. Misiz Stabard nikada nije izašla iz Velike Britanije, ali su je zanimali svetski događaji: pažljivo je čitala *Tajms*, počev od čitulja, i slušala je preko radija vesti BBC-ja u jedan i u osam uveče. Nikad joj nije palo na pamet da kupi televizor i retko je išla u bioskop. Ali imala je gramofon i slušala je simfonije Mocarta, Betovena i Bendžamina Britna.

Jednog lepog dana, došao je na čaj njen sestrić Čarls, jedini bliski rođak. Bio je trener konja u Njumarketu, po rečima nje-gove tetke: poseban lik. I mora da je bio, sudeći po crvenom jaguaru koji je parkirao ispred kuće. Mlad i veseo, kovrdžave plave kose i rumenih obraza, iznenadio se što u kući nema nijed-ne flaše dobrog viskija i što mora da se zadovolji čašom slatkog muskatela koji je, posle čaja i čuvenog peciva sa krastavcima kao i torte od sira i limuna, misiz Stabard izvadila da nas počasti. Bio je vrlo srdačan prema Huanu, iako nije bio baš siguran gde se nalati egzotična zemlja iz koje je dolazio hipik iz tetkine kuće – mešao je Peru sa Meksikom – zbog čega je sam sebe sportski prekoreo: „Kupiću atlas i udžbenik geografije da ponovo ne zabrljam kao danas." Ostao je do uveče pričajući anegdote o čistokrvnim konjima koje je u Njumarketu pripremao za trke.

I priznao im je da je postao trener zato što zbog svoje robusne građe nije mogao da bude džokej. „Biti džokej je užasno odricanje, ali je istovremeno najlepše zanimanje na svetu. Pobediti na Derbiju, trijumfovati u Askotu, zamislite! To je bolje nego dobiti premiju na lutriji."

Pre nego što je otišao, zadovoljno je posmatrao grafitni crtež kuce koji je napravio Huan Bareto. „Ovo je umetničko delo", izrekao je. „Ja sam se u sebi smejao smatrajući ga prostakom", optuživao je sam sebe Huan Bareto.

Posle izvesnog vremena moj prijatelj je dobio kratko pisamce koje je, posle uličnog susreta sa misiz Stabard i Ester, konačno promenilo smer njegovog života. Da li bi se „umetnik" usudio da naslika portret Primrouz, slavne kobile iz ergele mister Patrika Čika, koju je on trenirao i čiji je gazda, zbog zadovoljstva koje mu je pružala na hipodromima, hteo da je ovekoveči u ulju? Nudio mu je dvesta funti ako mu se portret dopadne; ako ne, Huan je mogao da zadrži platno i da dobije pedeset funti za trud. „Još mi zuji u ušima od vrtoglavice koju sam imao dok sam čitao to Čarlsovo pismo." Huan je prevrtao očima dok se s uzbuđenjem toga sećao.

Zahvaljujući Primrouz, Čarlsu i mister Čiku, Huan Bareto je prestao da bude nesolventni hipik i postao salonski hipik, čiji je talenat da ovekoveči na platnu ždrebice, kobile, rasplodna grla i konje za trku („o kojima ništa nisam znao") malo-pomalo otvaralo vrata kuća u Njumarketu, gde su živeli vlasnici i odgajivači konja. Mister Čiku se Primrouzino ulje dopalo i poslao je zapanjenom Huanu Baretu obećanih dvesta funti. Huan je kao prvo kupio misiz Stabard šeširić sa cvećem i kišobran u tonu.

Od tada je prošlo četiri godine. Huan još nije do kraja poverovao u fantastičnu promenu svoje sreće. Naslikao je bar stotinak ulja konja i bezbroj crteža, skica, krokija olovkom i ugljenom, i imao je toliko posla da su gazde štala u Njumarketu morale nedeljama da čekaju na red da bi se posvetio njihovim porudžbinama. Kupio je kućicu van grada na pola puta između

Kembridža i Njumarketa, kao i jedan *pied-à-terre*[38] u Erls Kortu, kada boravi u Londonu. Svaki put kada je dolazio u grad, išao je da poseti svoju dobru vilu i da prošeta Ester. Kada je kuca uginula, on i misiz Stabard sahranili su je u bašti kuće.

Video sam Huana Bareta nekoliko puta te godine, svaki put kad sam odlazio u London. Ugostio sam ga u svom stanu kad je u vreme svog odmora došao u Pariz da u *Gran Paleu* vidi izložbu posvećenu „veku Rembranta". Hipi moda je tek stigla u Francusku i ljudi su se na ulici osvrtali za Huanom zbog njegove odeće. Bio je izvanredna osoba. Svaki put kada sam išao da radim u London, obaveštavao sam ga unapred i on je uspevao da napusti Njumarket i da mi omogući bar jednu noć pop muzike i londonske razuzdanosti. Zahvaljujući njemu učinio sam stvari koje nikada nisam radio, provodio besane noći u diskotekama ili na hipi žurkama, gde je miris trave prožimao vazduh i gde su se služili neki kolači od hašiša koji su novajliju poput mene lansirali u neka viskozna natčulna putovanja, ponekad zanimljiva, a ponekad košmarna.

Iznenađivalo me je – i to prijatno, što da ne – koliko je na tim žurkama bilo lako maziti se i voditi ljubav sa svakom devojkom. Tek tada sam shvatio do koje mere su se širili moralni okviri u kojima me je vaspitala tetka Alberta i koji su, na neki način, i dalje manje-više regulisali moj život u Parizu. Francuskinje su u kolektivnoj svesti bile na glasu kao slobodne, bez predrasuda i da se ne prenemažu suviše kada treba da odu u krevet sa muškarcem, ali zapravo oni koji su tu slobodu doveli do krajnosti bez presedana bili su momci i devojke londonske hipi revolucije, koji su, barem u krugu poznanika Huana Bareta, odlazili u krevet s nepoznatom osobom s kojom su upravo plesali i ubrzo se vraćali, kao da se ništa nije dogodilo, da nastave sa žurkom i ponovo napune tanjire.

---

[38] Franc.: mali stan za privremeni boravak. (Prim. prev.)

– Život koji si vodio u Parizu jeste život službenika Une-
ska, Rikardo – rugao se Huan – život puritanca iz Mirafloresa.
Uveravam te da u mnogim pariskim krugovima postoji ista
sloboda kao ovde.

To je sigurno bilo istina. Moj pariski život – moj život uopšte
uzev – bio je prilično umeren, čak i u razdobljima bez ikakvog
ugovora, kada sam gotovo uvek, umesto da se provodim, usa-
vršavao ruski s privatnim profesorom, jer iako sam mogao da
ga prevodim, s jezikom Tolstoja i Dostojevskog nisam se osećao
tako sigurno kao s engleskim i francuskim. Zavoleo sam ga i
čitao sam na ruskom više nego na bilo kom drugom jeziku. Ti
sporadični vikendi u Engleskoj, kada sam učestvovao u noćima
pop muzike, trave i seksa *swinging* Londona, označili su pro-
menu u onome što je ranije bio (i kasnije će nastaviti da bude)
vrlo povučen život. Ali na tim londonskim izletima koje sam
poklanjao sebi po završetku nekog posla, zahvaljujući slikaru
konja na kraju sam radio stvari u kojima se nisam prepozna-
vao: igrao sam kao čupavac, bez cipela, pušio travu ili žvakao
semenke pejotea i gotovo uvek, kao vrhunac uzbudljive noći,
vodio ljubav, često na najneprikladnijim mestima, ispod stolo-
va, u majušnim kupatilima, u plakarima, u baštama, s nekom
devojkom, ponekad vrlo mladom, s kojom bih jedva razmenio
dve-tri reči i čijeg se imena posle toga više ne bih sećao.

Od našeg prvog susreta, Huan je silno navaljivao da svaki put
kada dođem u London budem u njegovom *pied-à-terreu* u Erls
Kortu. On je tamo retko boravio jer je većinu vremena provodio
u Njumarketu, prebacujući konje iz stvarnosti na platno. Ja bih
mu činio uslugu da povremeno provetrim stančić. Ako bismo
istovremeno bili u Londonu, takođe nije bilo problema jer je
on mogao da spava kod misiz Stabard – i dalje je čuvao svoju
sobu – i u krajnjem slučaju, u njegovom *pied-à-terreu* mogao
je da se postavi krevet na rasklapanje u jedinoj spavaćoj sobi.
Insistirao je toliko da sam na kraju pristao. Kako nije dopustio
da mu platim ni pare za iznajmljivanje, pokušavao sam da mu to

nadoknadim donoseći mu svaki put iz Pariza neku dobru flašu bordoa, sireve kamamber ili bri i nekoliko konzervi paštete, od čega bi mu zasijale oči. Huan je sada bio hipik koji nije bio na posebnom režimu ishrane, niti je verovao u vegetarijanstvo.

Vrlo mi se dopadao Erls Kort, zaljubio sam se u njegovu faunu. Četvrt je odisala mladošću, muzikom, životima bez podočnjaka i računica, velikom dozom naivnosti, voljom da se živi za trenutak, izvan morala i konvencionalnih vrednosti, tražeći zadovoljstvo koje odbacuje stare buržoaske mitove o sreći – novac, moć, porodica, položaj, društveni uspeh – i nalazi je u jednostavnim i pasivnim oblicima bitisanja: muzika, veštački rajevi, promiskuitet i apsolutna nezainteresovanost za ostatak problema koji su potresali društvo. Sa svojim spokojnim, miroljubivim hedonizmom, hipici nisu nikome činili zlo; nisu širili svoje ideje, nisu hteli da ubede ni da regrutuju te ljude s kojima su raskrstili da bi živeli svoj alternativni život: hteli su da ih ostave na miru, utonule u umereni egoizam i psihodelični san.

Ja sam znao da nikada neću biti jedan od njih, jer iako sam mislio o sebi kao o osobi prilično oslobođenoj predrasuda, nikad se ne bih osećao prirodno s kosom do ramena, ili u ogrtaču, sa ogrlicom i u sjajnoj bluzi, niti učestvujući u kolektivnim seksualnim doživljajima. Ali osećao sam velike simpatije, pa čak i melanholičnu zavist, prema tim mladićima i devojkama prepuštenim bez ikakve suzdržljivosti zbrkanom idealizmu koji je upravljao njihovim ponašanjem i nije imao u vidu rizike kojima su zbog svega toga morali da se izlažu.

Tih godina su još uvek, iako ne zadugo, zaposleni u bankama, osiguravajućim i finansijskim kompanijama u Sitiju oblačili tradicionalnu odeću – pantalone sa šavom, crni sako, polucilindar i neizbežan crni kišobran pod rukom. Ali u uličicama s kućama od dva ili tri sprata, baščicama ispred i iza njih, u Erls Kortu, viđali su se ljudi obučeni kao da idu na maskenbal, čak i u dronjcima, često bosi, ali uvek sa izoštrenim osećajem za estetiku, tražeći ono što privlači pažnju, egzotično, drukčije i s mangupskim i komičnim detaljima. Mene je očaravala moja komšinica Marina, Kolumbijka koja je došla u London da uči ples. Imala je hrčka koji joj je stalno bežao u Huanov *pied-à-terre* i mene užasno plašio jer se obično peo na krevet i uvlačio među čaršave. Iako je imala velike finansijske probleme i sigurno malo odeće, Marina je retko kada oblačila dva puta isto: jednog dana bi se pojavila u velikom klovnovskom kombinezonu s polucilindrom na glavi, a već sutradan dana u mini suknji koja praktično nije ostavljala nijednu tajnu njenog tela mašti prolaznika. Jednog dana sam je sreo na stanici Erls Korta na nekim štulama i sa licem izobličenim zbog *Junion Džeka*, britanske zastave nacrtane od uha do uha.

Mnogi hipici, možda većina njih, poticali su iz srednje ili visoke klase i njihova pobuna je bila porodična, usmerena protiv urednog života njihovih roditelja, protiv onoga što su smatrali licemerjem, njihovih puritanskih običaja i društvenih fasada iza kojih su sakrivali svoj egoizam, svoj ostrvski duh i nedostatak mašte. Bili su simpatični njihov pacifizam, njihov naturizam, njihovo vegetarijanstvo, njihova gorljiva potraga za duhovnim životom koji bi istakao odbacivanje materijalističkog sveta, izjedenog klasnim, socijalnim i seksualnim predrasudama, s kojima nisu hteli da imaju veze. Ali sve to je bilo anarhično, spontano, nimalo uređeno, čak bez ideje, jer je bila činjenica da su hipici – barem oni koje sam upoznao i izbliza posmatrao – iako su govorili da se identifikuju sa poezijom bitnika – Alen Ginzberg je recitovao svoju poeziju na Trafalgar skveru, gde je pevao i igrao indijske plesove u prisustvu hiljada mladih – čitali vrlo malo ili nisu čitali ništa. Njihova filozofija nije bila zasnovana na mišljenju i razumu, već na osećanjima: na *feelingu*.

Jednog jutra kada sam bio u Huanovom *pied-à-terreu* baveći se prozaičnim poslom – peglanjem košulja i gaća koje sam upravo oprao u perionici Erls Korta – zazvonili su mi na vrata. Otvorio sam i našao se pred desetak momaka ošišanih do glave, u vojničkim čizmama, u kratkim pantalonama i kožnim jaknama vojničkog kroja, dok su neki od njih imali krstove i ratne medalje na grudima. Pitali su me gde je pab *Sveg end Tejls*, koji je bio na ćošku. To su bili prvi *skinheadsi* (obrijane glave) koje sam video. Od tada su se te bande povremeno pojavljivale u kraju, ponekad naoružane batinama, i dobroćudni hipici koji su na trotoarima prostirali ćebad da prodaju svoje rukotvorine morali su da beže, neki s decom u naručju, jer su skinhedsi prema njima osećali neobuzdanu mržnju. To nije bila samo mržnja prema njihovom načinu života već i klasna, jer su te siledžije, igrajući se esesovaca, poticali iz radničkih i marginalnih sektora i otelovljavali su sopstveni tip pobune. Pretvorili su se u udarne snage jedne sićušne rasističke partije, *National Front*, koja je zahtevala izbacivanje crnaca iz Engleske. Njihov idol bio je Enok Pauel, konzervativni parlamentarac koji je u jednom govoru, izazvavši opšte uzbuđenje, apokaliptički prorekao da će, ako se ne ograniči imigracija, „kroz Veliku Britaniju poteći reke krvi". Pojava skinhedsa izazvala je izvesnu napetost u kraju i bilo je nekoliko slučajeva nasilja, ali izolovanih. Što se mene tiče, svi ti kratki boravci u Erls Kortu bili su vrlo prijatni. Čak je i stric Ataulfo to primetio. Pisali smo jedan drugome prilično često; ja sam mu pričao o svojim londonskim otkrićima, a on mi se žalio na ekonomsku katastrofu koju je diktatura generala Velaska Alvarada počela da pravi u Peruu. U jednom od pisama mi je rekao: „Vidim da se dobro provodiš u Londonu, da te taj grad čini srećnim."

Kraj se napunio malim kafeima i vegetarijanskim restoranima i kućama u kojima su sve vrste indijskog čaja nudili hipi momci i devojke koji su sami pripremali te mirisne napitke u prisustvu gostiju. Prezir hipika prema industrijskom svetu podstakao ih je da obnove ručni rad u svim oblicima i da ga mistifikuju: pleli su torbe, pravili sandale, minđuše, ogrlice, tunike, turbane, priveske. Ja sam veoma voleo da odem tamo da sedim i čitam, kao što sam radio u pariskim bistroima – ali kako je drukčiji bio ambijent na svakom mestu! – posebno u jednu garažu sa četiri stola gde je služila Anet, mlada Francuskinja duge kose vezane u pletenicu i sa vrlo lepim stopalima, s kojom sam često vodio duge razgovore o razlikama između joge asana i joge pranajama, o kojima je ona izgleda znala sve, a ja ništa.

Huanov *pied-à-terre* bio je majušan, veseo i prijatan. Bio je na spratu jednospratne kuće, podeljene i rasparčane na male stanove; imao je samo jednu spavaću sobu, malo kupatilo i ugrađenu kuhinjicu. Soba je bila prostrana, sa dva velika prozora, koji su joj osiguravali dobru ventilaciju, i s odličnim pogledom na Filbič Gardens, uličicu u obliku polumeseca, kao i na unutrašnji vrt, koji je zapuštenost pretvorila u gustu šumicu. Neko vreme u toj bašti je bio šator Sijuksa u kojem je živeo par hipika sa dvoje veoma male dece. Ona je dolazila u *pied-à-terre* da zagreje flašice sa mlekom za svoju decu i učila me da dišem tako što zadržavam vazduh i pomeram ga po celom telu, što je, govorila mi je vrlo ozbiljno, isterivalo sve ratoborne tendencije iz ljudskih nagona.

Osim kreveta, soba je imala veliki sto pun čudnih predmeta koje je Huan Bareto kupio na Portobelo roudu[39] i na zidovima mnoštvo grafika, neke slike Perua – neizbežni Maču Piču na najistaknutijem mestu – i Huanove slike sa raznim ljudima, na raznim mestima. I jednu gomilu kutija u kojima je čuvao knjige i časopise. Na jednoj polici stajale su neke knjige, ali je ploča bilo u izobilju: oko prvoklasnog aparata sa gramofonom i radiom imao je izvrsnu kolekciju rokenrola i pop muzike.

Jednog dana kada sam treći ili četvrti put gledao Huanove fotografije – najzanimljivija je bila jedna snimljena u konjskom raju u Njumarketu, na kojoj je moj prijatelj jahao čistokrvnog konja veličanstvene sorte sa cvetnom krunom u obliku potkovice, čije su uzde držali džokej i jedan impozantan gospodin, sigurno vlasnik; obojica su se smejali jednom konjaniku koji je izgledao vrlo nesigurno na tom Pegazu – jedna od njih mi

---

[39] Londonska buvlja pijaca. (Prim. prev.)

je privukla pažnju. Na nekom skupu, veseli ljudi su gledali u kameru, tri-četiri para, vrlo dobro obučeni i sa čašama u rukama. Pa šta? Obična sličnost. Ponovo sam je proučio i odbacio tu misao. Tog dana sam se vraćao u Pariz. Dva meseca koliko nisam putovao u London, ta sumnja me je opsedala dok nije prerasla u fiks-ideju. Da li je bilo moguće da je bivša Čileankica, i bivša gerilka, bivša madam Arnu, sada bila u Njumarketu? Pitao sam se to mnogo puta, premećući nežno među prstima četkicu gerlen ostavljenu u mom stanu poslednjeg dana kada sam je video, i koju sam uvek nosio sa sobom kao amajliju. Suviše neverovatno, suviše slučajnosti, suviše svega. Ali nisam uspeo da izbacim sumnju – iluziju – iz glave. I počeo sam da brojim dane do novog ugovora koji će me ponovo odvesti u *pied-à-terre* u Erls Kortu.

– Poznaješ je? – iznenadio se Huan kada sam napokon mogao da mu pokažem fotografiju i ispitam ga. – To je misiz Ričardson, žena ovog tako *flamboyant*[40] tipa kog vidiš ovde, što viri. Mislim da je meksičkog porekla. Govori mnogo smešan engleski, umro bi od smeha da je čuješ. Sigurno je znaš?

– Ne, to nije osoba na koju sam mislio.

Ali bio sam potpuno siguran da je to ona. Ono sa „smešnim engleskim" i njeno „meksičko" poreklo su me uverili. Morala je da bude ona. I mada sam često za te četiri godine otkako je nestala iz Pariza ponovio sebi da je mnogo bolje što je bilo tako, jer je ta peruanska pustolovka već prouzrokovala dovoljno pometnje u mom životu, u času kada sam bio načisto da se ponovo pojavila u novom otelovljenju svog promenljivog identiteta, na jedva pedeset milja od Londona, osetio sam nespokojstvo i neodoljivu žurbu da odem u Njumarket i ponovo je vidim. Mnogo noći sam proveo sasvim budan – Huan je spavao kod misiz Stabard – uznemiren, dok mi je srce lupalo kao u napadu tahikardije. Je li moguće da je stigla tamo? Kakve su je avanture,

---

[40] Franc.: sjajan, upadljiv. (Prim. prev.)

zapleti, ludosti ubacile u tu grupu najekskluzivnijeg društva na svetu? Nisam se usudio da Huanu Baretu postavljam više pitanja o misiz Ričardson. Plašio sam se da se, ako se potvrdi identitet naše zemljakinje, ona ne nađe u neviđenom škripcu. Ako se u Njumarketu predstavljala kao Meksikanka, sigurno je nešto mutno bilo posredi. Rešio sam da krenem izokola. Indirektno, ne spominjući opet damu s fotografije, nastojaću da me Huan odvede da upoznam taj raj konjičkog sporta. Usledile su duge noći uzbuđenja i nesanice, pa čak i žestoke erekcije, u jednom trenutku sam imao i napad ljubomore prema svom prijatelju. Zamišljao sam da portretista konja ne slika samo ulja u Njumarketu, nego da pri tom u slobodnim trenucima zabavlja dokone supruge vlasnika štala, a možda je među njegovim trofejima bila i misiz Ričardson.

Zašto Huan nije imao stabilnu vezu kao toliko drugih hipika? Na žurkama na koje me je vodio, gotovo uvek je nestajao s nekom devojkom, a ponekad i sa dve. Ali jedne noći sam se iznenadio videvši ga kako sa mnogo žestine mazi i ljubi u usta jednog riđeg dečkića, mršavog kao prut, koga je stiskao s ljubavnim žarom.

– Nadam se da te nije šokiralo ono što si video – rekao mi je kasnije, malo postiđen.

Odgovorio sam mu da me za mojih trideset pet godina više ništa na svetu ne šokira, a najmanje od svega da ljudska bića vode ljubav i ovako i onako.

– Ja to radim na obe strane i tako sam srećan, stari moj – priznao mi je, opuštajući se. – Mislim da mi se devojke sviđaju više od momaka, ali u svakom slučaju ne bih se zaljubio ni u jedne ni u druge. Tajna sreće ili bar mira jeste znati da odvojiš seks od ljubavi. I ako je to moguće, eliminisati iz svog života romantičnu ljubav, koja tera čoveka da pati. Tako se živi mirnije i više se uživa, uveravam te.

To je filozofija koju bi od A do Š potpisala nevaljala devojčica, jer ju je bez sumnje oduvek praktikovala. Mislim da je to bio jedini put kad smo razgovarali – bolje rečeno, govorio je on – o intimnim stvarima. Vodio je potpuno slobodan i promiskuitetan život, ali je istovremeno sačuvao onu osobinu, tako rasprostranjenu među Peruancima, da izbegne poveravanja o seksu i da tu temu uvek dotiče na prikriven i zaobilazan način. Naši su se razgovori uglavnom uvek vrteli oko dalekog Perua, iz kojeg su nam svakog dana stizale sve groznije vesti o velikim nacionalizacijama imanja i preduzeća koje je sprovodila vojna diktatura generala Velaska, što će nas, prema sve malodušnijim pismima mog strica Ataulfa, vratiti u kameno doba. Tog puta Huan mi je takođe priznao da se, iako je u Londonu tražio sve prilike da zadovolji svoje apetite („Već sam video", našalio sam se), u Njumarketu ponašao kao neporočan muškarac, iako mu nisu nedostajale mogućnosti za zabavu. Ali nije hteo da zbog neke komplikacije u postelji dovede u pitanje posao koji mu je davao sigurnost i ranije nezamislive prihode. „Ja imam trideset pet godina, a te godine su, kao što si već sigurno video, ovde u Erls Kortu starost." To je bilo tačno: fizička i mentalna mladost stanovnika tog londonskog kraja povremeno me je terala da se osećam kao Metuzalem.

Bili su mi potrebni mnogo vremena i delikatan splet nagoveštaja i naizgled beznačajnih pitanja da navedem Huana Bareta na posetu Njumarketu, da upoznam čuveno mesto u Safoku koje od sredine osamnaestog veka otelovljuje englesku strast prema čistokrvnim konjima. Postavljao sam mu mnogo pitanja. Kakvi su ljudi bili tamo, kakve kuće u kojima su živeli, rituali i tradicije oko njih, odnosi između vlasnika, džokeja i trenera? I u čemu se sastoje aukcije u *Tatersalsu*[41] na kojima su se plaćale ogromne sume za proslavljena grla i kako je bilo moguće da se licitira konj na delove, kao da može da se rastavi? Na sve

---

[41] Engl.: *Tattersalls* - čuvena aukciona kompanija, koju je 1766. godine. osnovao Ričard Tatersal (*Richard Tattersall*), sa sedištem u Njumarketu. (Prim. prev.)

što mi je on pričao, ja sam gotovo aplaudirao – „Čoveče, kako je zanimljivo!" – praveći oduševljeno lice: „Kakva sreća što si iznutra mogao da upoznaš takav svet, brate."

Na kraju je to dalo rezultata. Održavala se neka aukcija konja na kraju sezone i posle toga je sinjor Ariosti, jedan italijanski uzgajivač oženjen Engleskinjom, organizovao večeru u svojoj kući i na nju pozvao Huana. Moj prijatelj ga je pitao može li da povede jednog zemljaka i ovaj je odgovorio da će mu biti drago. Tih sedamnaest dana, koliko sam morao da čekam, sećam se kao potpuno mutnog perioda praćenog iznenadnim napadima hladnog znoja i mladalačkog uzbuđenja dok zamišljam da ću videti Peruankicu; u tim besanim noćima optuživao sam sebe: ja sam nepopravljivi kreten jer sam i dalje zaljubljen u tu ludu, u avanturistkinju, u jednu ženicu bez skrupula s kojom nijedan čovek, a najmanje ja, nije mogao da održi stabilnu vezu a da ne završi zgažen. Ali u pauzama tih mazohističkih monologa, pojavljivali su se drugi, puni radosti i iluzija: da li se mnogo promenila? Da li čuva onaj drski stav koji me je toliko privlačio, ili ju je život u strogo podeljenom svetu engleskih odgajivača konja ukrotio i sputao? Onog dana kada smo krenuli vozom u Njumarket – trebalo je presedati na stanici u Kembridžu – spopala me je ideja da je sve to puka izmišljotina i da je ta misiz Ričardson u stvari samo najobičnija gospođa meksičkog porekla. „A šta ako sve ovo vreme samo mlatiš praznu slamu, Rikardito?"

Van grada, na nekoliko milja od Njumarketa, drvena, prizemna, okružena vrbama i hortenzijama, kuća Huana Bareta više je ličila na umetnički atelje nego na mesto gde se živi. Puna bočica s bojom, štafelaja, platna razapetih na ramovima, blokova za skiciranje i knjiga o umetnosti, kuća je imala i mnogo ploča, razbacanih po podu oko jednog odličnog gramofona. Huan je imao mini minor, koji nikada nije vozio u London, i to popodne me je tim malim kolima provozao po celom Njumarketu, tajanstvenom, raštrkanom gradu koji praktično nije imao centar. Odvezao me je da upoznam otmeni *Džokej klub* i muzej *Horse Racing*.[42] Pravi grad nije bio šačica kuća oko Njumarket haj strita, gde je bila crkva, nekoliko radnji, poneka automatska perionica i dva-tri restorana, već lepe kuće razasute po ravnici, oko kojih su se videle štale, konjušnice i staze za trening, koje mi je Huan pokazivao imenujući njihove gazde i gazdarice i pričajući mi anegdote o njima. Ja sam ga jedva slušao. Sva moja pažnja bila je usredsređena na ljude koje smo sretali, u nadi da će se odjednom među njima pojaviti ona ženska figura koju sam tražio.

Nije se pojavila ni u toj šetnji ni u malom indijskom restoranu u koji me je Huan odveo to veče da jedemo *curry tandoori*,[43] ni sledećeg dana na dugoj, beskrajnoj aukciji kobila, ždrebica, trkačkih konja i grla za priplod u *Tatersalsu*, održanoj pod velikim platnenim šatorom. Umro sam od dosade. Iznenadio me je broj prisutnih Arapa, neki su bili u galabijama, što su licitirali na svakoj aukciji i plaćali ponekad astronomske sume za koje nikada nisam podozrevao da mogu da se daju za nekog konja. Nijedna od mnogih osoba s kojima me je Huan upoznao tokom aukcije i u pauzama, kada su prisutni pili šampanjac i jeli šargarepu, krastavac i haringe iz kartonskih čaša i tanjira, nije izgovorio ime koje sam očekivao: mister Dejvid Ričardson.

Ali to veče, čim sam ušao u raskošnu vilu sinjora Ariostija, odjednom sam osetio da mi se grlo suši i da me bole nokti ruku i nogu. Bila je tamo, na manje od deset metara, s visokom čašom u ruci, i sedela na rukonaslonu jedne sofe. Gledala me je kao da me nikada u životu nije videla. Pre nego što sam uspeo nešto da joj kažem ili joj primaknem lice da je poljubim u obraz, pružila mi je bezvoljno ruku i pozdravila me na engleskom kao savr-

---

[42] Muzej posvećen konjičkom sportu. (Prim. prev.)
[43] Engl.: *curry tandoori* – tipično indijsko jelo s piletinom i karijem. (Prim. prev.)

šenog stranca: „*How do you do?*"[44] I ne dajući mi vremena da odgovorim, okrenula mi je leđa i ponovo se udubila u razgovor s ljudima koji su je okruživali. Ubrzo sam je čuo kako bez ikakvog ustezanja, na nepreciznom ali vrlo izražajnom engleskom, priča kako ju je otac kao dete svake nedelje vodio u Meksiko Siti na neki koncert ili operu. Tako joj je usadio ranu strast prema klasičnoj muzici.

Nije se mnogo promenila za te četiri godine. Uvek je imala mršavo lice, lepo oblikovanu figuru, vitak struk, tanke, izvajane noge i članke na nogama tako fine i krhke kao da su ručni zglobovi. Delovala je sigurnije u sebe i slobodnije nego pre, i na kraju svake rečenice pomerala je glavu s uvežbanom ravnodušnošću. Malo je posvetlela kosu i bila joj je duža nego u Parizu, talasasta, čega se nisam sećao; šminka joj je bila jednostavnija i prirodnija, a ne preterana kao što je obično imala madam Arnu. Nosila je modernu suknju iznad kolena i dekoltiranu bluzu, koja joj je otkrivala lepa ramena, glatka i nežna, i isticala njen graciozan i tanak vrat oko kojeg je na srebrnom lančiću visio dragi kamen, možda safir, u ritmu njenih pokreta nestašno zanjihan nad otvorom kroz koji su provirivale njene čvrste grudi. Primetio sam joj burmu na prstu leve ruke, kao što nose protestanti. Da li se pokrstila u anglikansku veru? Mister Ričardson, koga mi je Huan predstavio u susednoj sali, bio je upadljiv šezdesetogodišnjak u šljaštećoj žutoj košulji, s maramicom iste boje koja je izvirivala iz džepa na njegovom vrlo elegantnom plavom odelu. Pijan i euforičan, pričao je šale o svojim putovanjima po Japanu, veoma zabavne grupi gostiju oko njega, dok im je u isto vreme punio čaše dom perinjonom, koji je stalno, kao čarolijom, iskrsavao u njegovim rukama. Huan mi je objasnio da je on vrlo bogat čovek, da deo godine provodi zbog posla u Aziji, ali da mu je život okrenut ekskluzivnoj aristokratskoj strasti: konjima.

---

[44] Engl.: Kako ste ? (Prim. prev.)

Stotinak ljudi u sobama i na tremu pred kojim se pružao prostrani vrt sa osvetljenim bazenom obloženim pločicama odgovaralo je manje-više predstavi o onome što mi je Huan Bareto najavio: vrlo engleski svet u koji su se uklopili neki strani odgajivači konja, kao vlasnik kuće sinjor Ariosti, ili moja egzotična zemljakinja maskirana u Meksikanku, misiz Ričardson. Svi su prilično popili i izgledalo je da se dobro poznaju i komuniciraju na nekom šifrovanom jeziku čija je stalna tema bila konjički sport. U jednom trenutku, kada sam uspeo da sednem u grupu oko misiz Ričardson, shvatio sam da su mnogi od tih ljudi, menju njima nevaljala devojčica i njen muž, nedavno išli privatnim avionom u Dubai, na svečano otvaranje hipodroma na poziv nekog arapskog šeika. Ponašali su se prema njima kao da su bogovi. Ono da muslimani ne piju alkohol, govorili su, možda je tačno za siromašne, ali drugi, odgajivači iz Dubaija na primer, pili su i služili svoje goste najfinijim francuskim vinima i šampanjcima.

Uprkos mojim naporima, tokom duge noći nisam uspeo da razmenim ni reči sa misiz Ričardson. Svaki put kada bih joj se približavao, zadržavajući formu, ona se udaljavala pod izgovorom da ide nekoga da pozdravi, ili do stola da se posluži, ili do bara, ili da priča nešto poverljivo s prijateljicom. Nisam uspeo ni da ukrstim pogled s njom, jer, iako je nesumnjivo bila svesna da je stalno pratim očima, nikada se nije okretala prema meni; naprotiv, uvek je uspevala da mi okrene leđa ili profil. Bila je istina ono što mi je rekao Huan Bareto: njen engleski je bio rudimentaran i povremeno nerazumljiv, pun grešaka, ali ga je govorila s toliko svežine i ubeđenja i sa tako simpatičnom latinoameričkom intonacijom da je to ispadalo ljupko, osim što je bilo i vrlo izražajno. Da popuni praznine, pratila je svoje reči neprekidnom gestikulacijom, grimasama i izrazima koji su bili savršen prizor koketerije.

Ispostavilo se da je Čarls, sestrić misiz Stabard, divan mladić. Ispričao mi je kako je Huanovom krivicom počeo da čita knjige engleskih putnika po Peruu i da je planirao da ide na odmor u Kusko i na *trekking* do Maču Pičua. Hteo je da ubedi Huana da pođe s njim. Ako i ja hoću da se pridružim avanturi, *welcome*.

Negde oko dva sata ujutro, kada su ljudi počinjali da se opraštaju od sinjora Ariostija, u iznenadnom napadu sigurno podstaknutim brojnim čašama šampanjca, udaljio sam se od jednog para koji me je ispitivao o mojim iskustvima profesionalnog simultanog prevodioca, izbegao sam svog prijatelja Huana Bareta, koji je četvrti ili peti put u toku noći hteo da me odvuče u jednu salu da se divim slici na kojoj je on naslikao celo telo konja Belikoza, proslavljenog grla ergele vlasnika kuće, i preko celog salona prišao grupi gde je bila misiz Ričardson. Uhvatio sam je snažno za ruku i, smeškajući se, naterao je da se udalji od ljudi oko nje. Pogledala me je s nezadovoljstvom koje joj je iskrivilo usta. Začuo sam je kako prvi put otkako sam je upoznao izgovara psovku:

– Pusti me, *fucking beast*[45] – promrmljala je kroz zube. – Pusti me, napravićeš mi gužvu.

– Ako mi se ne javiš telefonom, reći ću mister Ričardsonu da si udata u Francuskoj i da te goni švajcarska policija zato što si ispraznila tajni račun mesje Arnua.

I tutnuo sam joj u ruku papirić s telefonom Huanovog *pied--à-terrea* u Erls Kortu. Nakon trenutka čuđenja i tišine – njeno malo lice se zgrčilo – grohotom se nasmejala, šireći oči:

– *Oh, my God! You are learning*,[46] dobri dečko – uzviknula je tonom profesionalnog odobravanja, dolazeći k sebi od iznenađenja.

Okrenula se i vratila u grupicu iz koje sam je izdvojio.

Bio sam siguran da me neće zvati. Ja sam bio neprijatan svedok prošlosti koju je ona po svaku cenu htela da obriše; da nije tako, nikada se ne bi ovako ponašala čitave noći, izbegavajući

---

[45] Engl.: jebena životinjo. (Prim. prev.)
[46] Engl.: O gospode! Učiš... (Prim. prev.)

me na onaj način. Pa ipak, dva dana kasnije pozvala me je u Erls Kort, veoma rano. Jedva smo uspeli da razgovaramo, jer kao što je obično radila i pre, samo mi je naredila:

– Čekam te sutra u tri u hotelu *Rasel*. Znaš gde je? Na Rasel skveru, blizu Britanskog muzeja. Molim englesku tačnost.

Bio sam tamo pola sata ranije. Znojile su mi se ruke i teško sam disao. Mesto nije mogla bolje da izabere. Stari hotel *belle époque* sa svojom fasadom i dugim hodnicima u orijentalnom *pompier* stilu, izgledao je poluprazan, a naročito bar sa vrlo visokim plafonom i zidovima u drvenoj oplati; stolovi su bili veoma razdvojeni, neki sakriveni u separeima, a debeli tepisi su gušili korake i razgovor. Iza šanka, jedan kelner je listao *Ivning standard*.

Zakasnila je nekoliko minuta; bila je u kostimu od antilopa boje crnog sleza, sa crnim cipelicama i tašnom od krokodilske kože, jednostrukom bisernom ogrlicom, a na ruci joj se presijavao krupni dijamant. Preko ruke je nosila sivi mantil i kišobran od istog materijala. Koliko je napredovala drugarica Arlet! Bez pozdrava, bez smeška, ne pružajući mi ruku, sela je na stolicu preko puta mene, prekrstila noge i počela da me grdi:

– One večeri si napravio glupost koju ti neću oprostiti. Nije trebalo da mi se obratiš, nije trebalo da me uhvatiš za ruku, nije trebalo da razgovaraš sa mnom kao da me poznaješ. Mogao si da me kompromituješ, zar nisi shvatio da treba da se pretvaraš? Gde ti je glava, Rikardito?

Bila je ona, ista kao uvek. Nismo se videli skoro četiri godine i nije joj padalo na pamet da me pita kako sam, šta sam radio sve to vreme, ni da mi se osmehne ili mi uputi neku lepu reč povodom ponovnog susreta. Išla je za svojim ciljem, ne obazirući se ni na šta drugo.

– Vrlo si lepa – rekao sam joj, govoreći s izvesnim teško-ćama, onako uzbuđen. – Još lepša nego pre četiri godine, kad si se zvala madam Arnu. Opraštam ti uvrede od one večeri i današnji bezobrazluk, zato što si toliko lepa. Osim toga, ako baš hoćeš da znaš, i dalje sam zaljubljen u tebe. Uprkos svemu. Lud za tobom. Više nego ikada. Da li se sećaš četkice za zube koju si mi ostavila kada smo se poslednji put videli? Evo je. Od tada je u džepu nosim svuda sa sobom. Zbog tebe sam postao fetišista. Hvala ti što si toliko lepa, Čileankice.

Nije se smejala, ali je u njenim očima boje tamnog meda zaiskrio ironičan sjaj minulih vremena. Uzela je četkicu, pogledala je i vratila mi je mrmljajući: „Ne znam o čemu govoriš." Bez ikakve neprijatnosti puštala je da je gledam, dok je ona mene posmatrala i proučavala. Moje oči su išle polako odozdo naviše, odozgo nadole, zaustavljajući se na njenim kolenima, vratu, ušima napola pokrivenim pramenovima sada svetle kose, na tako negovanim rukama s dugačkim noktima namazanim bezbojnim lakom, i na njenom nosu koji kao da se zašiljio. Pustila je da je uhvatim za ruke i da ih poljubim, ali onako poslovično ravnodušno, bez i najmanje namere da mi uzvrati.

– Je li tvoja pretnja one večeri bila ozbiljna? – pitala me je na kraju.

– Vrlo ozbiljna – rekao sam joj, ljubeći joj prst po prst, nadlanicu, dlanove obe ruke. – S godinama sam postao kao ti. Sve važi da dobiješ ono što hoćeš. To su tvoje reči, nevaljala devojčice. A ti vrlo dobro znaš da si ti jedino što zaista želim na ovom svetu.

Oslobodila je jednu ruku i prošla je njome po mojoj glavi, raščupavši me, kao da me malo sažaljivo miluje, što je već ranije činila:

– Ne, ti nisi sposoban za tako nešto – rekla je poluglasno, kao da žali što je moja ličnost toga lišena. – Ali, da, mora da je tačno da si još zaljubljen u mene.

Naručila je čaj sa *scones*[47] za oboje i objasnila mi da je njen muž vrlo ljubomoran čovek i, što je najgore, bolestan od ljubomore na prethodni život. Njuškao je po njenoj prošlosti kao grabljivi vuk. Zbog toga je morala da bude vrlo oprezna. Da je one

---

[47] Engl.: *scones* – tipični engleski čajni kolačići. (Prim. prev.)

noći posumnjao da se znamo, napravio bi joj scenu. Nisam valjda bio toliko neoprezan da kažem Huanu Baretu ko je ona?

– Nisam mogao da mu kažem i da sam hteo – umirio sam je.

– Jer, istinu govoreći, još uvek nemam pojma ko si ti.

Na kraju se smejala. Pustila je da je obema rukama uhvatim za glavu i da nam spojim usne. Ispod mojih, koje su je ljubile pomamno, nežno, s ljubavlju, njene se nisu pomerale.

– Želim te – šapnuo sam joj, grickajući joj ivicu uha. – Lepša si nego ikada, Peruankice. Hoću te, želim te svom svojom dušom, svim svojim telom. Za ove četiri godine samo sam te sanjao, hteo, želeo. I proklinjao te. Svakog dana, svake noći, uvek.

Posle jednog trenutka udaljila me je rukama.

– Ti mora da si poslednja osoba na svetu koja još govori takve stvari ženama – smeškala se veselo, gledajući me kao retku zverku. – Kakve banalnosti mi govoriš, Rikardito!

– Nije najgore to što ih govorim. Najgore je što ih osećam. Da, istina je. Ti me pretvaraš u lik iz sapunice. Samo sam ih tebi rekao.

– Ovako ne sme da nas vidi niko, nikada – rekla je, odjednom menjajući ton, sada vrlo ozbiljna. – Poslednje što mi treba jeste da mi gnjavator od mog muža napravi ljubomornu scenu. A sada moram da idem, Rikardito.

– Hoću li morati opet da čekam četiri godine da te ponovo vidim?

– U petak – precizirala je odmah s nestašnim smehom, prelazeći mi ponovo rukom preko kose. I posle jedne pauze zarad većeg efekta: – Opet ovde. Uzeću sobu na tvoje ime. Ne brini, paceru, ja ću da je platim. Ponesi neki koferčić da se isfoliraš.

Pristao sam, ali sam rekao da ću sam platiti sobu. Nisam mislio da promenim svoje pošteno zanimanje za svodničko.

Prasnula je u smeh, ovoga puta zaista spontano:

– Naravno! – uzviknula je. – Ti si džentlmen iz Mirafloresa, a džentlmeni ne prihvataju novac od žena.

Treći put mi je prošla rukom kroz kosu i ovoga puta sam je uhvatio i poljubio.

– Da nisi mislio kako ću leći s tobom u onom svinjcu koji ti je pozajmio pederčić Huan Bareto u Erls Kortu? Još nisi shvatio da sam sada *at the top*.[48]

Minut kasnije je otišla, nakon što mi je rekla da ne izlazim iz hotela *Rasel* bar još petnaest minuta, jer je s Dejvidom Ričardsonom sve bilo moguće, čak i da naredi da je svaki put kada dolazi u London prati neki od onih detektiva specijalizovanih za preljubu.

Sačekao sam petnaest minuta, a onda sam, umesto da idem metroom, vrlo dugo šetao pod oblačnim nebom i pretnjom sitne kiše. Otišao sam do Trafalgar skvera, prešao Sent Džejms park, Grin park, mirišući vlažnu travu i gledajući kako kaplje s grana debelih hrastova, spustio sam se po gotovo celom Brompton roudu i sat i po kasnije stigao do polumeseca Filbič Gardensa, umoran i srećan. Duga šetnja me je smirila i omogućila mi da razmišljam bez meteža ideja i haotičnih osećanja u kojima sam živeo od moje posete Njumarketu. Kako je bilo moguće da te je to što si je ponovo video posle toliko vremena do te mere uznemirilo, Rikardito? Jer bila je istina sve što sam joj rekao: i dalje sam bio lud za njom. Bilo mi je dovoljno da je vidim pa da priznam kako je, iako sam znao da je svaka veza s nevaljalom devojčicom osuđena na propast, jedino što sam zaista želeo u životu, onako strasno kao što drugi jure za srećom, slavom, uspehom, moći, bilo imati nju, sa svim njenim lažima, gužvama, egoizmom i nestancima. Trivijalno, bez sumnje, ali bilo je istina da ću do petka samo proklinjati sporost s kojom protiču sati do novog susreta.

Kada sam s koferčićem u ruci došao u petak u hotel *Rasel*, recepcionar, jedan Indus, potvrdio mi je da je soba rezervisana na moje ime, na jedan dan. Već je bila plaćena. Dodao je da ih

---

[48] Engl.: na vrhu. (Prim. prev.)

je „moja sekretarica" upozorila da ću često dolaziti iz Pariza i da
će, ako je tako, hotel naći načina da mi učini cenu, kao stalnom
gostu, „osim u jeku sezone". Soba je gledala na Rasel skver, i
mada nije bila mala, tako je delovala, pošto je bila puna stvari,
stočića, lampica, životinjica, grafika i nekih tkanina sa bradatim
mongolskim ratnicima iskolačenih očiju, s krivim sabljama, koji
kao da su jurili na postelju sa vrlo ružnim namerama.

Nevaljala devojčica je došla pola sata posle mene, u stru-
kiranom kožnom mantilu, sa šеširićem u tonu i čizmama do
kolena. Osim tašne, nosila je fasciklu punu svezaka i knjiga s
nekog kursa o modernoj umetnosti na koji je, kako mi je kasni-
je objasnila, išla tri puta nedeljno u *Kristi*. Pre nego što me je
pogledala, osmotrila je sobu i odobravajući klimnula glavom.
Kada se napokon udostojila da me pogleda, već je bila u mom
zagrljaju i počeo sam da je svlačim.

– Budi oprezan – upozorila me je. – Nemoj da mi izgužvaš
odeću.

Svukao sam je krajnje oprezno, proučavajući komade njene
odeće kao dragocene i jedinstvene predmete, ljubeći svesrdno
svaki centimetar kože koja se pojavljivala pred mojim očima,
udišući blagu, lako namirisanu auru što je izbijala iz njenog tela.
Sada je imala mali, skoro nevidljivi ožiljak blizu prepona, jer
su joj operisali slepo crevo i pubis joj je bio glatkiji nego ranije.
Osećao sam želju, uzbuđenje, nežnost, dok sam ljubio njene pre-
pone, njena mirisna pazuha, naglašene pršljenove njene kičme
i njenu čvrstu zadnjicu, finu na dodir, kao pliš. Ljubio sam joj
dugo sitne grudi, lud od sreće.

– Valjda nisi zaboravio ono što mi se sviđa, dobri dečko – šap-
nula mi je na kraju.

I ne čekajući moj odgovor, okrenula se na leđa raširivši noge
da napravi mesta za moju glavu dok je pokrivala oči desnom
rukom. Osetio sam kako je počela sve više da se udaljava od
mene, od hotela *Rasel*, od Londona, da se potpuno usredsređuje,
onako predano kako nikada nisam video ni kod jedne žene,

na svoje zadovoljstvo, samotno, lično, egoistično, koje su moje usne naučile da joj daju. Ližući, sisajući, ljubeći, grickajući je između nogu, osetio sam kako se vlaži i podrhtava. Trebalo joj je dugo da svrši. Ali bilo je divno i uzbudljivo čuti je kako prede, meškoljeći se, utonula u vrtlog želje, dok najzad jedan dug uzdah nije potresao njeno malo telo od glave do pete. „Dođi, dođi", šaputala je bez daha. Ušao sam u nju bez muke i stegao je tako snažno da je izašla iz obamrlosti u kojoj ju je ostavio orgazam. Pobunila se, izvijajući se, u pokušaju da se oslobodi mog tela; žalila se: „Zgnječićeš me."

S usnama na njenim molio sam je:

– Jednom u životu reci mi da me voliš, nevaljala devojčice. Čak i ako nije istina, reci mi. Hoću da čujem kako zvuči, makar jednom.

Kasnije, kada smo prestali da vodimo ljubav i razgovarali, goli na žutom pokrivaču, dok su nam pretili okrutni mongolski ratnici – i ja sam joj milovao grudi, struk, ljubio gotovo nevidljiv ožiljak i igrao se njenim glatkim stomakom, stavljajući uho na njen pupak i slušajući duboke šumove njenog tela – pitao sam je zašto mi nije učinila zadovoljstvo i šapnula mi tu malu laž. Zar to nije rekla mnogima toliko puta?

– Baš zato – odgovorila mi je odmah, bez milosti. – Nikada nisam nikome rekla „želim te", „volim te", osećajući to stvarno. Nikome. Govorila sam to samo kao laž. Jer ja nikada nikoga nisam volela, Rikardito. Lagala sam sve, uvek. Mislim da si ti jedini čovek koga nikada nisam lagala u krevetu.

– Pazi, s obzirom da je od tebe, to je prava izjava ljubavi.

Je li napokon dobila to što je toliko tražila, sada kada je bila udata za bogatog i moćnog čoveka?

Senka joj je pomračila oči i prigušeno je rekla:

– I jesam i nisam. Jer, iako sada imam sigurnost i mogu da kupim šta hoću, moram da budem u Njumarketu i da provodim život pričajući o konjima.

To je rekla s gorčinom koja kao da joj je izašla iz dubine duše. I onda se odjednom neočekivano otvorila kao da to više nije mogla da nosi u sebi. Mrzela je konje iz dna duše, kao i sve svoje prijatelje i veze u Njumarketu, vlasnike, trenere, džokeje, službenike, konjušare, pse i mačke i sve ljude koji su direktno ili indirektno imali veze s konjima, prokletim čudovištima, koji su pri tom bili jedina tema razgovora i briga tih groznih ljudi koji su je okruživali. Ne samo na hipodromima, na stazama za trening, u štalama, već i na večerama, na prijemima, svadbama, rođendanima i slučajnim susretima, ljudi iz Njumarketa govorili su o bolestima, nesrećama, treninzima, poduhvatima i nevoljama svojih užasnih četvoronožaca. Njoj je takav život zagorčao dane i noći, jer je u poslednje vreme imala noćne more s konjima iz Njumarketa. I mada mi to nije rekla, bilo je lako pogoditi da od njene neizmerne mržnje prema konjima i Njumarketu nije bio pošteđen ni njen muž, mister Dejvid Ričardson, koji joj je, sažalivši se zbog teskoba i depresija svoje žene, pre nekoliko meseci dozvolio da dolazi u London – grad koji je fauna iz Njumarketa mrzela i u koji bi retko kada kročila – da pohađa kurseve istorije umetnosti u *Kristiju* i *Sotbiju*, da uzima časove aranžiranja cveća u *Out of the Bloomu*, u Kamdenu, pa čak i časove joge i transcedentalne meditacije u jednom ašramu u Čelsiju da malo odvrati pažnju od psihičkih muka izazvanih konjičkim sportom.

– Vidi, vidi, nevaljala devojčice – rugao sam se, oduševljen onim što mi je pričala. – Otkrila si da novac nije uvek sreća? Onda imam nade da ćeš jednog dana da otpustiš mister Ričardsona i da se udaš za mene? Pariz je, kao što znaš, zabavniji od konjskog pakla Safoka.

Ali njoj nije bilo do šale. Njeno nezadovoljstvo Njumarketom bilo je još ozbiljnije nego što mi se onda učinilo, prava trauma. Mislim da ni jedno jedino popodne, od mnogih kada smo se videli i vodili ljubav tokom dve sledeće godine u raznim sobama hotela *Rasel* – stekao sam utisak da ih sve znam napamet – nevaljala devojčica nije prestala da daje sebi oduška, urlajući protiv konja i ljudi iz Njumarketa, čiji joj je život izgledao monotono, glupo, najgluplje na svetu. Ako je bila tako nesrećna životom koji je vodila, zašto to nije okončala? Šta je čekala da se raziđe od Dejvida Ričardsona, čoveka za koga se očigledno nije udala iz ljubavi?

– Ne usuđujem se da mu tražim razvod – priznala mi je jednog od tih popodneva. – Ne znam šta bi mi se desilo.

– Ne bi ti se desilo ništa. Udata si po zakonu, zar ne? Ovde se parovi razvode bez problema.

– Ne znam – rekla mi je ona, poveravajući se malo više nego obično. – Venčali smo se na Gibraltaru i nisam sigurna da moj brak ovde važi. Ne znam ni kako da to proverim a da Dejvid ne sazna. Ti ne poznaješ bogataše, dobri dečko. A još manje Dejvida. Da bi se oženio mnome, sa svojim advokatima je smislio razvod kojim je svoju prvu ženu ostavio gotovo na ulici. Ne želim da mi se desi isto. On ima najbolje advokate, najbolje veze. A ja sam u Engleskoj niko i ništa, bedni *shit*.

Nikada nisam uspeo da saznam kako ga je upoznala, kada i kako je počela ta romansa s Dejvidom Ričardsonom koja ju je prebacila iz Pariza u Njumarket. Bilo je očigledno da se preračunala misleći da će, osvojivši njega, dobiti i onu neograničenu slobodu koju je dovodila u vezu s bogatstvom. Ne samo da nije bila srećna; na prvi pogled se videlo da je bila srećnija kao žena francuskog funkcionera koga je napustila. Kada mi je, opet jednog popodneva, sama pričala o Roberu Arnuu i tražila da joj sa svim detaljima prepričam razgovor s njim one noći kada me je pozvao na večeru u *Chez Eux*, to sam uradio ne propustivši ništa; ispričao sam joj i to kako su se njenom bivšem mužu oči napunile suzama kada mi je saopštio da je pobegla sa svom njegovom ušteđevinom koju su imali u jednoj švajcarskoj banci na zajedničkom računu.

– Kao dobrog Francuza, jedino što ga je bolelo bio je novac – rekla je bez i najmanjeg uzbuđenja. – Njegova ušteđevina!

Neka smešna suma koja mi nije bila dovoljna ni za godinu dana. Iskoristio me je da iznesem krišom novac iz Francuske. Ne samo njegov nego i njegovih prijatelja. Da su me uhvatili, mogli su da me uhapse. Osim toga, bio je cicija, ono najgore što čovek može da bude u životu.

– Kad si već toliko hladna i perverzna, zašto ne ubiješ Dejvida Ričardsona, nevaljala devojčice? Izbeći ćeš opasnosti od razvoda i nasledićeš njegovo bogatstvo.

– Zato što ne bih znala kako to da uradim a da me ne uhapse – odgovorila mi je bez osmeha. – Da li bi se ti usudio? Nudim ti deset odsto nasledstva. To je mnogo, mnogo para.

Igrali smo se, ali kada je o takvim grozotama govorila tako olako, nisam mogao da se ne naježim. Više nije bila ona ranjiva devojka koja je posle hiljadu peripetija napredovala zahvaljujući retkoj smelosti i odlučnosti; sada je bila prava žena, ubeđena da je život džungla u kojoj trijumfuju samo najgori, spremna na sve da ne bude pobeđena i da nastavi svoj uspon. Čak i da pošalje muža na drugi svet kako bi ga nasledila, ako to može da uradi potpuno nekažnjeno? „Naravno", rekla mi je s onim podrugljivim i surovim pogledom. „Da li te plašim, dobri dečko?"

Bilo joj je zabavno samo kada ju je Dejvid Ričardson vodio sa sobom na putovanja po Aziji. Prema onome što mi je ispričala, prilično neodređeno, njen muž je bio broker, posrednik u trgovini raznih *commodities*[49] koje su Indonezija, Koreja, Tajvan, Tajland i Japan izvozili u Evropu; zato je često putovao tamo da razgovara sa snabdevačima. Nije uvek putovala s njim; kada je išla, osećala se veoma slobodno. Seul, Bangkok, Tokio bili su nadoknada koja joj je omogućivala da izdrži Njumarket. Dok je on išao na svoje večere i poslovne sastanke, ona je turistički obilazila hramove i muzeje i kupovala garderobu ili ukrase za kuću. Imala je, na primer, divnu kolekciju japanskih kimona i

---

[49] Engl.: sirovine, osnovna, neprerađena roba – pojam u međunarodnoj trgovini. (Prim. prev.)

veliki broj pozorišnih marioneta sa Balija. Da li bi mi dozvolila da nekad, dok joj je muž na putu, odem u Njumarket i bacim pogled na njenu kuću? Ne, nikada. Nisam smeo tamo da se pojavim nikada, ni ako me Huan Bareto ponovo pozove. Osim, naravno, ako odlučim da ozbiljno prihvatim njen predlog o ubistvu.

Te dve godine tokom kojih sam proveo duga razdoblja u *swinging* Londonu, odsedajući u *pied-à-terreu* Huana Bareta u Erls Kortu i sastajući se s nevaljalom devojčicom jednom ili dva puta nedeljno, bile su nasrećnije u mom dotadašnjem životu. Zarađivao sam manje novca kao simultanac jer sam zbog Londona odbacio mnogo poslova u Parizu i drugim evropskim gradovima, uključujući i Moskvu, gde su međunarodne konferencije i kongresi postali češći krajem šezdesetih i početkom sedamdesetih godina i, s druge strane, prihvatio sam prilično loše plaćene poslove čija je jedina privlačnost bila u tome što su me vodili u Englesku. Ali ni za šta na svetu ne bih zamenio sreću koju sam osećao dolazeći u hotel *Rasel*, gde sam sve kelnere i kelnerice upoznao po imenu, čekajući u transu dolazak misiz Ričardson. Svaki put bi me iznenadila nekom novom haljinom, vešom, parfemom ili novim cipelicama. Jedno popodne je na moj zahtev donela u torbi nekoliko kimona iz svoje kolekcije i napravila mi modnu reviju, hodajući po sobi, sa skupljenim stopalima i stereotipnim osmehom gejše. Uvek sam na njenom sitnom telu i blago zelenkastom sjaju njene kože primećivao istočnjačke crte, nasleđe nekog nepoznatog pretka koje mi je tog popodneva bilo očiglednije nego ikada.

Vodili smo ljubav, razgovarali smo goli dok sam se igrao njenom kosom i njenim telom, i ponekad, ako je vreme dozvoljavalo, pre njenog povratka u Njumarket prošetali bismo se po parku. Ako je padala kiša, išli bismo u neki bioskop i gledali film držeći se za ruke. Drugi put bismo otišli na čaj sa *scones* koji su joj se sviđali, u *Fortnam i Mejson*, a jednom na čuven i obilan čaj hotela *Ric*, ali tamo nismo otišli ponovo, jer je ona za jednim stolom ugledala neki par iz Njumarketa. Video sam kako je prebledela. Za te dve godine uverio sam se da, barem u mom slučaju, nije istina da ljubav s vremenom osiromašuje ili nestaje. Moja je rasla iz dana u dan. Ja sam pažljivo proučavao galerije, muzeje, bioskope s umetničkim filmovima, izložbe, preporučena mesta – najstariji pabovi u gradu, pijace antikviteta, poprišta Dikensovih romana – kako bih joj predlagao šetnje koje bi mogle da je zabave i svaki put bih je takođe iznenadio nekim poklončićem iz Pariza koji je, ako ne cenom, mogao da je impresionira originalnošću. Ponekad mi je, zadovoljna poklonom, govorila: „Zaslužuješ poljubac", i na sekund smo spajali usne. Prislonjene uz moje, njene su nepomično, bez odgovora puštale da ih ljubim.

Da li je za te dve godine uspela malo da me zavoli? Nikad mi to nije rekla, naravno, to bi bilo ispoljavanje slabosti koje ni sebi ni meni ne bi oprostila. Ali mislim da je uspela da se navikne na moju odanost, da se oseti polaskanom zbog ljubavi kojom sam je štedro obasipao više nego što se usuđivala da sama sebi prizna. Dopadalo joj se da joj ustima pružim užitak i da kasnije, čim doživi orgazam, prodrem u nju i da je „zalijem", kao i da joj na sve moguće načine i u svim oblicima kažem da je volim. „Kakve banalnosti ćeš mi danas reći?", bio je ponekad njen pozdrav.

– Da je na tebi najuzbudljivija, osim tog maleckog klitorisa, tvoja Adamova jabučica. Kada se penje, ali pre svega kada se spušta poigravajući u tvom grlu.

Ako bih uspeo da je nasmejem, osećao sam se ispunjenim, kao u detinjstvu, posle dobrog dela koje su nam sveštenici iz škole Šampanjat u Mirafloresu preporučivali da svakodnevno činimo kako bismo posvetili dan. Jedno popodne imali smo neobičan incident s ozbiljnim posledicama. Ja sam radio na kongresu koji je organizovao *Britiš petroleum* u sali za konferencije u Aksbridžu, na periferiji Londona, i bilo mi je nemoguće da izađem na sastanak s njom – tražio sam slobodno popodne – zato što se kolega koji je trebalo da me zameni razboleo.

Pozvao sam je telefonom u hotel *Rasel*, grdno se izvinjavajući. Ne odgovorivši mi ni reči, prekinula je vezu. Pozvao sam ponovo, ali više nije bila u sobi.

Sledećeg petka – viđali smo se uglavnom sredom i petkom, danima kada je navodno imala časove umetnosti u *Kristiju* – naterala me je da je čekam više od dva sata bez najave da će zakasniti. Napokon se pojavila namrštena, kada sam već mislio da neće doći.

– Zar nisi mogla da mi se javiš? – protestovao sam. – Živci su mi...

Nisam mogao da završim jer me je ošamarila iz sve snage, i zatvorila mi usta.

– Nećeš ti mene da ostavljaš da čekam, paceru jedan – drhtala je od besa i glas joj se kidao. – Ti, ako imaš sastanak sa mnom...

Nisam je pustio da završi rečenicu jer sam se bacio na nju i svom težinom tela oborio je na krevet. U početku se malo bunila, ali je nešto kasnije prestala da se opire. I gotovo odmah, osetio sam kako me ljubi i grli i pomaže mi da je skinem. Nikada ranije nije učinila ništa slično. Prvi put sam osetio kako se njeno malo telo obavija oko moga, kako nam se prepliću noge, njene usne su pritiskale moje i njen jezik se borio s mojim. Ruke su joj se utiskivale u moja leđa, u moj vrat. Molio sam je da mi oprosti, nikad se neće ponoviti, zahvalio sam joj što me čini tako srećnim, što mi prvi put pokazuje da i ona mene voli. Onda sam je čuo kako jeca i ugledao njene vlažne oči.

– Ljubavi, dušo, nemoj da plačeš zbog takve gluposti – pomilovao sam je gutajući njene suze. – Neće se ponoviti, obećavam ti. Volim te, volim te.

Kasnije, dok smo se oblačili, ona je ćutala i kivno me gledala, kajući se zbog svoje slabosti. Pokušavao sam da joj popravim raspoloženje šalom:

– Jesi li već prestala da me voliš, tako brzo?

Prilično dugo me je besno gledala i kada je progovorila, glas joj je bio vrlo oštar:

– Nemoj da grešiš, Rikardito. Nemoj da misliš da sam ti napravila ovu scenu jer umirem za tobom. Nijedan muškarac mi ne znači mnogo i ti nisi izuzetak. Ali imam samopoštovanje i niko me ne ostavlja da ga uzalud čekam u hotelskoj sobi.

Rekao sam joj da je boli to što sam otkrio da, uprkos svem njenom izmotavanju, drskosti i uvredama, oseća nešto prema meni. To je bila druga ozbiljna greška koju sam počinio od onog dana kada sam je, umesto da je zadržim u Parizu, podstakao da ode na gerilsku obuku na Kubu. Pogledala me je vrlo ozbiljno, ćutala prilično dugo, i na kraju je promrmljala, puna oholosti i prezira:

– To misliš? Videćeš da nije tako, paceru.

Izašla je iz sobe ne pozdravivši se. Mislio sam da će to biti prolazno neraspoloženje, ali cele sledeće nedelje nisam imao vesti od nje. U sredu i petak sam je uzalud čekao, dok su mi u samoći pravili društvo ratoborni Mongoli. Sledeće srede, po dolasku u hotel *Rasel,* indijski recepcionar mi je uručio pisamce. Vrlo šturo me je obaveštavala da putuje u Japan sa „Dejvidom". Nije mi čak rekla ni na koliko dugo, niti da će mi se javiti čim se vrati u Englesku. Bio sam pun mračnih slutnji i prokleo sam svoju brljotinu. Znajući je, ta poruka od dve rečenice mogla je da bude dugačak, a možda i konačan rastanak.

Za te dve godine učvrstilo se moje prijateljstvo s Huanom Baretom. Proveo sam mnogo dana u njegovom *pied-à-terreu* u Erls Kortu, krijući uvek, naravno, moje susrete s nevaljalom devojčicom. U to vreme, 1972. ili 1973, hipi pokret je brzo počeo da se raspada i pretvorio se u buržujsku modu. Ispostavilo se da je psihodelična revolucija bila manje duboka i ozbiljna nego što su to mislili njeni poklonici. Ono najbolje što je proizvela – muzika – brzo je usvojio *establishment,* pa je postala deo zvanične kulture i pretvorila u milionere i multimilionere negdašnje buntovnike i marginalce, njihove predstavnike i diskografske kuće, počev od samih Bitlsa i završno sa Rolingstonsima. Umesto oslobađanja duhova, „beskrajne ekspanzije ljudskog uma", kako je tvrdio guru lizergične kiseline, bivši profesor sa Harvarda, doktor Timoti Liri, droge, promiskuitetni i neobuzdani život doneli su veliki broj problema i neke lične i porodične nesreće. Niko nije doživeo tu promenu stanja tako intenzivno kao moj prijatelj Huan Bareto.

Uvek je bio vrlo zdrav, ali je odjednom počeo da se žali na gripove i prehlade, koji su ga vrlo često spopadali sa snažnim neuralgijama. Njegov lekar u Kembridžu preporučio mu je odmor u toplijoj klimi od engleske. Bio je deset dana na Ibici i vratio se u London pocrneo i veseo, pun paprenih anegdota o *hot nights*[50] na Ibici, „nešto što nikad ne bih mogao da pretpostavim o zemlji koju bije glas da je prepodobna, kao Španija".

U to vreme je misiz Ričardson otišla u Tokio s mužem. Nisam video Huana otprilike mesec dana. Radio sam u Ženevi i Briselu i kada sam ga zvao u London i u Njumarket, nijednom nije odgovorio na telefon. Za te četiri nedelje nisam dobio nikakvu vest ni od nevaljale devojčice. Kada sam se vratio u London, moja komšinica iz Erls Korta, Kolumbijka Marina, rekla mi je da Huan već nekoliko dana leži u bolnici Vestminster. Držali su ga na odeljenju za infektivne bolesti i podvrgli svakojakim analizama. Veoma je smršao. Zatekao sam ga s gustom bradom, vrlo utopljenog pod brdom ćebadi; bio je turoban, jer „ovi nesposobni lekari ne uspevaju da mi dijagnosticiraju bolest". Prvo su mu rekli da ima genitalni herpes koji se iskomplikovao, a zatim da ga u stvari leče od neke vrste sarkoma. Sada je sve što su mu govorili bilo neodređeno. Kada me je video kako se pojavljujem pored njegovog kreveta, zasijale su mu oči.

– Osećam se samotniji od psa, brate – priznao mi je. – Ne znaš koliko se radujem što te vidim. Iako znam milion gringosa, otkrio sam da si ti jedini prijatelj koga imam. Prijatelj na

---

[50] Engl.: vrele noći. (Prim. prev.)

peruanski način, onaj što dolazi do duše, hoću da kažem. Ovde su prijateljstva zaista vrlo póvršna. Englezi nemaju vremena za prijateljstvo.

Misiz Stabard je pre nekoliko meseci napustila kućicu u Sent Džons Vudu. Bila je krhkog zdravlja i povukla se u dom staraca u Safoku. Došla je da poseti Huana jednom, ali to joj je bilo suviše naporno i nije ponovo dolazila. „Jadnicu bole leđa i bio je pravi herojski čin što je došla ovamo." Huan je bio druga osoba; od bolesti je izgubio optimizam, sigurnost i bio je preplašen.

– Umirem, a ne znaju od čega – rekao mi je potmulim glasom, drugi ili treći put kada sam otišao da ga obiđem. – Ne verujem da kriju od mene da me ne bi uplašili; engleski lekari ti uvek govore istinu, ma kako užasna bila. Stvar je u tome što ne znaju šta mi je.

Analize nisu pokazivale ništa određeno, lekari su odjednom počeli da govore o nekom neuhvatljivom virusu koji nije bio dobro identifikovan i napadao je imunološki sistem, usled čega je Huan bio izložen svakojakim infekcijama. Bio je potpuno slab, oči su mu upale, koža poplavela, kosti iskočile. Sve vreme je prelazio rukom preko lica kao da hoće da ustanovi da je još tu. Pravio sam mu društvo svih sati kada su posete bile dozvoljene. Gledao sam kako svakog dana sve više propada dok ga je istovremeno obuzimao očaj. Jednog dana me je zamolio da mu nađem katoličkog sveštenika jer je hteo da se ispovedi. Nije mi bilo lako. Paroh iz crkve Brompton Oratori s kojim sam razgovarao rekao mi je da mu je nemoguće da odlazi u bolnice. Ali dao mi je telefon jednog dominikanskog manastira gde su pružali te usluge. Morao sam da odem i da to lično sredim. Kod Huana je došao jedan irski sveštenik, riđ i simpatičan, i s njim je moj prijatelj dugo razgovarao. Dominikanac je dolazio još dva-tri puta. Ti dijalozi su Huana smirivali po nekoliko dana. I iz njih je proistekla važna odluka: da piše svojoj porodici, s kojom nije bio u vezi više od deset godina.

Bio je suviše slab da piše, tako da mi je izdiktirao dugo, osećajno pismo, u kojem je roditeljima s humorističkim detaljima ukratko opisao svoju karijeru slikara u Njumarketu. Rekao im je da ga je, iako je mnogo puta imao želju da im piše i da se pomiri s njima, uvek sprečavalo glupo osećanje samoljublja i da se kaje, jer ih voli i mnogo mu nedostaju. U postskriptumu je dodao nešto što će ih, bio je siguran, radovati: nakon što je mnogo godina bio udaljen od crkve, Bog mu je dozvolio da se vrati veri u kojoj je vaspitan, što sada daje spokoj njegovom životu. Nije im rekao ni reči o svojoj bolesti.

Bez Huanovog znanja, tražio sam sastanak sa šefom odeljenja za infektivne bolesti u bolnici Vestminster. Pre nego što je odgovorio na moja pitanja, doktor Rotkof, postariji i malo osoran čovek sa prosedom bradicom i kvrgavim nosom, hteo je da zna u kakvom sam stepenu srodstva s bolesnikom.

– Mi smo prijatelji, doktore. On nema porodicu ovde u Engleskoj. Voleo bih da pišem njegovim roditeljima, tamo u Peru, i da im kažem kakvo je Huanovo pravo stanje.

– Ne mogu da vam kažem bogzna šta, osim da je vrlo ozbiljno – saopštio mi je bez okolišanja. – Može da umre svakog trenutka. Njegov organizam nema odbranu i može da ga dokrajči obična prehlada.

Bila je reč o jednoj novoj bolesti; već je bilo otkriveno prilično slučajeva u SAD i u Velikoj Britaniji. Posebno oštro je napadala homoseksualce, zavisnike od heroina i svih intravenoznih droga, kao i hemofiličare. Osim da su sperma i krv bili glavni prenosioci „sindroma" – niko još nije govorio o sidi – bilo je malo toga poznato o njegovom poreklu i prirodi. Uništavao je imunološki sistem i izlagao pacijenta svim bolestima. Ono što se stalno javljalo bile su rane na nogama i na stomaku koje su toliko mučile mog prijatelja. Ošamućen onim što sam upravo čuo, upitao sam doktora Rotkofa šta mi savetuje da učinim. Da kažem Huanu? Slegao je ramenima i napravio neku grimasu. To je u potpunosti zavisilo od mene. Možda da, možda ne. Mada, možda ipak da, ako je moj prijatelj morao da donese neke odluke u vezi sa svojom smrću.

Toliko me je pogodio razgovor s doktorom Rotkofom da se nisam usudio da se vratim u Huanovu sobu, siguran da će mi po izrazu lica sve pogoditi. Bilo mi ga je veoma žao. Šta bih dao da sam mogao tog popodneva da vidim misiz Ričardson i da je makar na sat-dva osetim uz sebe! Huan Bareto mi je rekao jednu veliku istinu: iako sam i ja poznavao stotine ljudi ovde u Evropi, jedini prijatelj koga sam imao „na peruanski način" umreće mi svakog trenutka. A žena koju sam voleo bila je na drugom kraju sveta, sa svojim mužem, i verna svom običaju, više od mesec dana nije davala znake života. Ispunjavala je svoju pretnju, dokazujući bezobraznom paceru da uopšte nije bila zaljubljena, da je mogla bez njega kao bez beskorisne tričarije. Već danima me je mučila sumnja da će još jednom nestati bez traga. Zar si radi toga od detinjstva sanjao da pobegneš iz Perua i da živiš u Evropi, Rikardo Somokursio? Tih londonskih dana osećao sam se sam i tužan kao pas lutalica.

Ne rekavši ništa Huanu, napisao sam pismo njegovim roditeljima objašnjavajući im da mu je vrlo loše, da je žrtva jedne nepoznate bolesti, i ono na šta me je upozorio doktor Rotkof: da se kobni rasplet može dogoditi svakog trenutka. Rekao sam im da ću, iako živim u Parizu, ostati u Londonu sve vreme koliko je potrebno da budem sa Huanom. Dao sam im telefon i adresu *pied-à-terrea* u Erls Kortu i tražio sam im upustva.

Pozvali su me čim su dobili moje pismo, koje im je stiglo istovremeno s onim koje mi je Huan izdiktirao za njih. Njegov otac je bio skrhan vešću, ali istovremeno srećan što je povratio bludnog sina. Spremali su se da dođu u London. Zamolio me je da im rezervišem neki skroman hotel jer nisu raspolagali sa mnogo novca. Umirio sam ga; ostaće u Huanovom *pied-à-terreu*, gde će moći da kuvaju, tako da će im boravak u Londonu biti jeftiniji. Dogovorili smo se da ja pripremim Huana za njihov skori dolazak.

Dve nedelje kasnije, inženjer Klimako Bareto i njegova žena Eufrasija bili su smešteni u Erls Kortu, a ja sam se preselio u jedan *bed and breakfast* u Bejsvoteru. Dolazak njegovih roditelja vrlo pozitivno se odrazio na Huana. Čak je uspevao da zadrži neki od obroka koje mu je bolničarka donosila ujutro i predveče, jer je ranije povraćao sve što je stavljao u usta. Gospodin i gospođa Bareto bili su prilično mladi – on je celog života radio na imanju Paramonga, sve dok ga vlada generala Velaska nije nacionalizovala, i onda je dao otkaz i našao novo mesto kao profesor matematike na jednom od novih univerziteta koji su nicali u Limi kao pečurke – ili su se dobro održavali, jer je izgledalo da imaju samo pedesetak godina. On je bio visok i sportskog izgleda, kao čovek koji je proveo život u prirodi, a ona – sitna i energična ženica čiji su mi način govora, blagi ton, mnoštvo deminutiva i muzika moje stare četvrti Miraflores izazivali nostalgiju. Slušajući je, osetio sam koliko je mnogo prošlo otkako sam otišao iz Perua da živim evropsku avanturu. Ali provodeći vreme s njima, takođe sam potvrdio da bi mi bilo nemoguće da se vratim tamo, da govorim i mislim kao što su govorili i mislili Huanovi roditelji. Njihovi komentari o onome što su videli u Erls Kortu, na primer, otkrivali su mi vrlo slikovito koliko sam se za sve te godine promenio. To otkriće me nije radovalo. Prestao sam da budem Peruanac u mnogo čemu, bez sumnje. Šta sam onda bio? Isto tako nisam uspeo da budem Evropljanin, ni u Francuskoj, a još manje u Engleskoj. Šta si onda bio, Rikardito? Možda ono što mi je u svojim malim napadima besa govorila misiz Ričardson: jedan pacer, samo jedan simultani prevodilac, neko – kako je voleo da nas definiše moj kolega Solomon Toledano – ko jeste samo kada nije, hominid koji postoji kada prestaje da bude ono što je, kako bi kroz njega bolje prošle svari koje misle i govore drugi.

Pošto su roditelji Huana Bareta bili u Londonu, mogao sam da se vratim na posao u Pariz. Prihvatio sam poslove koje su mi nudili, iako su bili od po jedan ili dva dana, jer su se zbog vremena koje sam s Huanom proveo u Engleskoj, moji prihodi potpuno osuli.

Iako mi je misiz Ričardson to zabranila, počeo sam da zovem njenu kuću u Njumarketu da proverim kada će se bračni par vratiti s puta u Japan. Osoba koja mi se javljala, jedna filipinska kućna pomoćnica, nije to znala. Ja sam se svaki put predstavljao drukčije, ali podozrevao sam da me je Filipinka prepoznavala i preko telefona mi je nabijala na nos: *„They are not yet back.“*[51]

Sve dok jednog dana, kada sam već očajavao da je nikada neću naći, sama misiz Ričardson nije odgovorila na telefon. Znao sam da me je odmah prepoznala jer je nastupila duga tišina. „Možeš li da govoriš?“, pitao sam je. Odgovorila mi je odsečno, puna uzdržanog besa: „Ne. Jesi li u Parizu? Zvaću te u Unesko ili na kuću čim budem mogla.“ I prekinula je vezu treskom koji je naglašavao njeno nezadovoljstvo. Zvala me je tog istog dana, uveče, u moj stančić kod Vojne škole.

– Zato što sam te jednom ostavio da čekaš, udarila si me i napravila onaj skandal – žalio sam se umiljato. – Šta bi trebalo ja tebi da uradim što si me ostavila bez vesti tri meseca?

– Nemoj da si zvao u Njumarket nikada više u životu – prekorela me je s krajnjim nezadovoljstvom koje je izbijalo iz njenih reči. – To nije šala. Imam ozbiljan problem s mužem. Ne smemo neko vreme ni da se vidimo ni da razgovaramo. Molim te. Preklinjem te. Ako je istina da me voliš, učini to za mene. Videćemo se kada sve ovo prođe, obećavam ti. Ali nemoj nikada više da me zoveš. U gužvi sam i moram da se pazim.

– Čekaj, čekaj, ne prekidaj. Kaži mi barem kako je Huan Bareto.

– Već je umro. Njegovi roditelji su odneli posmrtne ostatke u Limu. Došli su u Njumarket da prodaju njegovu kućicu. Još nešto, Rikardo. Izbegavaj da dolaziš u London neko vreme, ako

---

[51] Engl.: Oni se još nisu vratili. (Prim. prev.)

ti ne smeta. Jer, ako dođeš, nehotice možeš da mi napraviš vrlo ozbiljan problem. Sada ne mogu ništa više da ti kažem.

I prekinula je vezu ne rekavši ni zbogom. Ostao sam prazan i neraspoložen. Osećao sam toliko besa, takvu malodušnost, toliko prezira prema samom sebi, da sam – još jednom! – doneo odluku da misiz Ričardson iščupam iz sećanja i, da to kažem jednom od onih banalnosti koje su je zasmejavale, iz svog srca. Bilo je glupo voleti i dalje toliko bezosećajnu osobu koja me se zasitila, koja se igrala mnome kao da sam lutka, koja nikada nije pokazala prema meni ni najmanji obzir. Ovog puta ćeš se sigurno osloboditi Peruankice, Rikardo Somokursio!

Nekoliko nedelja potom dobio sam kratko pismo iz Lime od roditelja Huana Bareta. Zahvaljivali su mi što sam im pomogao i izvinjavali što nisu pisali ni zvali, kako sam ih zamolio. Ali zbog tako nagle Huanove smrti bili su zbunjeni, sluđeni i nisu ništa uspevali. Papirologija koju je trebalo obaviti da bi se repatrirali posmrtni ostaci bila je užasna i da nije bilo ljudi iz peruanske ambasade, nikada ne bi uspeli da ga odnesu i sahrane u Peruu, kao što je hteo. Bar to su uspeli da učine za svog obožavanog sina, od čijeg se gubitka nikad neće oporaviti. U svakom slučaju, usred bola bilo je utešno znati da je Huan umro kao svetac, pomiren s Bogom i verom, u pravom anđeoskom stanju. Tako im je rekao dominikanski sveštenik koji je izvršio poslednje pomazanje.

Smrt Huana Bareta veoma me je pogodila. Ponovo sam ostao bez jednog bliskog prijatelja, onoga koji je na neki način zamenio debelog Paula. Otkako je ovaj nestao u gerili, u Evropi nisam imao osobu koju sam toliko cenio i s kojom sam se osećao tako prisno kao što je bio peruanski hipik koji je postao slikar konja u Njumarketu. London, Engleska, neće biti isti bez njega. Još jedan razlog da se tamo dugo ne vraćam.

Pokušao sam da sprovedem u delo svoju odluku po uobičajenom receptu: opterećujući se poslom. Prihvatao sam sve ugovore i provodio nedelje i mesece putujući iz jednog evropskog grada u drugi, radeći kao simultanac na konferencijama i kongresima na sve moguće teme. Stekao sam veštinu dobrog simultanca, koja se sastoji u poznavanju ekvivalencija reči a da se ne moraju neophodno razumeti njihovi sadržaji (prema Solomonu Toledanu, razumeti ih bilo je neprimereno), i nastavio sam da usavršavam ruski, jezik koji sam zavoleo, sve dok nisam stekao u njemu onu sigurnost i slobodu kakvu sam imao u francuskom i engleskom.

Iako sam pre mnogo godina dobio dozvolu za boravak u Francuskoj, pokrenuo sam proces za dobijanje francuskog državljanstva jer su mi se sa francuskim pasošem otvarale veće mogućnosti za posao. Peruanski pasoš je budio nepoverenje u nekim organizacijama kada je trebalo angažovati simultanog prevodioca, jer su imali teškoća da odrede gde je Peru u svetu i njegov status među nacijama. Osim toga, od sedamdesetih godina, u celoj zapadnoj Evropi počeli su da rastu odbojnost i neprijateljstvo prema imigrantima iz siromašnih zemalja.

Jedne majske nedelje dok sam se brijao i spremao se da iskoristim prolećni dan za šetnju po dokovima Sene do Latinske četvrti, gde sam mislio da ručam *couscous*[52] u nekom arapskom restoranu u Ulici Sen Severan, zazvonio je telefon. Ne rekavši mi ni halo ni dobar dan, nevaljala devojčica je viknula:

– Jesi li ti ispričao Dejvidu da sam bila udata za Robera Arnua u Francuskoj?

Samo što joj nisam spustio slušalicu. Prošlo je četiri ili pet meseci od našeg poslednjeg razgovora. Ali sakrio sam ljutnju.

– Trebalo je to da uradim, ali mi nije palo na pamet, gospođo bigamisto. Nemaš pojma koliko mi je žao što to nisam učinio. Sada bi bila u zatvoru, zar ne?

– Odgovori mi i ne pravi se blesav – insistirao je njen glas, iz kojeg su vrcale iskre. – Nije mi sada do šale. Jesi li bio ti? Jednom si mi zapretio da ćeš mu reći, nemoj misliti da sam zaboravila.

---

[52] Franc.: kuskus; arapsko, severnoafričko jelo sa žitom i jagnjetinom. (Prim. prev.)

– Ne, nisam bio ja. Šta ti je? U kakvoj si sada gužvi, divljakušo? Napravila je pauzu. Čuo sam kako usplahireno diše. Kada je ponovo progovorila, zvučala je nekako slomljeno, uplakano.

– Razvodili smo se i stvar je išla dobro. Ali odjednom se, ne znam kako, ovih dana pojavilo to s mojim brakom sa Roberom. Dejvid ima najbolje advokate. Moj je sitna riba i sada tvrdi da, ako se dokaže da sam udata u Francuskoj, moj brak s Dejvidom na Gibraltaru automatski ne važi i da mogu da se nađem u velikoj gužvi. Dejvid mi neće dati ni pare i ako se dogovori sa Roberom, mogu da pokrenu protiv mene sudsku parnicu i da mi traže nadoknadu za pretrpljenu štetu i ne znam šta još. Mogu čak i u zatvor da idem. Možda. I da me proteraju iz zemlje. Znači nisi me ti opanjkao, sigurno? Dobro, raduje me, nisi mi ličio na nekoga ko radi takve stvari.

Napravila je novu dugu pauzu i uzdahnula, kao da obuzdava plač. Dok mi je sve to pričala, zvučala je iskreno. Govorila je bez imalo samosažaljenja.

– Veoma mi je žao – rekao sam joj. – Stvarno, tvoj poslednji poziv me je toliko zaboleo da sam rešio da te ne vidim, da ne govorim sa tobom, da te ne tražim, niti da se ikada više setim da postojiš.

– Više nisi zaljubljen u mene? – nasmejala se.

– Da, jesam, očigledno. Na moju nesreću. Duša me boli zbog onoga što si mi ispričala. Ne želim da ti se išta desi, želim da mi i dalje činiš sve gadosti sveta. Mogu li nekako da ti pomognem? Učiniću šta god od mene tražiš. Zato što te i dalje volim od sveg srca, nevaljala devojčice.

Ponovo se nasmejala.

– Barem mi ostaju tvoje banalnosti – uzviknula je. – Javiću ti se da mi doneseš pomorandže u zatvor.

IV
TERDŽUMAN[53] IZ
ŠATO MEGURUA

Solomon Toledano se hvalio da govori dvanaest jezika i da može da ih prevodi sve u svim pravcima. On je bio nizak i mršav čovek, napola izgubljen u nekim vrećastim odelima koje je, reklo bi se, namerno kupovao prevelika; imao je oči poput kornjače, neodlučne između jave i sna. Kosa mu je bila proređena i brijao se tek svaka dva-tri dana, tako da mu je neka sivkasta senka stalno prljala lice. Niko ko bi ga takvog video, tako ništavnog, savršenog „gospodina nikogovića", ne bi mogao da zamisli neobičan talenat kojim je bio obdaren za jezike i zadivljujuću sposobnost da ih prevodi. Međunarodne organizacije su se otimale o njega, kao i transnacionalne kompanije i vlade, ali on nikada nije prihvatio nijedno stalno mesto, jer se kao *free lance*[53] osećao slobodnije i zarađivao je više. Ne samo da je bio najbolji simultani prevodilac koga sam upoznao za sve godine dok sam zarađivao za život obavljajući „fantomsku profesiju", kako ju je on zvao – bio je takođe najoriginalniji.

---

[53] Engl.: slobodnjak, saradnik koji je plaćen po učinku i nema stalno radno mesto. (Prim. prev.)

Svi su mu se divili i zavideli mu, ali ga je malo naših kolega volelo. Opterećivale su ih njegova govorljivost, njegova netaktičnost, njegove detinjarije i žudnja s kojom je lovio svaki razgovor. Izražavao se pompezno i ponekad vulgarno, jer iako je znao jezike uopšte uzev, nije poznavao nijanse, ton, i lokalnu upotrebu, usled čega je često ispadao trapav ili nevaspitan. Ali mogao je da bude zabavan kada je pričao anegdote, porodična sećanja i svoje dogodovštine po svetu. Mene je opčinjavala njegova ličnost detinjastog genija, i kako sam ga satima slušao, počeo je prilično da me poštuje. Svaki put kada bismo se istovremeno našli u prevodilačkim kabinama na nekoj konferenciji ili kongresu, ja sam znao da će Solomon Toledano biti zalepljen za mene kao krpelj.

Rođen je u Smirni u sefardskoj porodici koja je govorila ladino i zbog toga se smatrao „više Špancem nego Turčinom, mada sa pet vekova zakašnjenja". Njegov otac mora da je bio vrlo uspešan trgovac i bankar jer je poslao Solomona u privatne škole u Švajcarskoj i Engleskoj i na studije u Boston i Berlin. Pre nego što je dobio diplome, već je govorio turski, arapski, engleski, francuski, španski, portugalski, italijanski i nemački, a kada je diplomirao romansku i germansku filologiju, živeo je nekoliko godina u Tokiju i na Tajvanu, gde je naučio japanski, mandarinski i tajvanski dijalekat. Sa mnom je uvek govorio razvučen i pomalo arhaičan španski, gde je, na primer, nas prevodioce zvao „terdžumani". Zbog toga smo mu dali nadimak Terdžuman. Ponekad je, ne primećujući, prelazio sa španskog na francuski ili na engleski ili na egzotičnije jezike i onda sam morao da ga prekinem i zamolim da se ograniči na moj malecki (u poređenju s njegovim) lingvistički svet. Kad sam ga upoznao, učio je ruski i za godinu dana truda uspeo je da ga čita i govori s većom lakoćom od mene, koji sam već pet godina proučavao tajne ćirilice.

Iako je uglavnom prevodio na engleski, kada je bilo potrebno, prevodio je na francuski, na španski i na druge jezike, i uvek sam se divio kako se tečno izražavao na mom jeziku a da nikada nije živeo u nekoj zemlji španskog govornog područja. Nije bio vrlo načitan, niti suviše zainteresovan za kulturu, izuzev za gramatike i rečnike, i imao je neuobičajene razonode, kao što su filatelija i olovni vojnici, teme za koje je govorio da je u njih upućen koliko i u jezike. Najneobičnije je bilo čuti ga kako govori japanski, jer je tada, ne primećujući, poprimao poze, naklone i pokrete istočnjaka, kao pravi kameleon. Zahvaljujući njemu otkrio sam da je sklonost ka jezicima isto tako tajnovita kao sklonost nekih ljudi prema matematici ili muzici i da nema nikakve veze s inteligencijom i sa znanjem. To je nešto posebno, dar koji neki poseduju, a neki ne. Solomon Toledano je taj dar imao tako razvijen da je, uz sav svoj bezopasan i beznačajan izgled, nama kolegama delovao pomalo čudovišno. Ali kada nije bilo reči o jezicima, bio je razoružavajuće nevin, čovek-dete.

Iako smo se i ranije sretali zbog posla, moje prijateljstvo s njim zaista se rodilo u periodu kada sam, još jednom u životu, izgubio kontakt s nevaljalom devojčicom. Njen rastanak od Dejvida Ričardsona bio je katastrofalan, pošto je on tokom brakorazvodne parnice uspeo da dokaže da je misiz Ričardson bigamista, jer je po svim propisima u Francuskoj još uvek bila udata za funkcionera Ke d'Orseja od koga se nikad nije razvela. Kada je videla da je bitka izgubljena, nevaljala devojčica je rešila da iz Engleske i od mrskih konja Njumarketa pobegne u nepoznatom pravcu. Ali prošla je kroz Pariz – bar je tako htela da verujem – i s novog aerodroma Šarl de Gol, u martu 1974, pozvala me je telefonom da se oprosti. Rekla mi je da joj je išlo loše, da je njen bivši muž pobedio u svakom pogledu i da, sita sudova i advokata koji su joj pokupili i ono malo para što je imala, odlazi nekuda gde niko više neće moći da joj kida živce.

– Ako hoćeš da ostaneš u Parizu, moja kuća je tvoja – rekao sam joj, vrlo ozbiljno. – I ako hoćeš opet da se udaš, venčajmo se. Mene je baš briga da li si bigamista ili trigamista.

– Da ostanem u Parizu da me mesje Rober Arnu prijavi policiji ili nešto još gore? Ni luda. U svakom slučaju, hvala, Rikardito. Već ćemo se nekad videti, kad prođe gužva.

Znajući da mi neće reći, pitao sam je gde će se smestiti, šta misli sada da radi sa svojim životom.

– Ispričaću ti kada se idući put vidimo. Ljubim te i nemoj mnogo da me varaš sa Francuskinjama.

I ovoga puta sam bio uveren da nikada više neću čuti za nju. Kao i ranije, doneo sam čvrstu odluku – sa svojih trideset osam godina – da se zaljubim u nekoga manje neuhvatljivog i komplikovanog, u neku normalnu devojku s kojom bih mogao da imam vezu bez stresa, možda čak i da se oženim njome i da imam decu. Ali nije se tako desilo, jer u ovom životu stvari se retko događaju onako kako mi paceri planiramo.

Ubrzo sam ušao u poslovnu rutinu, koja mi je povremeno bila dosadna, ali mi nije bila neprijatna. Biti prevodilac izgledalo mi je kao beznačajno zanimanje, koje takođe čoveku donosi najmanje moralnih problema. I dopuštalo mi je da putujem, da zarađujem prilično dobro i da imam slobodnog vremena koliko hoću.

Moj jedini kontakt s Peruom, jer sam vrlo retko viđao Peruance u Parizu, i dalje su bila pisma strica Ataulfa, svakoga dana sve očajnija. Njegova žena, moja strina Dolores, uvek mi je svojeručno dopisivala svoj pozdrav, a ja sam joj povremeno slao partiture, jer je bila invalid i sviranje klavira je bila velika razonoda u njenom životu. Osam godina vojne diktature generala Velaska, s nacionalizacijama, agrarnom reformom, industrijskom zajednicom, kontrolama i mešanjem u ekonomiju, govorio je stric Ataulfo, donele su pogrešna rešenja za problem socijalne nepravde i velike nejednakosti, kao što su eksploatacija većine od strane manjine privilegovanih, i to je samo poslužilo da se situacija zaoštri i da još više osiromaše i jedni i drugi, da se rasteraju investicije, da se dokrajči štednja i povećaju napetost i nasilje. Iako se u drugoj fazi diktature, koju je poslednje četiri

godine vodio general Fransisko Morales Bermudes, malo zako-
čio populizam, novine, televizijske i radio stanice i dalje su bile
etatizovane, politički život poništen i nije bilo nikakvog znaka
da će da se vaspostavi demokratija. Gorčina koja je izbijala iz
pisama strica Ataulfa budila mi je tugu zbog njega i Peruanaca
njegove generacije koji su, ostarivši, posmatrali kako se nji-
hov stari san da se Peru razvija ne ostvaruje i, štaviše, udaljava.
Peruansko društvo je sve više tonulo u siromaštvo, neznanje i
surovost. Učinio sam dobro što sam došao u Evropu, iako je moj
život bio malo usamljen; život jednog mračnog terdžumana.

Gubio sam interesovanje i za francusku političku stvarnost,
koju sam ranije strastveno pratio. Sedamdesetih godina, za vre-
me vlada Pompidua i Žiskara d'Estena, jedva sam čitao aktuelne
vesti. U novinama i nedeljnicima tražio sam isključivo kulturne
strane. Stalno sam išao na izložbe i koncerte, ali ne više toliko u
pozorište, koje je vrlo popustilo u odnosu na prethodnu deceniju,
dok sam, naprotiv, išao i po dva puta nedeljno u bioskop. Pariz je,
na sreću, i dalje bio raj za filmofile. Što se književnosti tiče, više
nisam bio u toku, jer su, kao i pozorište, roman i esej u Francuskoj
otišli nizbrdo. Nikada nisam mogao s entuzijazmom da čitam
intelektualne idole tih decenija, Barta, Lakana, Deridu, Deleza
i druge, čije su mi opširne knjige ispadale iz ruku; samo Mišela
Fukoa. Njegova istorija ludila vrlo me je impresionirala, kao i
njegov esej o zatvorskom režimu *(Surveiller et punir)*,[54] iako me
nije ubedila njegova teorija po kojoj su istoriju evropskog zapa-
da obeležavale višestruke institucionalizovane represije – zatvor,
bolnice, seks, pravda, zakoni – vlasti koja je kolonizovala sve pro-
store slobode da uništi protivljenje i neslaganje. Svih tih godina
sam u stvari čitao pre svega mrtve i, posebno, ruske pisce.

Iako sam uvek bio vrlo zauzet, što poslom što drugim stva-
rima, prvi put sam sedamdesetih godina preispitivao svoj život
pokušavajući da budem objektivan, i počeo je da mi izgleda

---

[54] Franc.: Nadgledati i kazniti. (Prim. prev.)

prilično sterilno, a moja budućnost kao budućnost zakletog neženje i stranca koji se nikada uistinu neće uklopiti u svoju voljenu Francusku. I uvek sam pamtio apokaliptičnu izjavu Solomona Toledana, koji je jednog dana u prevodilačkoj sali Uneska to ovako postavio: „Ako odjednom osetimo da ćemo umreti i upitamo se: ’Kakav ćemo trag ostaviti našim prolaskom po ovoj štenari?’, častan odgovor bi bio: ’Nikakav, nismo učinili ništa osim što smo govorili za druge.’ Ako nije tako, šta znači prevesti milione reči od kojih se ne sećamo nijedne, jer nijedna ne zaslužuje da bude zapamćena?" Nije bilo čudo što Terdžuman nije bio popularan među ljudima naše profesije.

Jednog dana sam mu rekao da ga mrzim jer mi se ta rečenica povremeno vraćala u pamćenje i uveravala me u totalnu beskorisnost mog postojanja.

– Mi terdžumani jesmo beskorisni, dragi moj – utešio me je.

– Ali našim poslom nikome ne činimo štetu. U svim ostalim zanimanjima mogu se napraviti velike štete ljudskoj vrsti. Pomisli na advokate i lekare, na primer, a da ne pričamo o arhitektama ili političarima.

Pili smo pivo u jednom bistrou u Aveniji Sifran, posle celodnevnog posla u Unesku, gde se održavala godišnja konferencija. Ja sam mu u napadu poverenja upravo ispričao, bez detalja i imena, da sam već mnogo godina zaljubljen u jednu ženu koja se pojavljivala u mom životu i nestajala kao prikaza, raspaljujući kratkotrajne periode sreće da bi me zatim ostavljala zgaslim, sterilnim, vakcinisanim od bilo kakvog entuzijazma ili ljubavi.

– Zaljubiti se je greška – presudio je Solomon Toledano, poput mog druga Huana Bareta, koji je delio tu filozofiju, doduše bez verbalnih ukrasa mog kolege. – Ženu treba ščepati za kosu, smotati je i – na krevet. Naterati je da za tili čas vidi sve zvezde na nebu. To je ispravna teorija. Ja ne mogu da je upražnjavam jer sam fizički slab, *hélas*.[55] Jednom prilikom sam pokušao da

---

[55] Franc.: avaj! (Prim. prev.)

se napravim frajer s jednom opasnom ženskom i odvalila mi
je šamarčinu. Zbog toga, uprkos mojoj tezi, dame, a naročito
kurve, tretiram kao kraljice.

– Ne verujem ti da se nikada nisi zaljubio, Terdžumane.

Priznao je da se zaljubio jednom u životu, kada je bio student
univerziteta u Berlinu. U jednu Poljakinju, toliku katolikinju
da je svaki put kada su vodili ljubav imala grižu savesti uz plač.
Terdžuman joj je ponudio brak. Devojka je pristala. Bio je pravi
podvig dobiti blagoslov porodice. Dobili su ga posle kompliko-
vanih pregovora, kada je odlučeno da se održi dvostruka svadba,
po jevrejskom i po katoličkom obredu. Usred priprema za brak,
mlada je odjednom pobegla s nekim američkim oficirom koji
je završavao službu u Berlinu. Poludeo od očajanja, Terdžuman
je počinio neobično delo inkvizicije: spalio je svoju fantastičnu
kolekciju maraka, i rešio da se više nikada ne zaljubi. Ljubav
će za njega ubuduće biti samo plaćena. Ispunio je to. Od tog
događaja posećivao je samo prostitutke. I umesto maraka, sada
je skupljao olovne vojnike.

Nekoliko dana kasnije, verujući da mi čini uslugu, organizo-
vao mi je za vikend izlazak sa dve ruske kurtizane koje će, po
njemu, ne samo da mi omoguće da vežbam ruski nego i da me
upoznaju sa „strašću i masnicama slovenske ljubavi". Otišli smo
na večeru u jedan restoran u Batinjolu, *Gran Samovar*, a zatim u
jedan *boîte de nuit*, tesan, mračan i zadimljen do gušenja, blizu
Trga Kliši, gde smo se sastali s nimfama. Popili smo mnogo vot-
ke, tako da su se moja sećanja maglila skoro od samog ulaska
u jednu rupu po imenu *Kozaci*, i jedino mi je bilo jasno da je
sudbina, ili bolje rečeno Terdžuman, odvojila za mene Natašu,
deblju i našminkaniju od dve rubensovske četrdesetogodišnjaki-
nje. Moja partnerka je bila utegnuta u sjajnu ružičastu haljinu od
tila i kada se smejala i kretala, njene grudi su se njihale kao dva
ratoborna balona. Izgledala je kao da je utekla s neke Boterove
slike. Dok mi je pamćenje iščezavalo u alkoholnoj pari, moj pri-

jatelj je pričao kao papagaj, na ruskom prošaranom psovkama, koje su dve kurtizane proslavljale glasnim smehom.

Sledećeg jutra sam se probudio sa glavoboljom i sav slomljen: spavao sam na podu, u podnožju kreveta na kojem je, obučena i obuvena, hrkala navodna Nataša. Preko dana je bila još deblja nego noću. Spokojno je spavala do podneva i kada se probudila, začuđeno je pogledala sobu, krevet na kojem je bila, i mene koji sam joj govorio „dobar dan". Odmah je zatražila tri hiljade franaka, jedno šeststo dolara u to doba, koliko je naplaćivala za celu noć. Ja nisam imao tu sumu i usledila je neprijatna diskusija u kojoj sam je na kraju ubedio da uzme sve što sam imao u gotovini, polovinu one svote, i neke porcelanske figurice iz dnevne sobe. Otišla je uzvikujući prostakluke i ja sam se dugo tuširao kunući se da više neću uletati u slične Terdžumanove avanture.

Kada sam Solomonu Toledanu ispričao za svoj noćni fijasko, on mi je rekao da su on i njegova prijateljica, naprotiv, vodili ljubav do besvesti u odmeravanju snaga koje zaslužuje stranice Ginisove knjige rekorda. Nikada se više nije usudio da mi predloži nov noćni izlazak sa egzotičnim gospođama.

Ono što me je zabavilo i odnelo mnogo sati tih poslednjih godina sedamdesetih bile su Čehovljeve priče posebno i ruska književnost uopšte. Nikada nisam pomišljao da radim književne prevode, jer sam znao da se vrlo loše plaćaju na svim jezicima, a na španskom sigurno još gore. Ali 1976. ili 1977, preko zajedničkog prijatelja u Unesku, upoznao sam španskog izdavača Marija Mučnika i sprijateljio se s njim. Kada je čuo da znam ruski i da veoma volim književnost, podstakao me je da pripremim jednu malu antologiju Čehovljevih pripovedaka, o kojima sam mu napričao čuda, uveravajući ga da je bio podjednako dobar kao pisac priča i kao dramaturg, mada je zbog osrednjih prevoda njegovih pripovesti bio malo cenjen kao pripovedač. Mučnik je bio zanimljiv slučaj. Rodio se u Argentini, studirao egzaktne nauke i započeo je karijeru istraživača i akademika, koju je odjednom napustio da bi se posvetio izdavaštvu, svojoj tajnoj strasti. Po vokaciji je bio izdavač koji je voleo knjige i izdavao samo kvalitetnu književnost, što mu je, kako je govorio, obezbeđivalo sve neuspehe sveta u ekonomskom pogledu, ali i najveća lična zadovoljstva. Govorio je o knjigama koje je izdavao s tako zaraznim entuzijazmom da sam, razmislivši malo, na kraju prihvatio njegovu ponudu da sastavim antologiju Čehovljevih priča, ali sam mu za to tražio neograničen rok. „Imaš ga", rekao mi je, „osim toga, iako ćeš bedno zaraditi, nauživaćeš se."

Bilo mi je potrebno beskrajno mnogo vremena, ali sam se zaista nauživao dok sam iščitavao celog Čehova, birao njegove najlepše priče i prebacivao ih na španski. To je bilo nešto delikatnije od prevođenja govora i izlaganja na koje sam navikao u svom poslu. Kao književni prevodilac osećao sam se manje kao sablast nego kad sam radio kao simultanac. Trebalo je doneti odluke, istraživati španski u potrazi za nijansama i ritmom koji su odgovarali semantičkim istančanostima i nijansama – fantastično umeće aluzije i eluzije Čehovljeve proze – kao i retoričkoj raskoši ruskog književnog jezika. Pravo zadovoljstvo, u koje sam ulagao čitave subote i nedelje. Poslao sam Mariju Mučniku obećanu antologiju gotovo dve godine nakon što mi ju je poručio. Doživeo sam toliko lepih trenutaka da umalo nisam odbio ček koji mi je poslao kao honorar. „Možda će ti biti dovoljno da kupiš lepo izdanje nekog dobrog pisca, na primer Čehova", rekao mi je.

Kada su mi posle izvesnog vremena stigli primerci antologije, jedan od njih sam s posvetom poklonio Solomonu Toledanu. Povremeno bismo otišli na piće, a ponekad sam mu pravio društvo dok je obilazio radnje s olovnim vojnicima, filateliste ili antikvarnice, koje je pažljivo pregledao, iako je retko kada nešto kupovao. Zahvalio mi je na knjizi, ali mi je iskreno preporučio da ne ostanem na tom „vrlo opasnom putu".

– Ono od čega živiš je u opasnosti – upozorio me je. – Književni prevodilac je pretendent za pisca, to jest, skoro uvek frustrirano piskaralo. Neko ko se nikad ne bi pomirio s tim da nestane iz svog zanimanja, kao što činimo mi, dobri simultanci. Ne odbacuj svoj status nepostojećeg gospodina, dragi moj, osim ako želiš da završiš kao klošar.

Oprečno onome što sam ja verovao, da poliglote imaju sluha za muziku, Solomon Toledo za nju nije imao ni najmanjeg interesovanja. U njegovom stanu u Neiju nisam otkrio ni gramofon. Imao je istančan sluh samo za jezike. Rekao mi je da se u njegovoj porodici u Smirni podjednako govorio turski i španski – to jest, ladino, od kojeg se potpuno udaljio jednog leta koje je proveo u Salamanki – i da je lingvistički dar nasledio od oca, koji je uspeo da vlada sa šest jezika, što mu je veoma pomoglo u poslovima. Kao dete je sanjao da putuje, upozna gradove i to mu je bio veliki podsticaj da nauči jezike, zahvaljujući čemu se pretvorio u ono što sada jeste: građanin sveta. Ta ista ljubav prema putovanjima učinila je od njega ranog kolekcionara maraka, što je bio do svoje traumatične veridbe u Berlinu. Skupljanje maraka bilo je drugi način da se obiđu zemlje, da se nauče geografija i istorija.

Olovni vojnici nisu ga terali da putuje, ali su ga vrlo zabavljali. Njegov stan je bio pun vojnika, od ulaska u hodnik do spavaće sobe, uključujući i kuhinju i kupatilo. Specijalizovao se za Napoleonove bitke. Bile su vrlo lepo postavljene, s topovima, konjima, zastavama, tako da je obilazeći njegov stan čovek pratio vojnu istoriju od prvog carstva do Vaterloa, čiji su protagonisti okruživali njegov krevet sa sve četiri strane. Osim olovnih vojnika, u kući Solomona Toledana bilo je puno rečnika i gramatika svih mogućih jezika. I jedan ekstravagantan detalj, mali televizor stajao je na polici ispred klozetske šolje. „Televizija je za mene fantastičan purgativ", objasnio mi je.

Zašto sam prema Solomonu Toledanu osećao toliko simpatija, dok su ga sve naše kolege izbegavale kao nepodnošljivog i teškog? Možda zato što je njegova samoća podsećala na moju, iako smo bili različiti u mnogo čemu drugom. Obojica smo rekli sami sebi da nikada nećemo moći ponovo da živimo u našim zemljama, jer bismo, ja u Peruu a on u Turskoj, sigurno bili više stranci nego u Francuskoj, gde smo se opet osećali kao tuđinci. I obojica smo bili vrlo svesni da se nikada nećemo uklopiti u zemlju koju smo izabrali za život i koja nam je dala čak i pasoš (obojica smo dobili francusko državljanstvo).

– Nije Francuska kriva što smo i dalje stranci, dragi moj. To je naša krivica. Opredeljenje, sudbina. Kao naše prevodilačko zanimanje, drugi način da uvek budemo stranci, da budemo a da ne budemo, da jesmo ali da nismo.

Bez sumnje je bio u pravu kad mi je govorio te turobne stvari. Ti razgovori sa Terdžumanom uvek su me malo obeshrabrivali i ponekad su mi izazivali nesanicu. Biti sablast nije nešto zbog čega bih bio spokojan; njemu izgleda nije bilo mnogo važno.

Zbog toga sam 1979, kada je Solomon Toledano vrlo uzbuđen najavio da je prihvatio ponudu da putuje u Tokio i godinu dana radi kao ekskluzivni prevodilac za *Micubiši*, osetio izvesno olakšanje. Bio je dobra osoba, zanimljiv specimen, ali u njemu je bilo nešto što me je rastuživalo i uznemiravalo, jer mi je otkrivao izvesne tajne puteve moje sopstvene sudbine.

Otišao sam da ga ispratim na Šarl de Gol i kada sam mu pružio ruku na šalteru *Džipen erlajnsa*, osetio sam da mi ostavlja među prstima jedan mali metalni predmet. Bio je to husar carske garde. „Imam duplikat", objasnio mi je. „Doneće ti sreću, dragi moj." Stavio sam ga na noćni stočić, pored moje amajlije, one divne četkice marke gerlen.

Nekoliko meseci kasnije napokon je okončana vojna diktatura u Peruu, održani su izbori i Peruanci su 1980, kao da mu time nadoknađuju izgubljeno, ponovo izabrali za predsednika Fernanda Belaundea Terija, mandatara svrgnutog vojnim pučem 1968. Stric Ataulfo je bio tako srećan da je rešio da odreši kesu i skupo proslavi događaj: put u Evropu, u koju nikada nije kročio. Pokušao je da nagovori tetku Dolores da ide s njim, ali ona je rekla da će je njena invalidnost sprečiti da uživa u putovanju i pretvoriti je u smetnju. Tako da je stric Ataulfo došao sam. Stigao je na vreme da zajedno proslavimo moj četrdeset peti rođendan.

Smestio sam ga u svom stančiću kod Vojne škole, prepuštajući mu spavaću sobu, dok sam ja spavao na kauču u dnevnoj. Otkada sam ga poslednji put video uživo, petnaest godina ranije, mnogo je ostareo. Teško je nosio svojih sedamdeset i nešto godina. Skoro je ostao bez kose, vukao je noge i lako se zamarao. Uzimao je pilule za pritisak i veštačka vilica mora da mu je smetala jer je sve vreme pomerao usta kao da hoće bolje da je namesti na desni. Ali izgledao je oduševljen jer napokon upoznaje Pariz, što je bila njegova davnašnja želja. Opčinjeno je gledao ulice, dokove Sene i staro kamenje, ponavljajući kroz zube: „Sve je mnogo lepše nego na slikama." Išao sam sa stricem Ataulfom u Notr Dam, u Luvr, u Palatu invalida, Panteon, u Sakr Ker, galerije i muzeje. Zaista, ovo je bio najlepši grad na svetu i činjenica da sam proveo u njemu toliko godina učinila je da to zaboravim. Živeo sam okružen tolikim lepim stvarima skoro ih ne videvši. Nekoliko dana sam u gradu koji me je usvojio uživao u turističkom obilasku zajedno sa stricem. Vodili smo duge razgovore na terasama bistroa i pijuckali vino kao aperitiv. Bio je zadovoljan što je vojnom režimu došao kraj i što se u Peru vratila demokratija, ali nije imao mnogo iluzija što se tiče neposredne budućnosti. Po njegovom mišljenju peruansko društvo je bilo mravinjak pun napetosti, mržnje, predrasuda i gorčine, koje su se vrlo zaoštrile tokom dvanaest godina vojne vlade. „Više ne bi mogao da prepoznaš svoju zemlju, sinovče. U vazduhu je latentna opasnost, osećanje da u svakom trenutku nešto vrlo ozbiljno može da eksplodira." Njegove reči su i ovoga puta bile proročanske. Ubrzo po povratku u Peru, posle njegovog putovanja u Francusku i kratkog puta autobusom po Kastilji i Andaluziji, stric Ataulfo mi je poslao nekoliko isečaka iz novina iz Lime s nekim surovim fotografijama: nepoznati maoisti su na banderama u centru glavnog grada obesili neke jadne pse i na njih zakačili natpise s imenom Denga Sjaopinga, koga su optuživali da je izdao Maoa i da je okončao kulturnu revoluciju u Narodnoj Kini. Tako je počinjala oružana pobuna Sendera luminosa,[56] koja će potrajati celu deceniju osamdesetih i izazvati krvoproliće bez presedana u peruanskoj istoriji: više od šezdeset hiljada mrtvih i nestalih.

Nekoliko meseci nakon što je otišao, Solomon Toledano mi je napisao dugo pismo. Bio je vrlo zadovoljan svojim boravkom u Tokiju, iako su ga ljudi iz *Micubišija* terali da radi toliko da je uveče padao u krevet iscrpljen. Ali obnovio je svoj japanski, upoznao simpatične ljude i nije mu nimalo nedostajao kišni Pariz. Izlazio je s jednom advokaticom iz firme, razvedenom i lepom, koja nije imala krive noge poput većine Japanki, već vrlo izvajane; pogled joj je bio direktan, dubok i prodirao je u dušu. „Ne plaši se, dragi moj, veran svom obećanju, neću se zaljubiti u ovu japansku Džezabel. Ali isključujući zaljubljenost, nameravam da učinim sa Micuko sve ostalo." Ispod potpisa stavio je lakonski postskriptum: „Pozdav od nevaljale devojčice." Kada sam došao do te rečenice, Terdžumanovo pismo mi je ispalo iz ruku i morao sam da sednem, obuzet vrtoglavicom.

Je li onda bila u Japanu? Kako su se, do đavola, mogli sresti Solomon i nestašna Peruankica u gusto naseljenom Tokiju? Odbacio sam ideju da je ona bila advokatica mračnog pogleda u koju je izgleda bio zaljubljen moj kolega, iako s bivšom Čileankicom, bivšom gerilkom, bivšom madam Arnu i bivšom misiz Ričardson ništa nije bilo nemoguće, pa čak ni da je sada prerušena u japansku advokaticu. Ono „nevaljala devojčica" otkrivalo je da je između Solomona i nje postojao izvestan stepen prisnosti; Čileankica mora da mu je ispričala nešto o našoj dugoj i istrzanoj vezi. Jesu li vodili ljubav? Sledećih dana sam otkrio da mi je nesrećni postskriptum poremetio život i vratio u

---

[56] Šp.: *Sendero luminoso* – Svetla staza; maoistički, gerilski, teroristički pokret u Peruu. (Prim. prev.)

nezdravu i glupu ljubav-strast koja me je izjedala toliko godina, sprečavajući me da normalno živim. Pa ipak, uprkos mojim sumnjama, mojoj ljubomori i mučnim pitanjima, saznanje da je nevaljala devojčica bila tamo, stvarna, živa, na konkretnom mestu, iako vrlo daleko od Pariza, ispunilo mi je glavu fantazijama. Ponovo. To je bilo kao da izlazim iz limba u kojem sam živeo ove poslednje četiri godine otkako me je pozvala s aerodroma Šarl de Gol (dobro, rekla mi je da me odatle zove) da mi saopšti da beži iz Engleske.

Jesi li, dakle, i dalje bio zaljubljen u svoju neuhvatljivu zemljakinju, Rikardo Somokursio? Bez ikakve sumnje. Od onog Terdžumanovog postskriptuma, danonoćno mi se priviđalo tamnoputo lice, drski izraz, njene oči boje tamnog meda, i celo telo mi je gorelo od želje da je držim u zagrljaju.

Na pismu Solomona Toledana nije bio upisan pošiljalac i Terdžuman me nije udostojio ni svoje adrese ni telefona. Raspitao sam se u pariskom predstavništvu *Micubišija* i savetovali su mi da pišem na kadrovsko odeljenje firme u Tokiju, čiju adresu su mi dali. Tako sam i učinio. U pismu sam mnogo okolišao, pričao sam prvo o svom poslu; rekao sam mu da mi je carski husar doneo sreću, jer sam poslednjih nedelja imao odlične poslove i čestitao sam mu na novom osvajanju. Na kraju sam prešao na stvar. Prijatno me je iznenadilo što poznaje moju staru prijateljicu. Da li živi u Tokiju? Ja već godinama ne znam gde je. Može li da mi pošalje njenu adresu? Njen telefon? Voleo bih da posle toliko vremena obnovim kontakt sa svojom zemljakinjom.

Poslao sam pismo bez mnogo nade da će stići u njegove ruke. Ali stiglo je i odgovor se gotovo zagubio na evropskim putevima. Jer Terdžumanovo pismo je sletelo u Pariz kada sam ja bio u Beču i radio na Skupštini o atomskoj energiji, i moja nastojnica u stanu kod Vojne škole, sledeći moja uputstva u slučaju da mi stigne pismo iz Tokija, poslala mi ga je u Beč. Kada je pismo stiglo u Austriju, već sam se bio vratio u Pariz. Sve u svemu, ono što bi normalno trajalo nedelju dana potrajalo je oko tri.

Kada sam napokon imao u rukama odgovor Solomona Tole-
dana, drhtao sam od glave do pete, kao u groznici. Cvokotali su
mi zubi. Pismo je imalo nekoliko strana. Pročitao sam ga polako,
slovo po slovo, da ne propustim ni slog. Od prvih redova krenuo
je strasno da hvali Micuko, svoju japansku advokaticu, prizna-
jući mi, pomalo posramljen, da je njegovo obećanje da se neće
ponovo zaljubiti – dato zbog „berlinske sentimentalne neprijat-
nosti" – prekršeno nakon trideset godina strogog uvažavanja,
zbog lepote, inteligencije, delikatnosti i senzualnosti Micuko,
žene s kojom su šintoistička božanstva htela da mu preokrenu
život otkako je imao blaženu ideju da se vrati u taj grad, gde je
od pre nekoliko meseci bio najsrećniji čovek na svetu.

Zbog Micuko se podmladio, ispunio se elanom. Ni u cvetu
mladosti nije vodio ljubav s takvim žarom. Terdžuman je pono-
vo otkrio strast. Kako je užasno što je uzalud potrošio toliko
godina, para i spermatozoida na plaćene ljubavi! Ali možda i ne,
možda je sve što je do sada učinio bila askeza, trening njegovog
duha i tela da zasluži Micuko.

Čim se vrati u Pariz, prvo što će učiniti biće da baci u vatru
i vidi kako se tope ti oklopnici, husari, konjanici s perjanicama,
pioniri, artiljerci, na koje je tokom godina, u jednoj kako teškoj
i zahtevnoj, tako i beskorisnoj aktivnosti, utrošio svoje postoja-
nje odvraćajući ga od ljubavne sreće. Nikada više neće skupljati
ništa; njegov jedini hobi biće da na svim jezicima koje zna nauči
napamet erotske stihove pa da ih šapuće Micuko. Ona je volela
da ih sluša, iako ih ne razume, posle njihovih fantastičnih „uži-
taka" svake noći, na različitim mestima.

Zatim je prelazio na prozu nabijenu groznicom i pornogra-
fijom, opisujući mi ljubavne poduhvate Micuko, i njene tajne
čari, među kojima je i jedan vrlo blag i bezopasan oblik, nežan
i senzualan, strašne *vagine dentate* iz grčko-rimske mitologije.
Tokio je bio najskuplji grad na svetu, i mada visoka, njegova
plata se osipala u noćnim izletima u Ginzi, tokijskoj četvrti za
noćni život, gde su Terdžuman i Micuko posećivali restorane,

barove, kabaree i pre svega, javne kuće, dragulj u kruni japan-
skog *night lifea*. Ma kome je stalo do para kada je u pitanju sreća!
Jer sav čudesni rafinman japanske kulture nije blistao, kako sam
svakako ja verovao, na gravirama iz epohe Meidži, ni u teatru
No, ni u teatru Kabuki, ni u lutkama Bunraku, već u javnim
kućama ili *maisons closes*, koje su tamo nazvani pofrancuženim
imenom *Šato*,[57] od kojih je najčuvenija bila *Šato Meguru*, pravi
raj karnalnih užitaka, gde se japanski duh štedro sunovratio da
kombinuje najnapredniju tehnologiju sa seksualnom mudrošću
i obredima oplemenjenim tradicijom. U odajama *Šato Megurua*
sve je bilo moguće: preterivanja, fantazije, ekstravagancije, sve
to je imalo mesto i oruđe da se ostvari. Micuko i on su doživeli
nezaboravna iskustva u diskretnim separeima *Šato Megurua*.
„Tamo smo se osećali kao bogovi, dragi moj, i časti mi, ne pre-
terujem i ne bulaznim."

Na kraju, kada sam se već uplašio da zaljubljeni neće reći ni
reči o nevaljaloj devojčici, Terdžuman se pozabavio mojom mol-
bom. Video ju je samo jednom nakon što je dobio moje pismo.
Bilo mu je teško da razgovara s njom nasamo, jer „iz očiglednih
razloga" nije hteo da me spomene „pred gospodinom s kojim
živi, ili bar s kojim izlazi ili je obično viđaju", jednim bićem na
lošem glasu i još goreg izgleda, nekim koga je bilo dovoljno
videti da osetiš jezu i kažeš sam sebi: „Ne bih voleo da mi je
ovaj tip neprijatelj."

Ali najzad je uz pomoć Micuko uspeo da se izdvoji s pome-
nutom i da joj prenese moju poruku. Ona mu je rekla da bi,
„pošto je njen *petit ami*[58] ljubomoran", bilo bolje da ne pišem
direktno njoj, kako joj ne bi napravio scenu (ili zavrnuo šiju). Ali
ako hoću da joj pošaljem nekoliko redova preko Terdžumana,
radovalo bi je da dobije vesti od mene. Solomon Toledano je
dodavao: „Treba li da ti kažem, dragi moj, da me ništa ne bi tako

---

[57] Franc.: *château* – zamak, palata, otmena kuća (Prim. prev.)
[58] Franc.: dragi, voljena osoba. (Prim. prev.)

usrećilo kao da ti budem ljubavni posrednik? Naše zanimanje je prikriveni oblik mešetarenja, podvođenja ili ljubavnog posredovanja, tako da sam pripremljen za tako plemenitu misiju. Učiniću to preduzevši sve mere opreza na svetu da tvoja pisma nikada ne stignu u ruke tog razbojnika s kojim je devojka tvojih snova. Izvini, dragi moj, ali pogodio sam sve: ona je ljubav tvog života, ili se varam? I, uzgred, čestitam: nije kao Micuko – niko nije kao Micuko – ali iz njene egzotične lepote izbija jedna vrlo zavodljiva aura misterije. Čuvaj se!" Potpisao se sa: „Pozdrav od Terdžumana iz *Šato Megurua!*"

S kim li se sada spandala Peruankica? Nesumnjivo s nekim Japancem. Možda s nekim gangsterom, nekim od velikih šefova Jakuze kome je sigurno bio odsečen deo malog prsta, simbol bande. To, uzgred, ne bi bilo za čuđenje. Sigurno ga je upoznala na putovanjima na Istok, prateći mister Ričardsona, drugog gangstera, samo što je ovaj bio uparađen, nosio kravatu i imao štale u Njumarketu. Japanac je, sudeći po Terdžumanovim šalama, bio zlokoban lik. Da li je mislio na njegov izgled kada je rekao da u njemu postoji nešto što uliva strah? Ili na njegovu prošlost? Jedino što je falilo dosijeu Čileankice: ljubavnica šefa japanske mafije. Čovek s moći i novcem, naravno, neophodni kvaliteti da je neko osvoji. I pri tom, izvesna količina leševa za njim. Izjedala me je ljubomora i istovremeno me je obuzelo neko čudno osećanje u kojem su se mešale zavist, radoznalost i divljenje. Očigledno, nevaljala devojčica nikada neće prestati da me iznenađuje svojom neopisivom smelošću.

Dvadeset puta sam rekao sebi da ne smem da budem toliki idiot i da joj pišem, da pokušam da obnovim neku vrstu odnosa s njom, jer ću se opeći i biti ispljuvan kao uvek. Ali nije prošlo ni nekoliko dana otkad sam pročitao Terdžumanovo pismo, i već sam joj napisao nekoliko redova i počeo da smišljam način kako da se nađem u Zemlji izlazećeg sunca.

Moje pismo je bilo potpuno licemerno, jer nisam hteo da je dovedem u neprijatnu situaciju (bio sam siguran da je ovoga puta, u Japanu, zagazila u mutnije vode nego ranije). Vrlo me je radovalo što sam preko svog kolege, našeg zajedničkog prijatelja, dobio vesti od nje, što čujem da joj tako dobro ide i da je toliko zadovoljna u Tokiju. Pričao sam joj o svom životu u Parizu, o poslovnoj rutini koja me je povremeno vodila u druge evropske gradove i najavljivao sam joj, gle slučajnosti, da ću u ne tako dalekoj budućnosti putovati u Tokio, kao prevodilac, na jednu međunarodnu konferenciju. Nadao sam se da ću je videti da se podsetimo starih vremena. Kako nisam znao koje je ime sada koristila, pismo sam započeo samo sa „draga Peruankice". I pismu sam dodao jedan primerak moje antologije Čehova s posvetom: „Nevaljaloj devojčici s nepromenljivom nežnošću pacera koji je preveo ove priče". Poslao sam pismo i knjigu na adresu Solomona Toledana, uz nekoliko redova u kojima sam mu zahvaljivao na njegovom posredovanju, priznao sam mu svoju zavist što je tako srećan i zaljubljen i molio sam ga da me obavesti ako čuje za neku konferenciju ili kongres gde su potrebni dobri prevodioci koji govore španski, francuski, engleski i ruski (mada ne i japanski), jer sam odjednom dobio strašnu želju da upoznam Tokio.

Moja istraživanja kako bih dobio neki posao koji bi me odveo u Japan nisu imala uspeha. To što nisam znao japanski isključivalo me je sa mnogih lokalnih konferencija i u tom trenutku u Tokiju se nisu održavali sastanci nikakvog tela UN gde su traženi samo zvanični jezici Ujedinjenih nacija. Da idem za svoj račun, kao turista, bilo je veoma skupo. Da li da za nekoliko dana spiskam dobar deo ušteđevine koju sam poslednjih godina uspeo da skupim? Rešio sam da to učinim. Ali taman kad sam doneo odluku i spremao se da krenem u turističku agenciju, javio mi se moj stari šef u Unesku, gospodin Čarnes. Već je bio u penziji, ali je radio za svoj račun kao direktor jedne privatne firme za prevodioce i simultance s kojom sam stalno bio u kontaktu. Obezbedio mi je petodnevnu konferenciju u Seulu. Već sam, dakle, imao povratnu kartu. Iz Koreje će biti jeftinije da skoknem do Tokija. Moj život je od tog trenutka ušao u vrtlog: vadio sam vize, kupovao vodiče o Koreji i Japanu, dok sam stalno sebi ponavljao da je ono što radim potpuna besmislica, jer je najverovatnije da u Tokiju neću uspeti ni da je vidim. Nevaljala devojčica se verovatno već pokupila i otišla na drugo mesto ili će me izbegavati kako je šef Jakuze ne bi iskasapio i bacio njen leš psima, kao zlikovac u jednom japanskom filmu koji sam nedavno gledao.

Tih grozničavih dana, jednog jutra me je probudio telefon.

– Jesi li još zaljubljen u mene?

Njen glas, isti podrugljivi i veseli ton kao ranije i prizvuk onog govora iz Lime koji nikada nije sasvim izgubila.

– Mora da jesam, nevaljala devojčice – odgovorio sam, sasvim se razbudivši. – Ako nisam, ne može se objasniti to što sam, otkako sam čuo da si u Tokiju, kucao na sva vrata ne bih li našao neki posao koji bi me, makar na dan, odveo tamo. Napokon sam našao jedan, u Seulu. Idem za nekoliko nedelja. Odatle ću skočiti do Tokija da te vidim. Čak i ako me izrešeta onaj šef Jakuze sa kojim si, kako su mi rekli moji špijuni. Jesu li to pokazatelji da sam zaljubljen?

– Jesu, mislim da jesu. Dobro je, dobri dečko. Mislila sam da si me posle toliko vremena zaboravio. To ti je rekao tvoj kolega Toledano? Da sam sa šefom mafije?

Počela je da se smeje, oduševljena takvom reputacijom. Ali gotovo odmah je promenila temu i nežno mi je rekla:

– Drago mi je što dolaziš. Iako se ne viđamo mnogo, uvek te se sećam. Hoćeš da ti kažem zašto? Jer si jedini prijatelj koji mi je ostao.

– Ja niti jesam niti ću ikada biti tvoj prijatelj. Zar još nisi shvatila? Ja sam tvoj ljubavnik, zaljubljen u tebe, osoba koja je odmalena luda za Čileankicom, gerilkom, suprugom funkcionera, uzgajivača konja, ljubavnicom gangstera. Pacer koji živi samo zato da te želi i misli na tebe. Ne želim da se u Tokiju prisećamo ničega. Želim da budeš u mom zagrljaju, da te ljubim, mirišem, grickam, vodim ljubav sa tobom.

Ponovo se nasmejala, ovog puta više od srca.

– Još vodiš ljubav? – pitala me je. – Dobro, srećom. Niko mi nije rekao takve stvari otkako smo se poslednji put videli. Hoćeš li da mi kažeš mnogo toga kada dođeš, Rikardito? Hajde, reci mi još nešto.

– Kada je pun mesec, izlazim da lajem na nebo i onda vidim tvoje lice, oslikano tamo gore. Sad bih dao deset godina života samo da vidim svoj odraz u tvojim okicama boje tamnog meda.

Smejala se, radosna, ali odjednom me je uplašeno prekinula:

– Moram da spustim slušalicu.

Čuo sam klik telefona. Više nisam mogao oka da sklopim, obuzet mešavinom radosti i nemira, koja me je držala budnim do sedam ujutro, kada sam ustajao da spremim uobičajeni doručak – kafu i tost sa medom – ako nisam išao da doručkujem u obližnji kafe, u Aveniji de Turvil.

Dve nedelje pre puta u Seul proveo sam posvećen onome što su, pretpostavljam, radili oni starinski, uzbuđeni verenici u danima pre ulaska u brak, kada će oboje izgubiti nevinost: kupovao sam odeću, cipele, šišao se (ne kod najprostijeg brice kao uvek, nego u luksuznoj brijačnici u Ulici Sent Onore), i naročito, obilazio butike i ženske radnje kako bih izabrao diskretan poklon koji će nevaljala devojčica moći da sakrije u svojoj garderobi a da istovremeno bude originalan, prefinjen, da joj govori one nežne i lepe reči koje sam ja žudeo da joj šapućem. Dok sam tražio poklon, govorio sam sebi da sam sada još blesaviji nego što sam ikada bio i da zaslužujem da me ljubavnica šefa Jakuze još jednom vrhom cipele gurne i uvalja u blato. Na kraju sam, posle toliko traženja, kupio jednu od prvih stvari koje sam video i koja mi se dopala, kod Vitona: neseser sa kolekcijom staklenih bočica za parfeme, kreme i karmin, i jedan rokovnik i hemijsku od sedefa, skrivene u lažnom dnu. Postojalo je nešto neodređeno preljubnički u tom skrovištu koketnog nesesera.

Konferencija u Seulu bila je iscrpljujuća. Bila je o patentima i tarifama i govornici su koristili vrlo tehnički jezik koji mi je udvajao napore. Zbog uzbuđenja poslednjih dana, *jet laga*[59] i vremenske razlike između Pariza i Koreje, nisam mogao da spavam i bio sam vrlo nervozan. Onog dana kada sam stigao u Tokio, rano po podne, pao sam kao pokošen snom u sićušnoj sobi koju mi je Terdžuman rezervisao u jednom hotelčiću u centru grada. Spavao sam četiri ili pet sati bez prekida i uveče, posle hladnog tuša za razbuđivanje, otišao sam na večeru sa svojim prijateljem i njegovom japanskom ljubavlju. Od prvog trenutka predosetio sam da je Solomon Toledano bio mnogo više zaljubljen u Micuko nego ona u njega. Terdžuman je izgledao podmlađen i uzbuđen. Nosio je neku leptir-mašnu koju nikada ranije nisam video i odelo modernog i mladalačkog kroja. Pravio je šale, česte i sitne pažnje svojoj prijateljici i koristio najmanji povod da je ljubi u obraze ili usta ili da je grli oko struka, što njoj, činilo se, nije bilo prijatno. Bila je mnogo mlađa od njega, simpatična i zaista prilično zgodna: lepe noge i porcelansko lice na kojem su svetlucale velike i živahne oči. Nije mogla da sakrije izraz neprijatnosti svaki put kad bi joj se Solomon suviše približio. Govorila je engleski vrlo dobro, a njena prirodnost i srdačnost nekako bi se zaledile svaki put kada bi moj prijatelj imao one pompezne manifestacije ljubavi. On kao da to nije video. Prvo smo otišli u neki bar u Kabuki-čo, u Šindžuku, četvrt punu kabarea, erotskih radnji, restorana, diskoteka i kuća za masažu gde je vrvelo od sveta. Sa svih strana je treštala neumerena muzika u toj pravoj džungli svetlosti, boja i neonskih reklama. Bio sam ošamućen. Kasnije smo večerali u jednom mirnijem mestu, u Niši Azabuu, gde sam prvi put probao japansku hranu i pio mlak i trpak sake. Tokom cele noći pojačavao mi se utisak da je veza između Solomona i Micuko

---

[59] Engl.: *jat lag* – izraz za nesanicu i umor od nagle promene vremenske zone u interkontinentalnim letovima. (Prim. prev.)

daleko od toga da funkcioniše kao što je Terdžuman tvrdio u svojim pismima. Ali, govorio sam sebi, to je sigurno zato što se Micuko, škrta u svojim izlivima osećanja, još ne navikava na napadan, mediteranski Solomonov način da pred svetom pokaže strast koju je ona u njemu probudila. Već će se navići.

Micuko je preuzela inicijativu da govori o nevaljaloj devojčici. To je učinila usred večere i onako sasvim prirodno, pitajući me želim li da pozove moju zemljakinju da je obavesti o mom dolasku. Molio sam je da to učini i da joj dâ broj telefona mog hotela. To je bilo bolje nego da je zovem ja, imajući u vidu da je gospodin s kojim je živela očigledno bio neki japanski Otelo, a možda i ubica.

– To ti je ispričao ovaj gospodin? – smejala se Micuko. – Kakva glupost. Gospodin Fukuda je malo čudan čovek, priča se da je umešan u ne mnogo jasne poslove u Africi. Ali nikada nisam čula da je reč o nekom kriminalcu niti išta slično. Vrlo je ljubomoran, to da. Barem tako kaže Kuriko.

– Kuriko?

– Nevaljala devojčica.

Rekla je „nevaljala devojčica" na španskom i sama je aplauzom proslavila svoj mali lingvistički poduhvat. Znači sada se zvala Kuriko. Svašta. To veče kada smo se rastajali, Terdžuman je uspeo da načas ostane nasamo sa mnom. Pitao me je, pokazujući na Micuko.

– Kako ti se čini?

– Vrlo je lepa, Terdžumane. Bio si potpuno u pravu. Očaravajuća.

– I pri tom je vidiš samo obučenu – rekao je on, namignuvši mi i udarajući se u grudi. – Treba dugo da pričamo, dragi moj. Zapanjićeš se kakve planove imam. Zvaću te sutra. Spavaj, sanjaj i preporodi se.

Ali onaj ko me je rano pozvao bila je nevaljala devojčica. Dala mi je sat vremena da se obrijem, okupam i obučem. Kada sam sišao, već me je čekala, sedeći na fotelji kod recepcije. Nosila je svetli mantil i ispod njega bluzicu boje cigle i smeđu suknju. Videla su joj se okrugla i glatka kolena i vitke noge. Bila je mršavija nego u mom sećanju i oči su joj bile malo umorne. Ali niko na svetu ne bi poverovao da već ima više od četrdeset godina. Izgledala je sveže i lepo. Iz daljine se moglo učiniti kao da je jedna od onih delikatnih, sitnih Japanki koje su tiho, kao da lebde, prolazile ulicom. Lice joj se ozarilo kada me je videla; ustala je da je zagrlim. Poljubio sam je u obraze, a ona nije izmakla usne kada sam ih dotakao mojima.

– Mnogo te volim – promrmljao sam. – Hvala ti što si dalje tako mlada i tako lepa, Čileankice.

– Dođi, idemo na autobus – rekla mi je, hvatajući me za ruku. – Znam lepo mesto gde možemo da razgovaramo. Jedan park u koji ceo Tokio ide na piknik i da se napije kada se pojavi trešnjin cvet. Tamo možeš da mi kažeš neke tvoje banalnosti.

Držeći me podruku odvela me je do stanice, dve-tri ulice od hotela, gde smo se popeli u autobus koji se sijao od čistoće. I vozač i kondukterka su nosili one poveze preko usta koji su me iznenadili kod mnogih ljudi na ulici. Po mnogo čemu, Tokio je ličio na kliniku. Dao sam joj Vitonov neseser koji sam joj doneo i primila ga je bez preteranog ushićenja. Posmatrala me je veselo i radoznalo.

– Pretvorila si se u Japankicu. Po načinu na koji se oblačiš, čak i po crtama lica, po pokretima, čak i po boji kože. Otkada se zoveš Kuriko?

– Tako su me prozvali prijatelji, ne znam kome je palo na pamet. Biće da imam nešto istočnjačko. Ti si mi to jednom rekao u Parizu, zar se ne sećaš?

– Naravno da se sećam. Znaš da sam se plašio da si poružnela?

– Ti si, naprotiv, pun sedih. Imaš i poneku boricu, ovde, ispod kapaka – stisla mi je ruku i oči su joj zločesto zaiskrile. Spustila je glas: – Da li bi voleo da budem tvoja gejša, dobri dečko?

– Da, i to. Ali, pre svega, moja žena. Došao sam u Tokio da ti po ko zna koji put ponudim brak. Ovoga puta ću te ubediti, pazi se. I uzgred, otkad ti ideš autobusom? Šef Jakuze ne može da ti da kola sa šoferom i telohranitelja?

– I da može, ne bi to uradio – rekla mi je, i dalje me držeći za ruku. – To bi bilo razmetanje, ono što Japanci najviše mrze. Ovde se ne gleda dobro na to da se razlikuješ od drugih, u bilo čemu. Zbog toga se bogati maskiraju u siromašne, a siromašni u bogate.

Sišli smo u park pun ljudi, činovnika koji su koristili podnevnu pauzu da pojedu sendvič i popiju neko osvežavajuće piće ispod drveća, okruženi travnjakom i jezercima sa šarenim ribicama. Nevaljala devojčica me je odvela u salon za čaj, na ćošku parka. Bilo je stočića sa udobnim foteljama, između paravana koji su stvarali atmosferu izvesne privatnosti. Čim smo seli, poljubio sam joj ruke, usne, oči. Posmatrao sam je dugo; udisao sam je.

– Jesam li položila ispit, Rikardito?

– Sa najboljom ocenom. Ali vidim te malo umornu, Japankice. Je li to od uzbuđenja što me vidiš nakon što si me potpuno zaboravila, evo već četiri godine?

– I od napetosti u kojoj živim, takođe – dodala je vrlo ozbiljno.

– Kakve gadosti radiš da živiš tako napeto?

Gledala me je ne odgovarajući; prešla mi je rukom po kosi, onim svojim uobičajenim nežnim pokretom, napola ljubavnim, napola materinskim.

– Koliko sedih ti je izašlo! – ponovila je, posmatrajući me. – Neke su ti od mene, zar ne? Uskoro ću morati da te oslovljavam sa dobri starče umesto sa dobri dečko.

– Jesi li zaljubljena u tog Fukudu? Nadao sam se da si s njim samo iz interesa. Ko je on? Zašto je na tako lošem glasu? Šta radi?

– Mnogo pitanja odjednom, Rikardito. Kaži mi prvo neku od onih stvari iz sapunica. Niko mi ih ne govori već godinama.

Govorio sam joj tiho, gledajući je u oči i povremeno je ljubeći u ruku koju je držala među mojima.

– Nisam izgubio nadu, Japankice. Iako ti izgledam kao neviđeni kreten, ja ću da insistiram sve dok ne dođeš da živiš sa mnom. U Pariz, a ako ti se Pariz ne sviđa, kuda hoćeš. Kao prevodilac mogu da radim u bilo kom delu sveta. Kunem ti se da ću te usrećiti, Japankice. Već je prošlo suviše godina da bi imala bilo kakvu sumnju: volim te toliko da ću učiniti sve da te zadržim kraj sebe, kada budemo zajedno. Je l' voliš gangstere? Postaću pljačkaš, otimač, varalica, trgovac drogom, šta god hoćeš. Četiri godine nisam znao ništa o tebi i sada jedva mogu da govorim, da mislim, koliko sam potresen što te osećam tako blizu.

– Nije loše – nasmejala se ona, približila svoje lice i brzo, kao ptičica, dala mi poljubac.

Naručila je čaj i neke kolačiće na japanskom, a kelnerica je tražila da to ponovi nekoliko puta. Kada su to doneli i kada sam sipao čaj, sa zakašnjenjem je odgovorila na moje pitanje:

– Ne znam da li je ono što osećam prema Fukudi ljubav. Ali nikada u životu nisam toliko zavisila od nekoga kao što zavisim od njega. Istina je da može da radi sa mnom šta hoće.

Nije to govorila sa radošću ni sa zanosom nekoga ko je kao Terdžuman otkrio ljubav-strast. Pre je bila uznemirena, iznenađena što se tako nešto desilo osobi kao što je ona, koja je za sebe mislila da je daleko od tih slabosti. U njenim očima boje tamnog meda bilo je nečeg teskobnog.

– Pa dobro, sve u svemu, ako može da radi s tobom šta hoće, onda si se zaljubila. Nadam se da će te taj Fukuda naterati da patiš kao što ti mene teraš da patim već toliko godina, ledena ženo...

Osetio sam kako me hvata za ruku i kako je trlja.

– Nije ljubav, kunem ti se. Ne znam šta je, ali to ne može da bude ljubav. Pre bolest, porok. To je Fukuda za mene.

Njena priča je možda bila istinita, iako je sigurno ostavila mnogo toga u senci, a prikrila, ublažila i ulepšala drugo. Bilo mi je već teško da verujem u bilo šta što mi govori, jer mi je, otkako sam je upoznao, uvek pričala više laži nego istina. I verujem da je, za razliku od većine smrtnika, u ovom trenutku svog života, novopostaloj Kuriko bilo već vrlo teško da razlikuje svet u kojem živi od onoga u kojem je govorila da živi. Kao što sam pretpostavljao, upoznala je Fukudu pre više godina na jednom od putovanja na Istok s Dejvidom Ričardsonom, koji je zaista imao poslove s Japancem. Ovaj je jednom rekao za nevaljalu devojčicu da je šteta što se neko kao ona, sa toliko karaktera, tako svetska žena, zadovoljava da bude misiz Ričardson, jer bi u poslovnom svetu mogla da napravi veliku karijeru. Ta rečenica joj je ostala u ušima. Kada je osetila kako joj se ruši svet jer je njen bivši muž saznao za brak s Roberom Arnuom, pozvala je Fukudu, ispričala mu šta se dešava i ponudila mu da radi za njega bilo šta. Japanac joj je poslao avionsku kartu od Londona do Tokija.

– Kada si me zvala sa aerodroma u Parizu da se oprostiš, dolazila si sa sastanka s njim?

Potvrdila je.

– Da, ali zapravo sam te zvala s londonskog aerodroma.

Iste noći kada je došla u Japan, postala je Fukudina ljubavnica. Ali odveo ju je da živi s njim tek nekoliko godina kasnije. Do tada je živela sama, u jednom pansionu, u majušnoj sobici, s kupatilom i ugrađenom kuhinjom, „manjoj od sobe koju je imala moja filipinska kućna pomoćnica u Njumarketu". Da nije toliko putovala „svršavajući poslove za Fukudu", poludela bi od klaustrofobije i samoće. Bila je Fukudina ljubavnica, ali jedna od mnogih. Japanac nikada nije krio od nje da spava s raznim ženama. Ponekad ju je vodio da provede noć s njim, ali zatim su mogle da prođu nedelje a da je ne pozove kući. U tim periodima, njihovi odnosi su bili isključivo odnosi službenice i gazde. U čemu su se sastojali „poslovi" gospodina Fukude? Da krijumčari drogu, dijamante, slike, oružje, novac? Mnogo puta nije ni znala. Nosila je i donosila ono što joj je pripremao, u koferima, paketima, kesama ili tašnama i do sada je – kucnula je u drvo – uvek prelazila carine, granice i policiju bez mnogo problema. Putujući tako po Aziji i Africi, otkrila je šta znači paničan strah. U isto vreme, nikada ranije nije živela tako intezivno i s tom energijom, zbog čega je na svakom putovanju osećala da je život jedna divna avantura. „Kako je drukčije živeti ovako nego u onom limbu, u onoj laganoj smrti okružena konjima u Njumarketu!" Posle dve godine zajedničkog rada, zadovoljan njenim uslugama, Fukuda ju je nagradio unapređenjem: „Zaslužuješ da živiš pod mojim krovom."

– Završićeš izbodena nožem, ubijena, zatočena godinama u nekom užasnom zatvoru – rekao sam joj. – Jesi li poludela? Ako mi govoriš istinu, ono što radiš je glupost. Kada te uhvate kako krijumčariš drogu ili nešto još gore, misliš da će taj gangster da se pobrine za tebe?

– Znam da neće, on sam me je upozorio – prekinula me je. – Bar je vrlo iskren prema meni, kao što vidiš. Ako te nekada uhvate, ćao. Ja te ne poznajem niti sam te ikada poznavao. Ćao.

– Vidi se koliko mora da te voli.

– On mene ne voli. Ni mene, niti ikoga. On je kao ja u tome. Ali ima više karaktera i više snage nego ja.

Prošlo je više od sat vremena otkako smo došli u park i počinjalo je da se smrkava. Nisam znao šta da joj kažem. Bio sam obeshrabren. Prvi put mi se činilo da je potpuno, i telom i dušom, predana nekom čoveku. Sada jeste bilo jasno: nevaljala devojčica nikada neće biti tvoja, paceru.

– Izgledaš tužno – osmehnula mi se. – Je li ti žao zbog ovoga što sam ti ispričala? Ti si jedina osoba kojoj sam to mogla da ispričam. Osim toga, bilo mi je potrebno nekome da kažem. Ali možda nisam dobro postupila. Hoćeš li da mi oprostiš ako te poljubim?

– Teško mi je što prvi put u životu nekoga stvarno voliš, a to nisam ja.

– Ne, ne, nije to ljubav – ponovila je, odmahujući glavom. – To je komplikovanije, pre neka bolest, već sam ti rekla. To me čini živom, korisnom, aktivnom. Ali ne srećnom. Kao da sam posednuta. Nemoj da se smeješ, ne šalim se, ponekad se osećam kao da me je Fukuda poseo.

– Ako ga se toliko plašiš, pretpostavljam da se nećeš usuditi da vodiš ljubav sa mnom. A ja sam izričito došao u Tokio da te molim da me vodiš u *Šato Meguru*.

Bila je vrlo ozbiljna dok mi je prepričavala svoj život sa Fukudom, ali sada je širom otvorila oči i grohotom se nasmejala:

– Kako, do đavola, ti, koji si tek došao u Tokio, znaš šta je *Šato Meguru?*

– Od svog prijatelja, prevodioca. Solomon sam sebe zove „Terdžuman iz *Šato Megurua*“ – uhvatio sam je za ruku i poljubio je. – Da li bi se usudila, nevaljala devojčice?

Pogledala je na sat i nekoliko trenutaka razmišljala računajući. Odjednom je odlučno tražila od kelnerice da nam pozove taksi.

– Nemam mnogo vremena – rekla mi je. – Ali kad te vidim s tom facom prebijene kuce... Hajde, iako mnogo rizikujem što ovo radim.

Šato Meguru je bila javna kuća u jednoj lavirintskoj zgradi, punoj hodnika i tamnih stepenica koje su vodile do nekih soba sa saunama, džakuzijima, vodenim krevetima, ogledalima na zidovima i na plafonu, i radio i televizijskim aparatima, pored kojih je stajala gomila pornografskih videa sa fantazijama za sve moguće ukuse, s akcentom na sadomazohizmu. Osim toga, u jednoj maloj vitrini bili su prezervativi i vibratori različitih dimenzija i oblika, kao duplosavijajući, sa resicama, s velikim glavićem, kao i bogat izbor sadomozohističkih igračaka, bičeva, maski, lisica i lanaca. Kao i u autobusu, na ulicama i u parku, i ovde je čistoća bila preterana, gotovo bolesna. Kada sam ušao u sobu, imao sam osećaj da sam u laboratoriji ili na svemirskoj stanici. Zaista mi je bilo teško da razumem entuzijazam Solomona Toledana, koji je te tehnološke sobe i mini *sex shopove* nazivao rajem zadovoljstava.

Kada sam počeo da svlačim Kuriko, video i dotakao njenu nežnu kožu i osetio njen miris – uprkos mojim naporima da se uzdržim – savladala me je teskoba koja mi je stezala grudi otkako mi je ispričala o svom bezuslovnom prepuštanju Fukudi. Briznuo sam u plač. Pustila me je da plačem prilično dugo, ne rekavši ni reči. Kada sam se pribrao, promrmljao sam nekoliko izvinjenja i osetio da me ponovo miluje po kosi.

– Nismo došli ovamo da budemo tužni – rekla mi je. – Mazi me i reci mi da me voliš, ludo jedna.

Kada smo se oboje svukli, video sam da je zaista mnogo oslabila. Na grudima i na leđima videla su joj se rebra i mali ožiljak na stomaku joj se izdužio. Ali njeni oblici su oduvek bili skladni i njene grudi čvrste. Ljubio sam je polako i dugo po celom telu – fini miris koji je ispuštalo njeno telo kao da je izbijao iz njene utrobe – i šaptao joj ljubavne reči. Ništa mi nije bilo važno. Ni to što ju je opčinio taj Japanac. Užasavala me je pomisao da bi zbog onoga u šta ju je uvukao mogla da završi izrešetana ili u nekom afričkom zatvoru. Ali ja bih pokrenuo i nebo i zemlju da je oslobodim. Zašto, zbog čega da poričem, voleo sam je svakog dana sve više. I voleću je uvek, i ako me vara sa hiljadu Fukuda, jer ona je bila najdelikatnija i najlepša žena na svetu: moja kraljica, moja princezica, moja mučiteljka, moja lažljivica, moja Japankica, moja jedina ljubav. Kuriko je pokrila lice rukom i nije govorila ništa, nije me ni slušala, potpuno usredsređena na svoje zadovoljstvo.

– A sad ono što volim, dobri dečko – naredila mi je na kraju, šireći noge i privlačeći moju glavu prema svom organu.

Ljubio sam ga, sisao, uživao u mirisu iz dubine njene utrobe i to me je činilo srećnim kao ranije. Na nekoliko večnih trenutaka zaboravio sam Fukudu i hiljade avantura koje mi je ispričala, utonuvši u mirno i grozničavo uzbuđenje, gutajući slatke sokove koje sam crpao iz njene utrobe. Kada sam čuo zvuke ushićenja, opkoračio sam je i isto tako teško kao i ranije prodro u nju dok je ona stenjala i mrštila se. Bio sam vrlo uzbuđen, ali uspeo sam da se obuzdam, obuzet vrtoglavim zanosom, dok najzad nisam svršio. Dugo sam je držao pribijenu uz sebe i čvrsto je stiskao. Milovao sam je, zario zube u njenu kosu, u njene savršene uši, poljubio je, molio je da mi oprosti što nisam mogao duže da izdržim.

– Postoji jedan lek da ne svršavaš tako brzo, da održiš erekciju vrlo dugo, satima – rekla mi je na kraju, na uho, onim negdašnjim nestašnim glasićem. – Znaš šta? Ne, šta ti znaš o takvim stvarima, nevinašce! Jedan prah koji se pravi od mlevenih slonovskih kljova i rogova nosoroga. Nemoj da se smeješ, nije magija, to je istina. Pokloniću ti jednu bočicu da je poneseš u Pariz kao uspomenu od mene. Upozoravam te da u celoj Aziji vrede pravo bogatstvo. Tako ćeš da se sećaš Kuriko svaki put kad spavaš s nekom Francuskinjom.

Podigao sam glavu s njenog vrata da joj pogledam lice: bila je vrlo lepa tako bleda, s tim plavičastim podočnjacima i klonula od ljubavi.

– Je li to ono što krijumčariš na putovanjima po Aziji i Africi? Afrodizijake napravljene od slonovskih kljova i rogova nosoroga da varaš neoprezne? – pitao sam je, tresući se od smeha.

– To je najbolji posao na svetu, iako ne veruješ – i nju je spopao smeh. – Za to su krivi ekolozi zbog kojih je zabranjen lov na slonove, nosoroge i šta ja znam na koliko drugih životinja. Sad te kljove i rogovi u ovim zemljama koštaju boga pitaj koliko. Prenosim još neke stvari o kojima nemam nameru da ti govorim. Ali je veliki Fukudin biznis to. A sada moram da idem, dobri dečko.

– Nemam nameru da se vraćam u Pariz – upozorio sam je dok sam gledao u njena naga leđa; na vrhovima prstiju išla je u kupatilo. – Ostaću da živim u Tokiju, i ako ne mogu da ubijem

Fukudu, zadovoljiću se da budem tvoj pas, kao što si ti pas tog gangstera.

– Av, av – zalajala je Čileankica.

Kada sam se vratio u hotel, našao sam poruku od Micuko. Htela je da me vidi nasamo zbog nečeg hitnog. Da li bih mogao da je pozovem u kancelariju sutra rano ujutro?

Pozvao sam je čim sam ustao i uz beskrajne japanske ljubaznosti, Terdžumanova prijateljica me je zamolila da pre podne popijemo kafu u hotelu *Hilton*, jer je htela da mi saopšti nešto važno. Čim sam spustio slušalicu, zazvonio je telefon. To je bila Kuriko. Ispričala je Fukudi da je njen stari prijatelj Peruanac u Tokiju i šef Jakuze me je to veče, zajedno sa Terdžumanom i njegovom devojkom, pozvao kod njega na piće, a zatim na večeru i šou, na najpoznatiji mjuzikl u Ginzi. Jesam li dobro čuo?

– I osim toga, rekla sam mu da ću te ovih dana voditi u obilazak grada. Nije imao ništa protiv.

– Vrlo velikodušno, vrlo galantno – odgovorio sam joj, ljut zbog onoga što mi je upravo ispričala. – Ti da tražiš dozvolu od nekog muškarca! Ne mogu da te prepoznam, nevaljala devojčice.

– Naterao si me da pocrvenim – prošaputala je malo zbunjena. – Mislila sam da ćeš biti srećan, znajući da ćemo moći da se viđamo svakog dana dok si u Tokiju.

– Ljubomoran sam. Zar nisi shvatila? Ranije mi nije bilo važno jer tvoji ljubavnici i muževi ni tebi nisu bili važni. Ali ovaj Japanac ti je važan. Nije trebalo nikada da mi kažeš da on može da radi s tobom šta hoće. Taj udarac nožem u srce pratiće me do groba.

Nasmejala se kao da sam ispričao neku šalu.

– Sada nemam vremena za tvoje banalnosti, dobri dečko. Ja ću da ti odagnam ljubomoru. Spremila sam odličan program za ceo dan, videćeš.

Zamolio sam je da u podne dođe po mene u kafe *Hiltona* i otišao sam na sastanak sa Micuko. Kada sam stigao, ona je već bila tamo i pušila. Izgledala je vrlo nervozna. Ponovo mi se izvinjavala što se usudila da me zove, ali, rekla mi je, nije imala kome da se obrati, „situacija je postala vrlo teška i ne znam šta da radim". Možda bih ja mogao da je posavetujem.

– Misliš na tvoj odnos sa Solomonom? – pitao sam je, podozrevajući šta sledi.

– Ja sam mislila da će to naše biti mali flert – potvrdila je, istovremeno ispuštajući dim kroz nos i na usta. – Jedna prijatna, prolazna avantura, od onih što te ne obavezuju. Ali Solomon to ne shvata tako. Hoće ovo da pretvori u vezu za ceo život. Insistira da se venčamo. Ja neću nikada više da se udajem. Već sam prošla kroz jedan bračni neuspeh i znam káko je to. Osim toga, imam karijeru pred sobom. Zaista me izluđuje svojom tvrdoglavošću. Ne znam šta da radim da to već jednom prestane.

Nije me radovalo što su mi se sumnje potvrdile. Terdžuman je sagradio kule u vazduhu i doživeće najveće razočaranje u životu.

– Kako ste vi veliki prijatelji i on te toliko poštuje, mislila sam, eto, nadam se da ti ne smeta, mislila sam da bi mogao da mi pomogneš.

– Ali na koji način mogu da ti pomognem, Micuko?

– Da razgovaraš s njim. Da mu objasniš. Da ja nikada neću da se udam za njega. Da neću, niti mogu da nastavim ovaj odnos onako kako on insistira. Zaista, guši me, opterećuje me. Ja imam mnogo odgovornosti u kompaniji i ovo se odražava na moj posao. Meni je trebalo mnogo da doguram dovde u *Micubišiju*.

Izgledalo je kao da su se svi pušači Tokija skupili u bezličnom kafeu hotela *Hilton*. Oblačići dima i snažan miris duvana ispunjavali su lokal. Skoro za svakim stolom čuo se engleski. Bilo je isto toliko stranaca koliko i Japanaca.

– Veoma mi je žao, Micuko, ali neću to uraditi. To nije stvar u koju treba da se mešaju treće osobe, nego nešto između tebe i njega. Moraš da razgovaraš s njim otvoreno i što pre. Jer Solomon je vrlo zaljubljen u tebe kao što nikada ranije nije bio ni u koga, i ima velika očekivanja. On veruje da i ti njega voliš.

Ispričao sam joj ponešto od onoga što mi je Terdžuman govorio o njoj u svojim pismima. Kako ga je poznanstvo s njom navelo da na ljubav gleda drukčije nego pre, kada je bio uslovljen dalekim mladalačkim iskustvom iz Berlina jer ga je verenica, Poljakinja, ostavila usred priprema za svadbu. Primetio sam da je to što sam joj pričao nimalo nije ražalostilo: mora da je već bila sita jadnog Terdžumana.

– Ja razumem tu devojku – prokomentarisala je ledeno. – Tvoj prijatelj može da bude, ne znam kako to da kažem na engleskom, naporan, dosadan. Ponekad kada smo zajedno, osećam se kao u zatvoru. Ne ostavlja mi nimalo prostora da budem ono što jesam, da dišem. Hoće stalno da me dodiruje, iako sam mu objasnila da ovde u Japanu nisu uobičajeni javni izlivi osećanja.

Govorila je tako da sam ubrzo pomislio da je problem još ozbiljniji: Micuko su toliko preseli Terdžumanovi poljupci i pipkanja pred svima, i ko zna kako ju je još spopadao nasamo, da je počela da ga mrzi.

– Onda, misliš da treba da razgovaram s njim?

– Ne znam, Micuko, nemoj da me teraš da ti dajem savet o nečemu što je toliko lično. Jedino želim da moj prijatelj pati što je manje moguće. I mislim da je, ako nećeš da nastaviš s njim, ako si rešila da prekineš, bolje da to uradiš što pre. Kasnije će biti gore.

Kada se pozdravila uz nova izvinjenja i učtivosti, bilo mi je neprijatno i mučno. Više bih voleo da nisam vodio taj razgovor sa Micuko, da nisam saznao da će se moj prijatelj surovo probuditi iz sna u kojem je živeo i da će se vratiti u grubu stvarnost. Srećom, nisam morao dugo da čekam: Kuriko se pojavila na ulazu u kafe i pošao sam prema njoj, srećan što ću izaći iz te zadimljene rupe. Nosila je šeširić i mantil od istog svetlog, kariranog materijala, pantalone od tamnog flanela, džemper boje granata sa rol-kragnom i sportske mokasine. Lice joj je bilo svežije i mlađe nego prethodnog dana. Devojčurak od četrdesetak godina. Bilo mi je dovoljno da je vidim pa da mi se popravi raspoloženje. Sama mi je pružila usne da ih poljubim, što obično nije radila; uvek sam ja bio taj koji je tražio njena usta.

– Dođi, hajdemo, odvešću te u šintoističke hramove, najlepše u Tokiju. U svima ima slobodnih životinja, konja, petlova, golubova. Smatraju da su sveti, da su reinkarnacije. A sutra, da vidiš budističke zen hramove, i njihove vrtove sa stenama i peskom koji sveštenici čiste grabuljama i menjaju svaki dan. I oni su divni.

To je bio dan intenzivne jurnjave. Penjao sam se i izlazio iz autobusa, iz aerodinamičnog metroa, ponekad iz taksija. Ulazio sam i izlazio iz hramova i pagoda i iz jednog ogromnog muzeja gde su bile imitacije peruanske prekolumbovske keramike, jer – pisalo je na jednom plakatu – institucija, poštujući zabranu da se iz Perua iznose arheološke dragocenosti, nije izlagala originalne predmete. Ali ne verujem da sam posvetio veću pažnju onome što sam gledao jer je mojih pet čula bilo usredsređeno na Kuriko, koja me je skoro sve vreme držala za ruku i bila neobično nežna. Zbijala je šale i koketirala i smejala se bez ustezanja, sjajnih očiju, svaki put kada mi je na uho tražila „A sada još jednu banalnost, dobri dečko“, i ja sam joj činio po volji. Rano po podne seli smo za jedan izdvojen stočić u kafeu Antropološkog muzeja da pojedemo sendvič. Skinula je karirani šeširić i namestila kosu. Bila je vrlo kratka i video joj se ceo profinjeni vrat, na kojem se nazirala zelena krivudava linija jedne vene.

– Svako ko te ne zna rekao bi da si zaljubljena u mene, nevaljala devojčice. Mislim da nikada, otkako sam te upoznao u Mirafloresu kao Čileankicu, nisi bila ovako nežna.

– Možda sam se zaljubila u tebe i nikako da shvatim – rekla mi je, prelazeći mi rukom po kosi i približavajući mi lice, da vidim kako su joj oči ironične i drske. – Šta bi radio kada bih ti rekla da jesam i da možemo zajedno da živimo?

– Dobio bih infarkt i srušio bih se na licu mesta. Je l' jesi, Kuriko?

– Zadovoljna sam jer možemo da se viđamo svakog dana dok si u Tokiju. Brinulo me je kako da izvedem da te viđam svaki dan. Zbog toga sam se usudila da to ispričam Fukudi. I vidiš kako je dobro ispalo.

– Velikodušni gangster ti je dao dozvolu da svom zemljaku pokažeš čari Tokija. Mrzim tvog prokletog šefa Jakuze. Više bih voleo da ga ne upoznam, da ga nikada ne vidim. Večeras će mi biti užasno kada te vidim s njim. Mogu li da ti nešto zamolim? Nemoj da ga dodiruješ, nemoj da ga ljubiš preda mnom.

Kuriko je počela da se smeje i poklopila mi usta rukom.

– Ćuti, budalo, on nikad ne bi učinio takve stvari, niti sa mnom, niti bilo s kim. Nijedan Japanac to ne bi uradio. Ovde postoji velika razlika između toga šta se radi javno, a šta privatno, i ono što je za nas najprirodnije, njih šokira. On nije kao ti. Fukuda me tretira kao svoju službenicu. Ponekad kao svoju kurvu. Ti si me, naprotiv, što jeste – jeste, uvek tretirao kao princezu.

– Sada ti govoriš banalnosti.

Uhvatio sam joj lice rukama i poljubio ga.

– Nije trebalo ni da mi kažeš da te taj Japanac tretira kao svoju kurvu – prošaputao sam joj na uho. – Zar ne vidiš da je to isto kao da me živog dereš?

– Nisam ti to rekla. Zaboravimo to, obrišimo.

Fukuda je živeo u četvrti udaljenoj od centra, u stambenom kvartu gde su se zgrade od šest i osam spratova, vrlo moderne, smenjivale s tradicionalnim kućicama sa krovom od crepa i sićušnim baštama, koje su izgledale kao da ih umalo nisu zgnječili visoki susedi. Imao je stan na šestom spratu jedne zgrade sa uniformisanim portirom, koji me je dopratio do lifta. Ovaj se otvarao u samom stanu i posle malog golog hodnika pojavila se prostrana trpezarija s velikim prozorom kroz koji se video beskrajni plašt titravih svetlosti, pod nebom bez zvezda. Dnevna soba je bila oskudno nameštena i na zidovima su stajali tanjiri od plave keramike, na policama neke polinezijske skulpture i na jednom niskom i dugačkom stolu predmeti izrezbareni od slonove kosti. Micuko i Solomon su već bili tamo, sa čašama šampanjca u ruci. Nevaljala devojčica je nosila dugu haljinu boje senfa koja joj je otkrivala ramena, i zlatni lančić oko vrata. Bila je našminkana kao za neku posebnu priliku, a kosu je podigla i razdelila. Frizura koju nikada ranije nisam video na njoj isticala je njen istočnjački izgled. Više nego ikada moglo se pomisliti da je Japanka. Poljubila me je u obraz i na španskom rekla gospodinu Fukudi:

– Ovo je Rikardo Somokursio, prijatelj o kojem sam ti pričala.

Gospodin Fukuda je napravio uobičajeni naklon, japanski pozdrav. I na prilično razumljivom španskom pozdravio me je ovako, pružajući mi ruku:

– Šef Jakuze vam želi dobrodošlicu.

Šala me je potpuno zbunila, ne samo zato što je nisam očekivao – nisam mogao zamisliti da bi Kuriko mogla da mu ispriča ono što sam govorio o njemu – već i zato što se gospodin Fukuda šalio – šalio? – bez osmeha, s istim bezizraznim i neutralnim, uvoštenim licem koje je zadržao cele večeri. Lice koje je izgledalo kao maska. Kada sam zaustio da mu kažem: „Ah, vi govorite španski", odmahnuo je glavom i od tog trenutka govorio je samo na sporom i teškom engleskom, ono malo što je uopšte govorio. Pružio mi je čašu šampanjca i pokazao mi je da sednem pored Kuriko.

Bio je nizak čovek, još niži od Solomona Toledana, toliko mršav da je u poređenju s vitkom i sitnom nevaljalom devojčicom izgledao kao prut. Zamišljao sam ga toliko drukčije da sam imao utisak da se nalazim pred varalicom. Nosio je tamne naočari s okruglim staklima i metalnim ramom, koje nije skinuo celo veče, što je povećavalo neprijatnost koju mi je prouzrokovala njegova ličnost, jer nisam znao da li me njegove okice

– zamišljao sam ih hladnim i ratobornim – posmatraju ili ne. Imao je sedu kosu, prilepljenu uz lobanju, možda briljantinom, i očešljanu unazad, u stilu argentinskih pevača tanga iz pedesetih godina. Nosio je tamno odelo i kravatu, koji su mu davali izvestan grobljanski izgled, i mogao je dugo da sedi nepomično i nemo, s malim rukama na kolenima, kao skamenjen. Ali možda su najistaknutija crta njegovog fizičkog izgleda bila usta bez usana, koja su se, kada je govorio, jedva pomerala, kao kod trbuhozboraca. Bio sam tako napet i bilo mi je toliko neprijatno da sam, uprkos svom običaju – nikad nisam mogao da pijem mnogo jer mi je alkohol brzo udarao u glavu – te večeri popio suviše. Kada je gospodin Fukuda ustao, pokazujući na taj način da treba da krenemo, već sam popio tri čaše šampanjca i počelo je da mi se vrti u glavi. I bez ikakve veze s konverzacijom koju je Terdžuman vodio takoreći sam sa sobom, na temu regionalnih varijanti japanskog koje je počinjao da razlikuje, zapanjeno sam se upitao: „Šta to ima ovaj beznačajni i stari čovečuljak da nevaljala devojčica tako priča o njemu?" Šta joj je govorio, šta joj je radio da bi rekla da je on njen porok, njena bolest, da ju je poseo, da može da radi od nje šta hoće? Kako nisam nalazio odgovor, osećao sam sve veću ljubomoru, sve veći bes, sve više prezira prema samom sebi i proklinjao sam sebe što sam počinio bezumlje da dođem u Japan. Pa ipak, sekund kasnije, dok sam je ispod oka posmatrao, rekoh sebi da sam je samo jednom, onda na balu u pariskoj Operi, video tako poželjnu kao te večeri.

Ispred zgrade su čekala dva taksija. Kuriko i ja smo išli sami jer je tako zapovednim gestom odredio gospodin Fukuda, koji je ušao u drugi taksi sa Terdžumanom i Micuko. Čim smo krenuli, osetio sam kako me nevaljala devojčica uzima za ruku i stavlja je među noge da je dodirnem.

– Zar nisi rekla da je vrlo ljubomoran? – rekao sam, pokazujući na drugi taksi koji nas je preticao. – Kako te pušta da ideš sama sa mnom?

Ona se pravila luda.

– Nemoj da praviš takvu facu, ludo – rekla mi je. – Onda me, znači, više ne voliš?

– Mrzim te – rekao sam joj. – Nikada nisam bio tako ljubomoran kao sada. Znači ovaj patuljak, ova nakaza od čoveka, sada je velika ljubav tvog života?

– Prestani da pričaš gluposti i bolje me poljubi.

Obavila mi je ruke oko vrata, ponudila mi svoja usta i osetio sam kako se vrh njenog jezika preplíće s mojim. Pustila je da je dugo ljubim i odgovarala je veselo na moje poljupce.

– Volim te, do đavola, želim te, volim te – zapomagao sam joj na uho. – Pođi sa mnom, Japankice, dođi, kunem ti se da ćemo biti vrlo srećni.

– Pazi, već stižemo – rekla je. Udaljila se od mene, izvadila papirnu maramicu iz tašne i dotakla usta. – Obriši usne, ostavila sam ti malo karmina.

Pozorište-restoran bio je *music hall* sa ogromnom binom i stolovima i stočićima postavljenim na kosini koja se otvarala kao lepeza, ispod ogromnih kandelabra koji su bacali moćnu svetlost na ogromni lokal. Sto koji je Fukuda rezervisao bio je prilično blizu bine i odatle je pogled bio fantastičan. Predstava je počela gotovo odmah čim smo došli. Evocirala je velike uspehe Brodveja; bilo je tu parodija, imitacija, stepovanja i drugih plesnih tačaka mnogobrojne igračke trupe. Bilo je takođe tačaka sa klovnovima, mađioničarima, akrobatama i pesmama na engleskom i japanskom. Voditelj je izgleda znao skoro isto toliko jezika kao Terdžuman, mada ih je, po njegovom mišljenju, sve govorio loše.

I ovoga puta gospodin Fukuda je naredbodavno pokazao gde ćemo sesti. Mene je ponovo smestio pored Kuriko. Čim su se svetla ugasila – sto je ostao osvetljen samo nekim sijalicama polusakrivenim u cvetnim aranžmanima – osetio sam nogu nevaljale devojčice na mojoj. Pogledao sam je i ona je s najprirodnijim izgledom na svetu razgovarala sa Micuko na japanskom koji je, sudeći po naporu Micuko da je razume, verovatno bio isto tako neprecizan kao njen francuski i engleski. Bila je vrlo lepa, u tom polumraku, sa svojom glatkom kožom, pomalo bledom, svojim okruglim ramenima, visokim vratom, okicama boje meda punim sjaja i upečatljivim usnama. Izula se da bih osetio kako se njeno stopalo, koje je tokom skoro cele večere bilo na mom, povremeno pokreće, trlja mi nožni članak i daje mi na znanje da je tu, da zna šta radi, izazivajući svog gazdu i gospodara. Ovaj je dostojanstveno posmatrao predstavu ili je razgovarao sa Terdžumanom, jedva pomerajući usta. Samo se jednom, mislim, obratio meni da me na engleskom pita kako idu stvari u Peruu i da li poznajem ljude iz tamošnje japanske kolonije, koja je očigledno bila prilično velika. Odgovorio sam mu da već godinama nisam bio u Peruu i da ne znam mnogo šta se dešava u zemlji u kojoj sam se rodio. I da nisam upoznao nijednog peruanskog Japanca, mada jeste, bilo ih je mnogo, jer je Peru, posle Brazila, bio druga zemlja na svetu koja je otvorila svoje granice japanskoj imigraciji krajem 19. veka.

Večera je već bila naručena i jela su se smenjivala u nedogled: vrlo dobro prezentovane i prilično neukusne minijature povrća, plodova mora i mesa. Ja sam ih jedva probao, iz obaveze. Sa druge strane, popio sam nekoliko sićušnih porcelanskih šoljica toplog i sladunjavog sakea koji nam je gangster služio. Gotovo sam se ošamutio pre nego što se završio prvi deo predstave, ali mi je barem prošla nelagodnost koju sam osećao na početku. Kada su se upalila svetla, na moje iznenađenje, bosa nožica nevaljale devojčice i dalje je bila na istom mestu i dodirivala me. Pomislio sam: „Zna da sam užasno ljubomoran i pokušava da se za to iskupi.“ Već jeste: svaki put kada sam se, nastojeći da ne odam ono što osećam, okretao da je pogledam, govorio sam sebi da je nikada nisam video tako lepu i tako poželjnu. Na primer, to malo uho bilo je čudo minimalističke arhitekture, sa blagim krivinama i blagim ispupčenjem gornjeg dela resice.

U jednom trenutku došlo je do malog incidenta između Solomona i Micuko, za koji ne znam kako je počeo. Ona je odjednom ustala i otišla ne pozdravivši se ni sa kim i bez ikakvog objašnjenja. Terdžuman je u jednom skoku ustao i krenuo za njom.

– Šta se desilo? – pitao sam gospodina Fukudu, ali ovaj me je posmatrao nepromenjenog izraza, ne govoreći ništa.

– Ona ne voli da je javno dodiruju i ljube – rekla je Kuriko.

– Tvoj prijatelj ne može da drži ruke na mestu. Micuko samo što ga nije ostavila. Rekla mi je.

– Ako ga ostavi, Solomon će da umre. Zaljubljen je u Micuko do ušiju. Zacopan.

Nevaljala devojčica se nasmejala, otvorenih usta sa punim usnama, koje su joj sada bile crvene od šminke:

– Zaljubljen do ušiju! Zacopan! – ponovila je. – Čitavu večnost nisam čula te smešne izraze. Da li se još tako govori u Peruu ili koriste druge reči za zaljubljenost?

I prelazeći sa španskog na japanski, počela je da objašnjava Fukudi šta znače ti izrazi. On ju je slušao, krut i nedokučiv. Povremeno je kao marioneta uzimao svoju čašu, prinosio je ustima ne gledajući je, ispijao gutljaj i vraćao je na sto. Nešto kasnije, Terdžuman i Micuko su se neočekivano vratili. Pomirili su se, smeškali se i držali za ruke.

– Ništa bolje od svađe da održi ljubav – rekao mi je Solomon, sa osmehom zadovoljnog čoveka, namigujući mi. – Ali muškarac treba ponekad da kazni ženu da mu se ne popne na glavu.

Na izlasku su ponovo čekala dva taksija i kao kada smo dolazili, gospodin Fukuda je jednim pokretom rešio da Kuriko i ja uđemo sami u jedan od njih. On je otišao sa Solomonom i Micuko. Mrski Japanac je počeo da mi biva simpatičan zbog privilegija koje mi je davao.

– Pusti me bar da ponesem cipelicu s noge kojom si me celo veče dirala. Spavaću s njom, kad već ne mogu sa tobom. I čuvaću je zajedno s četkicom za zube marke gerlen.

Ali na moje iznenađenje, kada smo došli do Fukudine zgrade, Kuriko me je, umesto da se oprosti sa mnom, uhvatila za ruku i pozvala da se popnem s njom u stan da popijemo još po jedno piće. U liftu sam je očajnički ljubio. Govorio sam da joj nikada neću oprostiti što je tako lepa upravo te noći kada sam otkrio da su njene male uši čudesne minimalističke kreacije. Obožavao sam ih i voleo bih da ih odsečem, balzamujem i nosim ih po svetu u džepu od sakoa, blizu srca.

– Nastavi, nastavi sa svojim banalnostima, fićfiriću – videlo se da je polaskana, vesela, vrlo sigurna u sebe.

Fukuda nije bio u sobi. „Idem da vidim da li je došao", promrmljala je nakon što mi je sipala čašu viskija s ledom. Odmah se vratila, blistava, provokativnog izraza:

– Nije došao. Dobio si na lutriji, dobri dečko, to znači da neće ni doći. Provešće noć napolju.

Nije izgledala mnogo ožalošćena što ju je njena bolest, njen porok napustio. Naprotiv, kao da ju je vest obradovala. Objasnila mi je da je Fukuda tako odjednom nestajao posle neke večere ili posle bioskopa, ne govoreći ništa. I da joj sledećeg dana, kad bi se vratio, nije davao ni najmanje objašnjenje.

– Hoćeš da kažeš da će provesti noć sa drugom ženom? Ima u kući najlepšu ženu na svetu, a imbecil je u stanju da provede noć sa drugom?

– Nemaju svi muškarci tako dobar ukus kao ti – rekla je Kuriko, sedajući mi na kolena i grleći me oko vrata.

Dok sam je grlio i milovao i ljubio u vrat, u ramena, u uši, mislio sam kako nije moguće da su sudbina, ili bogovi, ili šta već bilo, toliko velikodušni prema meni, da su oterali šefa Jakuze i udelili mi toliku sreću.

– Jesi li sigurna da se neće vratiti? – upitao sam je u jednom trenutku u napadu lucidnosti.

– Ne, znam ga, ako nije došao, znači da će provesti noć napolju. Zašto, Rikardito? Je l' se plašiš?

– Ne, ne plašim se. Ako mi danas tražiš da ga ubijem, ubiću ga. Nisam nikada u životu bio toliko srećan, Japankice. A ti nisi bila nikada tako lepa kao večeras.

– Dođi, dođi.

Pratio sam je odupirući se vrtoglavici. Predmeti u sobi su se pomerali oko mene kao na usporenom filmu. Bio sam toliko srećan da sam, kada sam prolazio pored velikog prozora kroz koji se video grad, pomislio da ću, ako otvorim prozor i bacim se u vazduh, lebdeti kao pero iznad tog beskrajnog plašta svetlosti. Hodnik u senci sa erotskim grafikama na zidovima. Soba u polumraku, s tepihom, u kojoj sam se spotakao i pao na veliki i mekan krevet sa mnogo jastuka. Iako nisam tražio, Kuriko je počela da se svlači. Kada je završila, pomogla mi je da učinim isto.

– Šta čekaš, šašavko?

– Jesi li sigurna da se neće vratiti?

Umesto da mi odgovori, pribila se uz mene, obavila me svojim malim telom, potražila mi usta i ovlažila ih svojim. Nikada nisam bio tako uzbuđen, tako dirnut, tako srećan. Da li se to stvarno dešavalo? Nevaljala devojčica nikada nije bila tako vrela, tako puna žara, nikada u krevetu nije bila toliko preduzimljiva. Uvek je imala pasivno, gotovo ravnodušno držanje, kao da se miri sa sudbinom, i ljube je, miluju i vole, dok ona, sa svoje strane, ništa ne čini. Sada je ona bila ta koja me je ljubila i grickala po celom telu i začuđujuće spremno i odlučno odgovarala na moja milovanja. „Ne želiš da ti radim ono što voliš?“, promrmljao sam. „Prvo ja tebi“, odgovorila mi je, gurnuvši me nežno kako bih legao na leđa i raširio noge. Čučnula je između mojih kolena i prvi put otkako smo vodili ljubav u onoj *chambre de bonne* hotela *Senat*, učinila je ono što sam je toliko puta molio i nikada nije htela: stavila je moj ud u usta i sisala ga. Čuo sam sebe kako stenjem od neizmernog zadovoljstva, koje me je malo-pomalo raščinjavalo, atom po atom, pretvarajući me u čisto čulo, u muziku, u pucketavi plamen. Onda sam, u jednom od tih sekundi ili minuta čudesne napetosti, kada sam osećao da je celo moje biće svedeno na to parče zahvalnog mesa koje je nevaljala devojčica lizala, ljubila, sisala i upijala, dok su mi njeni prstići milovali testise, ugledao Fukudu.

Bio je napola pokriven senkom, pored velikog televizora, kao izolovan mrakom u tom uglu spavaće sobe, na dva-tri metra od kreveta na kojem smo Kuriko i ja vodili ljubav; sedeo je na nekoj stolici ili klupici, nepokretan i nem kao sfinga, sa svojim večnim tamnim naočarima, kao gangster iz filma, s rukama na šlicu.

Uhvativši je za kosu, naterao sam nevaljalu devojčicu da ispusti iz usta moj ud – čuo sam kako se žali zbog trzaja – i potpuno smeten od iznenađenja, straha i zbunjenosti, rekao sam joj na uho, vrlo tiho i glupo: „Ali, eno ga Fukuda, eno ga.“ Umesto da skoči sa kreveta, napravi užasnut izraz, potrči, poludi, viče, načas je oklevala i počela da okreće glavu prema tom uglu, ali onda se pokajala i tada sam video kako radi jedino što nikada ne bih posumnjao niti poželeo: zagrlila me je i priljubivši se uz mene svom snagom kako bi me prikovala uz krevet, potražila je moja usta i grickala me, ostavljala u njima ostatke pljuvačke i sperme i govorila mi, očajnički, brzo, neraspoloženo:

– Šta te briga da li je tu ili nije, šašavko? Zar ne uživaš, zar ti ne pružam užitak? Nemoj da ga gledaš, zaboravi na njega.

Paralisan od zapanjenosti, sve sam shvatio: Fukuda nas nije iznenadio, bio je tamo u dogovoru s nevaljalom devojčicom, uživajući u predstavi koju su njih dvoje pripremili. Upao sam u zasedu. Čudne stvari koje su se dešavale postajale su jasne, Japanac ih je pažljivo isplanirao, a ona ih izvršila, potčinjena njegovim naređenjima i željama. Shvatio sam zbog čega je Kuriko ta dva dana bila toliko srdačna prema meni, a posebno te noći. Ni zbog mene ni zbog sebe, već zbog njega. Da zadovolji svog gospodara. Da njen gazda uživa. Srce mi je kucalo kao da hoće da iskoči iz grudi i jedva sam mogao da dišem. Prestala mi je vrtoglavica i osetio sam kako se moj mlohavi ud povlači, smanjuje, kao postiđen. Jednim potezom sam je odgurnuo i počeo da ustajem, dok me je ona zadržavala vičući:

– Ubiću te, kurvin sine! Proklet bio!

Ali Fukuda više nije bio ni u onom ćošku, ni u sobi, i nevaljala devojčica je sada promenila raspoloženje i vređala me je; glas i lice su joj se izobličili od besa:

– Šta ti je, idiote! Zašto praviš ovaj skandal! – udarala me je po licu, po grudima, gde god je mogla, obema rukama. – Nemoj da si smešan, ne budi seljak. Uvek si bio i bićeš jadnik, šta se drugo moglo očekivati od tebe, paceru!

U polumraku, dok sam pokušavao da je sklonim, tražio sam na podu svoju odeću. Ne znam kako sam je pronašao, ni kako sam se obukao i obuo, ni koliko je potrajala ta groteskna scena. Kuriko je prestala da me udara, ali je sedela na krevetu, histerično vrištala, uz jecaje i uvrede:

– Jesi li mislio da ću ovo da uradim za tebe, bedniče, budalo jedna? Pa ko si ti, šta misliš ko si? Umro bi kad bi znao koliko te prezirem, koliko te mrzim, kukavice.

Na kraju sam se obukao i gotovo trčeći vratio se hodnikom sa erotskim grafikama, priželjkujući da me u dnevnoj sobi čeka Fukuda sa revolverom u ruci i sa dvojicom telohranitelja naoružanih batinama, jer bih i tada jurnuo na njega pokušavajući da mu strgnem one grozne naočari i da ga pljunem, da me što pre ubiju. Ali ni u dnevnoj sobi ni u liftu nije bilo nikoga. Dole, pred vratima zgrade, drhteći od hladnoće i besa, morao sam dugo da čekam taksi koji mi je pozvao livrejisani portir.

U hotelskoj sobi sam se obučen ispružio na krevet. Bio sam umoran, ranjen i uvređen i nisam imao volje ni da se skinem. Satima sam ležao ne razmišljajući ni o čemu, budan, osećajući se kao ljudsko đubre prožeto glupom nevinošću, kao naivna budala. Sve vreme sam sebi kao mantru ponavljao: „Ti si kriv, Rikárdo. Znao si je. Znao si na šta je spremna. Nikad te nije volela, uvek te je prezirala. Zašto plačeš, paceru? Na šta se žališ, čega ti je žao, idiote, imbecilu, budalo? To si ti, sve ono što ti je rekla i još više. Trebalo bi da si srećan i – kako kažu mangupi, oni moderni, oni pametni – da kažeš sebi da je bilo po tvome. Zar je nisi kresnuo? Zar ti ga nije popušila? Nisi joj svršio u usta? Šta još hoćeš? Šta te briga što je onaj rahitični Jakuza bio tamo i gledao kako tucaš njegovu kurvu. Šta te briga za ono što se desilo. Ko te je terao da se zaljubiš u nju? Ti si kriv za sve i niko više, Rikardito.“

Kada je svanulo, obrijao sam se, okupao, spakovao kofer i pozvao *Džipen erlajns* da ubrzam svoj povratak u Pariz, koji je obavezno morao da ide preko Koreje. Našao sam mesto u podnevnom avionu za Seul, tako da sam taman imao vremena da stignem na aerodrom Narita. Pozvao sam Terdžumana da se pozdravim i objasnio mu da hitno moram da se vratim u Pariz zbog jednog dobrog posla koji su mi upravo ponudili. Iako sam sve učinio da ga odgovorim, on je insistirao da me isprati.

Kada sam bio na recepciji i plaćao račun, pozvali su me telefonom. Čim sam čuo glas nevaljale devojčice kako govori: „Halo, halo“, spustio sam slušalicu. Izašao sam na ulicu da sačekam Terdžumana. Uzeli smo autobus koji je skupljao putnike iz raznih hotela, tako da nam je trebalo više od sat vremena da stignemo do Narite. Tokom puta moj prijatelj me je pitao da li sam imao neki problem sa Kuriko ili Fukudom i ja sam ga uveravao da nisam, da je uzrok mog munjevitog odlaska taj sjajan posao koji mi je faksom ponudio gospodin Čarnes. Nije mi poverovao, ali nije navaljivao.

I onda je, prelazeći na svoje stvari, počeo da mi priča o Micuko. Uvek je bio alergičan na brak, smatrao ga je kapitulacijom za svako slobodno biće kao što je on. Ali pošto je Micuko toliko nastojala da se venčaju, a ispostavilo se da je tako fina devojka i bila je tako dobra prema njemu, razmišljao je o tome da žrtvuje svoju slobodu, da joj učini po volji i da se venčaju. „Po šintoističkom obredu ako treba, dragi moj.“

Nisam se usudio čak ni da mu nagovestim kako bi možda bilo najbolje da još malo sačeka pre nego što učini tako važan korak. Dok mi je pričao, duša me je bolela od pomisli koliko će patiti kada se jednog od ovih dana Micuko usudi da mu kaže kako želi da raskine s njim zato što ga ne voli, a počela je čak i da ga mrzi.

Dok sam se na aerodromu pozdravljao s Terdžumanom jer su najavili moj let za Seul, apsurdno sam osetio kako mi udaraju suze na oči kada sam čuo kako mi govori:

– Da li bi pristao da mi budeš svedok na venčanju, dragi moj?

– Naravno, stari, biće mi velika čast.

Stigao sam u Pariz dva dana kasnije kao fizička i moralna ruševina. Za poslednjih četrdeset osam sati nisam oka sklopio, niti pojeo zalogaja. Ali – smišljao sam tu odluku celim putem – takođe sam rešio da ne padnem u očajanje, da pobedim depresiju koja me je izjedala. Znao sam recept. To se rešavalo radom i popunjavanjem slobodnog vremena zahtevnim obavezama, ako već nisu mogle da budu ni kreativne ni korisne. S osećanjem da mi volja vuče telo, zamolio sam gospodina Čarnesa da mi nabavi što više poslova jer sam morao da vratim veliki dug. On je to učinio onako dobronamerno kako se prema meni ophodio otkad sam ga upoznao. Tokom sledećih meseci bio sam vrlo malo u Parizu. Radio sam na konferencijama i skupovima svih vrsta u Londonu, Beču, Italiji, u nordijskim zemljama, i nekoliko puta u Africi, u Kejp Taunu i u Abidžanu. U svim gradovima nakon posla sam išao u gimnastičku salu da se dobro oznojim, da radim trbušnjake, trčim na traci, vozim trenažni bicikl, plivam ili vežbam aerobik. I nastavio sam da za svoj račun usavršavam ruski i prevodim polako, zabave radi, priče Ivana Bunjina, koje su mi se, posle Čehovljevih, najviše dopadale. Kada sam preveo tri, poslao sam ih u Španiju mom prijatelju Mariju Mučniku. „Nastojeći da objavljujem samo remek-dela, već sam upropastio četiri izdavačke kuće", odgovorio mi je. „Čak i ako ti zvuči neverovatno, ubeđujem jednog suicidnog biznismena da mi finansira petu. Tamo ću da objavim tvog Bunjina i čak ću ti platiti prava, koja će ti biti dovoljna za nekoliko belih kafa. Šaljem ti ugovor." Ta stalna aktivnost me je malo-pomalo izvukla iz emocionalnog haosa koji mi je prouzrokovao put u

Tokio. Ali nije mi otklonila neku intimnu tugu, neku duboku razočaranost koja me je dugo pratila kao dvojnik i izjedala kao kiselina svaki polet ili interesovanje koje bih počeo da osećam za nešto ili za nekoga. Mnogo sam puta imao istu gnusnu noćnu moru u kojoj bih u gustom dnu senki video slabunjavu figuru Fukude kako nepomičan na svojoj klupici, bezizrazan kao Buda, masturbira i ejakulira kišu sperme koja pada na nevaljalu devojčicu i na mene.

Posle jedno šest meseci, kada sam se s neke konferencije vratio u Pariz, u Unesku su mi dali pismo od Micuko. U iznajmljenom stančiću u kojem je živeo, Solomon je oduzeo sebi život popivši bočicu sedativa. Njegovo samoubistvo za nju je bilo iznenađenje jer, kada se nešto posle mog odlaska iz Tokija, Micuko, sledeći moj savet, ohrabrila da razgovara s njim i da mu objasni da ne mogu nastaviti zajedno jer ona želi da se u potpunosti posveti svojoj profesiji, Solomon je to vrlo dobro shvatio. Bio je pun razumevanja i nije napravio nikakvu scenu. Održavali su prijateljstvo na distanci, što je bilo neizbežno s obzirom na jurnjavu u Tokiju. Viđali su se povremeno u nekom salonu za čaj ili nekom restoranu i često su razgovarali telefonom. Solomon joj je dao na znanje da, po isteku ugovora sa *Micubišijem*, nema nameru da ga obnovi; vratiće se u Pariz, „gde je imao dobrog prijatelja“. Zbog toga je i nju i sve koji su ga znali zbunila njegova odluka da okonča život. Kompanija je preuzela sve troškove sahrane. Srećom, Micuko u pismu uopšte nije spominjala Kuriko. Nisam joj odgovorio, niti sam joj izjavio saučešće. Samo sam sačuvao pismo u fioci noćnog stočića gde mi je stajao olovni husar kojeg mi je Terdžuman poklonio onog dana kada je otišao u Tokio, kao i četkica gerlen.

V
DEČAK BEZ GLASA

Sve dok Simon i Elena Gravoski nisu došli da žive u art deko zgradu u Ulici Žozefa Granijea, uprkos svim godinama koje sam tamo proveo, nisam stekao prijatelje među susedima. Mislio sam da mi je postao prijatelj mesje Durtua, funkcioner SNCF, francuske železnice, koji je bio oženjen odbojnom penzionisanom učiteljicom žućkaste kose. Živeo je preko puta mene i u hodniku, na stepenicama, ili u holu, razmenjivali smo naklone ili „dobar dan" i komentare o vremenu, večitoj brizi Francuza. Zbog tih kratkih dijaloga počeo sam da mislim da smo prijatelji, ali otkrio sam da nismo jedne večeri kada sam, vrativši se kući posle koncerta Viktorije de los Anheles u pozorištu *Šanzelize*, shvatio da sam zaboravio ključeve od stana. U to doba noći nije bilo bravara koji bi mogao da mi pomogne. Smestio sam se što sam bolje mogao u hodniku i čekao pet sati ujutro, vreme kada je moj tačni sused kretao na posao. Pretpostavio sam da će me, kada me tamo zatekne, pozvati u kuću dok se ne razdani. Ali kada se u pet mesje Durtua pojavio i kad sam mu objasnio zašto sam tamo, samleven od neprospavane noći, on se samo sažalio na mene, pogledao na sat i upozorio me:

– Moraćete da čekate još tri ili četiri sata dok ne otvori neki bravar, *mon pauvre ami*.[60]

---

[60] Franc.: jadni moj prijatelju. (Prim. prev.)

Umirivši tako svoju savest, otišao je. Sa drugim susedima u zgradi ponekad sam se susretao na stepenicama i odmah zaboravljao njihova lica i imena. Ali kada su bračni par Gravoski i njihov usvojeni devetogodišnji sin Jilal došli u zgradu jer se porodica Durtua preselila u Dordonju, sve se promenilo. Simon, belgijski fizičar, radio je kao istraživač u Institutu Paster, a Elena, Venecuelanka, bila je pedijatar u bolnici Košen. Bili su srdačni, simpatični, veseli, radoznali, obrazovani i od dana kada sam ih upoznao, usred selidbe, i ponudio se da im pomognem i dam im informacije o kraju, sprijateljili smo se. Pili smo kafu posle večere, razmenjivali knjige i časopise i ponekad odlazili u obližnji bioskop *Pagod*, ili smo vodili Jilala u cirkus, u Luvr i druge pariske muzeje.

Simon je imao oko četrdeset godina, iako je zbog guste riđe brade i isturenog stomačića izgledao malo stariji. Oblačio se nemarno i nosio je jaknu sa džepovima nabreklim od notesa i papira i veliku torbu punu knjiga. Naočari za kratkovidost često je čistio svojom izgužvanom kravatom. Bio je otelovljenje zapuštenog i rasejanog mudraca. Elena, nešto mlađa, bila je pak koketna i doterana i ne sećam se da sam je ikada video loše volje. Sve u životu ju je radovalo: njen posao u bolnici Košen i njeni mali pacijenti, o kojima je pričala zanimljive anegdote, ali i članak koji je upravo pročitala u *Mondu* ili *Ekspresu*, i spremala se da ide u bioskop ili na večeru u vijetnamski restoran naredne subote kao da ide na dodelu Oskara. Bila je niska, sitna, izražajna i simpatičnost joj je izbijala iz svake pore. Među sobom su govorili na francuskom, ali sa mnom na španskom, kojim je Simon savršeno vladao.

Jilal je rođen u Vijetnamu i to je bilo jedino što su znali o njemu. Usvojili su ga preko Karitasa kada je dečak imao četiri ili pet godina – nisu bili apsolutno sigurni ni u njegovo godište – posle kafkijanske papirologije na kojoj je Simon, u veselim monolozima, zasnivao svoju teoriju o neizbežnoj dezintegraciji čovečanstva usled birokratske gangrene. Nazvali su ga Jilal po nekom Simonovom poljskom pretku, mitskoj ličnosti, koji je, prema mom susedu, bio pogubljen u prerevolucionarnoj Rusiji jer je uhvaćen na delu u preljubi, ništa manje nego sa caricom. Osim što je bio dvorski razvratnik, taj predak je bio kabalistički teolog, mistik, krijumčar, falsifikator novca i šahista. Usvojeni dečak je bio nem. Njegova nemost nije bila prouzrokovana organskim nedostacima – glasne žice su mu bile netaknute – već nekom traumom iz detinjstva, možda nekim bombardovanjem ili nekom drugom užasnom scenom iz vijetnamskog rata, koji je od njega napravio siroče. Pregledali su ga specijalisti i svi su se složili da će s vremenom povratiti moć govora, ali da mu u tom trenutku ne vredi nametati nove tretmane. Terapeutske seanse su ga mučile i kao da su u njegovom povređenom duhu pojačavale želju da se drži ćutanja. Proveo je nekoliko meseci u jednoj školi za gluvoneme, ali su ga ispisali, jer su sami profesori savetovali roditeljima da ga pošalju u normalnu školu. Jilal nije bio gluv. Imao je sluha i muzika ga je zabavljala; pratio je taktove nogom i pokretima ruku ili glave. Elena i Simon su mu se obraćali glasom i on je odgovarao znacima i izrazima, a ponekad i pismeno, na tabli koju je nosio oko vrata.

Bio je mršav i pomalo slabašan, ali ne zato što nije rado jeo. Imao je odličan apetit i kada bih se pojavio kod njih s kutijom čokolada ili kolačima, oči bi mu zasijale i gutao bi slatkiše sa izrazom sreće. Ali izuzev u retkim prilikama, bio je povučen dečak i ostavljao je utisak da se gubi u nekoj sanjivosti koja ga je udaljavala od stvarnosti. Mogao je dugo da gleda u prazno, zatvoren u svoj privatni svet, kao da je sve što ga okružuje nestalo.

Nije bio mnogo umiljat, pre je ostavljao utisak da ga maženje gnjavi i da ga prihvata više ravnodušno nego sa zadovoljstvom. Iz njega je izbijalo nešto blago i krhko. Porodica Gravoski nije imala televizor – još u to vreme mnogi pariski intelektualci smatrali su da televizija ne treba da uđe u njihove domove jer je neprijatelj kulture – ali Jilal nije delio te predrasude i tražio je od roditelja da kupe televizor kao porodice njegovih drugova iz razreda. Ja sam im predložio da, ako uporno smatraju da taj predmet koji osiromašuje duhovni život ne treba da uđe u njihovu kuću, Jilal dolazi povremeno kod mene da odgleda neku fudbalsku utakmicu ili dečji program. Pristali su i od tada je tri-četiri puta nedeljno, nakon što bi uradio domaći zadatak, Jilal prelazio hodnik i dolazio kod mene da pogleda emisiju koju bismo mu njegovi roditelji ili ja predložili. Taj sat koji bi provodio u mojoj dnevnoj sobici, očiju uprtih u mali ekran dok je gledao crtane filmove, neku emisiju sa zagonetkama ili sport, izgledao je kao okamenjen. Njegovi pokreti i izrazi odavali su potpuno prepuštanje slikama. Ponekad je, kad bi se emisija završila, još neko vreme ostajao kod mene i razgovarali bismo. On mi je postavljao pitanja o svemu i svačemu, a ja bih mu odgovarao ili bih mu čitao neku pesmu ili priču iz njegove lektire ili iz moje biblioteke. Zavoleo sam ga, ali sam nastojao da mu to suviše ne pokažem, jer me je Elena upozorila: „Moraš prema njemu da se ponašaš kao prema *normalnom* detetu. Nikada kao prema žrtvi ili prema invalidu, jer ćeš mu naneti veliku štetu." Kada nisam bio u Unesku i kada sam radio van Pariza, ostavljao sam ključ od stana porodici Gravoski da Jilal ne propusti svoje emisije.

Po povratku iz Brisela, s jednog od tih poslovnih putovanja, Jilal mi je pokazao na svojoj tabli sledeću poruku: „Dok si bio na putu, zvala te je nevaljala devojčica." Rečenica je bila napisana na francuskom, ali *nevaljala devojčica* na španskom.

To je bio četvrti put kako me je zvala za dve godine, koliko je prošlo od one epizode u Japanu. Prvi put je zvala tri-četiri meseca nakon mog munjevitog odlaska iz Tokija, kada sam se još borio da se oporavim od onog iskustva koje je u mom sećanju ostavilo ne sasvim zalečenu ranu. Proveravao sam nešto u biblioteci Uneska i bibliotekarka mi je prebacila poziv iz sale za prevodioce. Pre nego što sam rekao „halo", prepoznao sam joj glas:

– Jesi li još ljut na mene, dobri dečko?

Prekinuo sam vezu, osećajući kako mi drhti ruka.

– Loše vesti? – pitala me je bibliotekarka, jedna Gruzijka s kojom sam obično pričao na ruskom. – Kako si prebledeo!

Morao sam da se zatvorim u kupatilo Uneska i da se ispovraćam. Do kraja dana sam bio pometen od tog poziva. Ali doneo sam odluku da neću ponovo da vidim nevaljalu devojčicu, niti da razgovaram s njom, i bio sam rešen da to ostvarim. Samo, tako ću se osloboditi tog tereta koji je uslovio moj život još od dana kada sam, da bih pomogao svom prijatelju Paulu, otišao po tri kandidatkinje za gerilke na aerodrom Orli. Uspevao sam da je zaboravim samo delimično. Posvećen poslu, obavezama koje sam sebi nametao – među kojima je uvek dominiralo usavršavanje ruskog – nekada nedeljama nisam na nju mislio. Ali nešto bi je odjednom vratilo u sećanje i to je bilo kao da mi je neki parazit ušao u utrobu i počeo da mi proždire polet i energiju. Postajao bih utučen i nije bilo načina da izbijem iz glave onu sliku Kuriko kako me obasipa milovanjima sa žarom koji mi nikada ranije nije pokazala, samo da bi zadovoljila svog ljubavnika Japanca, koji nas je, masturbirajući, posmatrao iz senke.

Njen drugi poziv iznenadio me je u hotelu *Zaher* u Beču, tokom jedine avanture za ove dve godine, s jednom koleginicom na konferenciji o atomskoj energiji. Od epizode u Tokiju nisam imao nikakvu seksualnu želju, do te mere da sam se počeo pitati da li sam postao impotentan. Bio sam se gotovo navikao da živim bez seksa kada mi je danska prevoditeljka Astrid, istog dana kada smo se upoznali, s razoružavajućom prirodnošću predložila: „Ako hoćeš, večeras možemo da se vidimo.“ Bila je visoka, riđokosa, atletski građena, lišena bilo kakvih problema, imala je tako svetle oči da su izgledale tečne. Otišli smo da večeramo *tafelspitz*[61] s pivom u zasvođenom kafeu *Central* u Pale Ferštelu u Ulici Herengase, sa stubovima kao u turskoj džamiji i stolovima od crvenkastog mermera, a zatim smo sasvim spontano otišli da vodimo ljubav u luksuznom hotelu *Zaher*, gde smo oboje bili

---

[61] Nem.: kuvano jelo od goveđeg mesa i povrća. (Prim. prev.)

smešteni, jer je hotel davao značajan popust učesnicima konferencija. Bila je još uvek privlačna, iako su godine počinjale da ostavljaju neke tragove na njenom vrlo belom telu. Dok je vodila ljubav, osmeh joj nije silazio s lica, čak ni u trenutku orgazma. Uživao sam, ona takođe, ali činilo mi se da je taj način vođenja ljubavi, tako zdrav, imao više veze s gimnastikom nego s onim što je pokojni Solomon Toledano u jednom od svojih pisama zvao „uzbudljivo i lascivno zadovoljstvo polnih žlezda". Drugi, poslednji put kad smo spavali zajedno, zazvonio je telefon na mom noćnom stočiću upravo kada smo završili akrobacije i kad je Astrid počela da mi priča o poduhvatu jedne svoje ćerke, koja je u Kopenhagenu od balerine postala cirkuski akrobata. Podigao sam slušalicu, rekao „halo" i čuo glas mazne mačkice:

– Hoćeš li opet da prekineš vezu, paceru?

Nekoliko sekundi sam držao slušalicu dok sam u sebi psovao Unesko što joj je dao moj telefon u Beču, ali prekinuo sam vezu kada je ona, posle pauze, počela da govori: „Eto, bar ovog puta... "

– Neka stara ljubav? – pogodila je Astrid. – Da odem u kupatilo da pričaš mirnije?

Ne, ne, to je potpuno završena stvar. Od te noći nisam više nijednom imao seksualne odnose i, istinu govoreći, to me uopšte nije brinulo. Sa četrdeset sedam godina došao sam do proverenog zaključka da čovek može da vodi savršeno normalan život bez seksa. Jer moj život je bio prilično normalan, iako prazan. Mnogo sam radio i obavljao svoj posao da bih popunio vreme i zaradio platu, a ne zato što me zanima – to mi se već retko kada dešavalo – pa čak i moje učenje ruskog i gotovo beskrajno prevođenje priča Ivana Bunjina, koje sam stalno prepravljao, postali su mehanička radnja koja je tek ponekad postajala zabavna. Filmovi, koncerti, čitanje, ploče, postali su više način da provedem vreme nego aktivnosti koje su me oduševljavale kao ranije. I zbog toga sam bio ogorčen na Kuriko. Njenom krivicom su mi se ugasile iluzije koje od egzistencije prave nešto više od skupa rutinskih radnji. Ponekad sam se osećao kao starac.

Možda je zbog takvog raspoloženja dolazak Elene, Simona i Jilala Gravoski u zgradu u Ulicu Žozefa Granijea bio spasonosan. Prijateljstvo s komšijama unelo je malo humanosti i emocija u moj čamotni život. Treći put me je nevaljala devojčica pozvala na kuću u Parizu, bar godinu dana posle poziva u Beč.

Bilo je jutro, četiri ili pet ujutro; zvonjava telefona me je trgla iz sna i uplašila. Zvonio je toliko puta da sam najzad otvorio oči i napipao slušalicu:

– Nemoj da mi prekidaš – u glasu su joj se mešali preklinjanje i bes. – Moram da razgovaram s tobom, Rikardo.

Prekinuo sam, naravno, i nisam mogao cele noći oka da sklopim. Bio sam potišten, osećao sam se loše, dok kroz prozorčić bez zavesa na krovu u spavaćoj sobi nisam video kako na pariskom nebu sviće zora mišje boje. Zašto me je posle izvesnog vremena uporno zvala? Zato što sam u njenom intenzivnom životu ja sigurno bio jedna od malobrojnih stabilnih stvari, odani i zaljubljeni idiot, uvek tu, čekajući poziv da bi se gospodarica osećala onakvom kakva bez sumnje već prestaje da bude, ono što ubrzo više neće biti: mlada, lepa, voljena, poželjna. Ili joj možda nešto treba od mene? Nije bilo nemoguće. Odjednom se u njenom životu pojavila neka rupica koju pacer može da popuni. I s onim svojim ledenim karakterom, nije oklevala da me potraži, ubeđena da nema bola, poniženja koje ona sa svojom beskrajnom moći nad mojim osećanjima ne bi bila u stanju da obriše za dva minuta razgovora. Znajući je, bio sam siguran da neće odustati; posle nekoliko meseci ili godina, nastaviće da insistira. Ne, ovoga puta se varaš. Neću ti se ponovo odazvati na telefon, Peruankice.

Sada je zvala četvrti put. Odakle? To sam pitao Elenu Gravoski, ali, na moje iznenađenje, odgovorila mi je da se ona nije javila ni na taj poziv niti na bilo koji drugi za vreme mog putovanja u Brisel.

– Onda je to bio Simon. Nije ti ništa rekao?

– On i ne ulazi u tvoj stan, dolazi iz Instituta kada Jilal već večera.

Da li je onda Jilal bio taj koji je *razgovarao* s nevaljalom devojčicom?

Elena je lako prebledela.

– Nemoj da ga pitaš – rekla mi je, spuštajući glas. Bila je bela kao kreč. – Nemoj da napraviš ni najmanju aluziju na tu poruku.

Je li bilo moguće da je Jilal *razgovarao* sa Kuriko? Da li je bilo moguće da kada roditelji nisu blizu, kad ne mogu da ga vide ni da ga čuju, dečak prekida svoje ćutanje?

– Nećemo da mislimo na to, nećemo da pričamo o tome – ponovila je Elena, ulažući napor da povrati glas i izgleda prirodno. – Desiće se ono što treba da se desi. Kad mu bude vreme. Ako pokušamo da ga nateramo, pogoršaćemo stvar. Uvek sam znala da jednom mora da se desi. Promenimo temu, Rikardo. Kakva je to priča o nevaljaloj devojčici? Ko je to? Bolje mi pričaj o njoj.

Pili smo kafu kod nje posle večere i tiho razgovarali da ne smetamo Simonu dok u susednoj, radnoj sobi, pregleda referat koji je sledećeg dana trebalo da pročita na nekom seminaru. Jilal je već pre izvesnog vremena otišao da spava.

– To je jedna stara priča – odgovorio sam joj. – Nikada je nikome nisam ispričao. Ali, znaš, mislim da ću tebi da je ispričam, Elena. Da zaboraviš ono što se desilo s Jilalom.

I ispričao sam joj. Od početka do kraja, od već dalekih dana mog detinjstva, kada je dolazak Lusi i Lili, lažnih Čileankica, uznemirio spokojne miraflореske dane, sve do one strasne ljubavne noći u Tokiju – najlepše ljubavne noći u mom životu – koja se naglo prekinula kada sam u senci sobe ugledao gospodina Fukudu kako nas, s rukama na šlicu, posmatra kroz svoje tamne naočari. Ne znam koliko sam dugo pričao. Ne znam u kom se trenutku pojavio Simon, koji je seo pored Elene i u tišini, pažljivo kao i ona, počeo da me sluša. Ne znam u kom trenutku su mi grunule suze i kad sam ućutao, postiđen od tog izliva osećanja. Trebalo mi je vremena da se priberem. Dok sam mrmljao izvinjenja, video sam kako Simon ustaje i vraća se sa čašama i flašom vina.

– Ovo je jedino što imam, vino, i pri tom, vrlo jeftini božole – izvinio se, potapšavši me po ramenu. – Pretpostavljam da u ovakvim slučajevima više odgovara plemenitije piće.

– Viski, votka, rum ili konjak, naravno! – rekla je Elena. – Ova kuća je užas. Nikada nećemo imati ono što bi trebalo da imamo. Jadni smo mi domaćini, Rikardo.

– Upropastio sam ti sutrašnji referat svojom scenom, Simone.

– Ovo je mnogo interesantnije od mog referata – izjavio je. – Osim toga, taj nadimak ti stoji kao saliven. Ne u negativnom smislu, nego bukvalno. To si ti, *mon vieux*,[62] iako ti se ne dopada: dobar dečko.

– Znaš li da je to jedna divna ljubavna priča? – uzviknula je Elena, gledajući me iznenađeno. – Jer u suštini je to. Jedna divna ljubavna priča. Ovaj tužni Belgijanac nikada me nije tako voleo. Niko kao ona, mali.

– Voleo bih da upoznam tu Matu Hari – rekao je Simon.

– Preko mene mrtve – zapretila mu je Elena, vukući ga za bradu. – Imaš li njene slike? Hoćeš da nam pokažeš?

– Nemam ni jednu jedinu. Koliko se sećam, nikad se nismo slikali zajedno.

– Kada sledeći put bude zvala, molim te da se javiš na telefon – rekla je Elena. – Ta priča ne može da se završi tek tako, s telefonom koji stalno zvoni, kao u najgorem Hičkokovom filmu.

– I osim toga – spustio je glas Simon – moraš da je pitaš da li je Jilal *razgovarao* s njom.

– Umirem od sramote – izvinio sam se drugi put. – Zbog plača i svega, mislim.

---

[62] Franc.: stari moj (Prim. prev.)

– Ti nisi primetio, ali i Elena se rasplakala – rekao je Simon.
– Čak i ja bih vam se pridružio da nisam Belgijanac. Moji je-
vrejski preci su me navodili na plač. Ali prevladao je Valonac.
Jedan Belgijanac ne pada u sentimentalnost tropskih Južno-
amerikanaca.

– Za nevaljalu devojčicu, za tu fantastičnu ženu! – podigla
je svoju čašu Elena. – Kakav sam ja dosadan život imala, sveti
bože!

Popili smo celu flašu vina i uz smeh i šale bilo mi je bolje.
Sledećih dana i nedelja moji prijatelji Gravoski ni jedan jedini
put nisu napravili ni najmanju aluziju na ono što sam im ispri-
čao, da mi ne bi bilo neprijatno. Ja sam u međuvremenu zaista
odlučio da ću, ako Peruankica ponovo zove, odgovoriti. Da mi
kaže da li je, kada je poslednji put zvala, *razgovarala* sa Jilalom.
Samo zato? Ne samo zato. Otkako sam Eleni Gravoski priznao
svoju ljubav, kao da je to što sam je s nekim podelio očistilo tu
priču od celog naboja gorčine, ljubomore, poniženja i osetljivosti
koju je nosila. Počeo sam da čekam poziv sa žudnjom i da se
plašim da se, zbog moje grubosti u poslednje dve godine, neće
dogoditi. Smirivao sam svoj osećaj krivice govoreći sebi da to
nipošto ne znači da sam ponovo podlegao. Razgovaraću s njom
kao daleki prijatelj i moja hladnoća biće najbolji znak da sam
je se zaista oslobodio.

Čekanje je pri tom prilično dobro uticalo na moje raspo-
loženje. Između poslova u Unesku i van Pariza, obnovio sam
prevođenje priča Ivana Bunjina, pročitao sam poslednju reviziju
i napisao mali prolog pre nego što sam poslao rukopis svom
prijatelju Mariju Mučniku. „Već je bilo vreme", odgovorio mi
je. „Plašio sam se da će mi arterioskleroza ili senilna demencija
stići pre tvog Bunjina." Kada sam bio kod kuće u vreme dok je
Jilal gledao svoju televizijsku emisiju, čitao sam mu priče. One
koje sam ja preveo nisu mu se mnogo svidele i slušao ih je više
zbog vaspitanja nego iz interesovanja. Romani Žila Verna su ga,
naprotiv, oduševljavali. U ritmu od dva-tri poglavlja dnevno, te

jeseni sam mu pročitao nekoliko. Onaj koji mu se najviše dopao – epizode su ga terale da skače od radosti – bio je *Put oko sveta za osamdeset dana*. Premda ga je takođe oduševio *Mihail Strogov, carev glasnik*. Kao što me je zamolila Elena, nikada ga nisam pitao za onaj poziv koji je samo on mogao da primi, iako me je radoznalost kidala. Tokom nedelja i meseci koji su sledili posle one poruke koju mi je napisao na svojoj tabli, nikada nisam primetio ni najmanji znak da Jilal može da govori.

Poziv je usledio dva i po meseca nakon prethodnog. Ja sam bio pod tušem spremajući se da idem u Unesko, kada sam čuo da zvoni telefon. Imao sam predosećaj: „To je ona." Odjurio sam u spavaću sobu i podigao slušalicu, bacivši se na krevet onako mokar:

– Hoćeš li opet da mi spustiš slušalicu, dobri dečko?

– Kako si, nevaljala devojčice?

Načas je zavladala tišina, a zatim se začuo kratak smeh.

– Vidi, vidi, napokon si se udostojio da mi odgovoriš. Čemu dugujem to čudo, može li da se zna? Je li te bes već prošao ili me još mrziš?

Imao sam želju da spustim slušalicu kada sam primetio lako podrugljiv ton i prizvuk trijumfa u njenim rečima.

– Zbog čega me zoveš? – pitao sam je. – Zašto si me zvala svih onih puta?

– Moram da razgovaram s tobom – rekla je menjajući ton.

– Gde si?

– Ovde, u Parizu, od pre izvesnog vremena. Možemo li nakratko da se vidimo?

Smrzao sam se. Bio sam ubeđen da je i dalje u Tokiju ili u nekoj dalekoj zemlji i da nikada neće ponovo kročiti u Francusku. Saznanje da je tu i da je mogu videti u svakom trenutku potpuno me je sludelo.

– Samo na trenutak – insistirala je, misleći da moje ćutanje najavljuje odbijanje. – Ono što imam da ti kažem vrlo je lično, radije ne bih o tome preko telefona. Samo pola sata. Nije mnogo za staru prijateljicu, zar ne?

Zakazao sam joj sastanak dva dana kasnije, po izlasku iz Uneska u šest po podne, u baru *Rimeri* u Sen Žermen de Preu (taj bar se oduvek zvao *Rimeri Martinikez*, ali u poslednje vreme, zbog nekog tajanstvenog razloga, izgubio je pridev). Kada sam prekinuo vezu, srce mi je lupalo u grudima. Pre nego što sam se vratio pod tuš, morao sam prvo malo da sednem, otvorenih usta, dok mi se nije povratio dah. Šta je ona radila u Parizu? Specijalne posliće po Fukudinom naređenju? Je li otvarala evropsko tržište za egzotične afrodizijake od slonovskih kljova i rogova nosoroga? Bio sam joj potreban da joj pomognem u njenim operacijama krijumčarenja, pranja novca i drugim mafijaškim poslovima? Napravio sam glupost što sam odgovorio na telefon. Ponoviće se stara priča. Razgovaraćemo, ja ću ponovo podleći onoj moći koju je oduvek imala nada mnom, proživećemo kratku i lažnu idilu, ja ću imati svakojake iluzije, i u najmanje očekivanom trenutku ona će nestati i ja ću ostati izmučen i sluđen, ližući svoje rane kao u Tokiju. Do sledećeg poglavlja!

Nisam ispričao Eleni i Simonu ni o pozivu ni o sastanku i proveo sam tih četrdeset osam sati kao mesečar, između grčeva lucidnosti i neke mentalne magle koja se povremeno podizala da bih mogao da se posvetim seansi mazohizma sa uvredama: budalo, kretenu, zaslužuješ sve što ti se dešava, što ti se dešavalo i što će da ti se desi.

Dan sastanka je bio jedan od onih sivih i mokrih dana krajem pariske jeseni, kada gotovo više nema lišća na drveću ni svetlosti na nebu, loše raspoloženje ljudi se povećava s lošim vremenom i na ulicama se vide ljudi i žene progutani kaputima, šalovima, rukavicama i kišobranima, užurbani i puni mržnje prema svetu. Kada sam izašao iz Uneska, potražio sam taksi, ali kako je padala kiša i nije bilo šanse da ga nađem, rešio sam da idem metroom. Izašao sam na stanici Sen Žermen i sa vrata bara

Rimeri ugledao sam je kako sedi na terasi uz šolju čaja i flašicu perijea. Kada me je spazila, ustala je i pružila mi obraze.

– Možemo li da se zagrlimo ili čak ni to?

Lokal je bio pun tipičnih ljudi iz kraja: turista, plejboja s lancima oko vrata i atraktivnim prslucima i jaknama, devojaka sa smelim izrezima i mini suknjama, nekih našminkanih kao za gala predstavu. Naručio sam grog. Ćutali smo, gledajući se sa izvesnom nelagodnošću, ne znajući šta da kažemo.

Kuriko se primetno preobrazila. Ne samo što je izgledalo da je oslabila deset kila – pretvorila se u skelet od žene – nego i da je ostarila deset godina od one nezaboravne noći u Tokiju. Bila je obučena skromno i nemarno, kako se sećam da sam je video samo onog dalekog jutra kada sam na Paulovu molbu otišao po nju na aerodrom Orli. Nosila je neki iznošeni sako koji je mogao biti muški i izbledele flanelske pantalone ispod kojih su virile iznošene ružne i neočišćene cipele. Bila je neočešljana i na njenim vrlo tankim prstima nokti su izgledali loše podsečeni, neoturpijani, kao da ih je grizla. Kosti na čelu, na jagodicama i na bradi isticale su se zatežući kožu, vrlo bledu i naglašeno zelenkastu. Oči su joj izgubile sjaj i u njima je bilo nečeg bojažljivog, što je podsećalo na plašljive životinjice. Nije imala nikakav ukras i nimalo šminke.

– Kakav napor samo da te vidim – rekla je najzad. Ispružila je ruku, dotakla je moju i pokušala jedan od onih starih koketnih osmeha, koji joj ovoga puta nije dobro ispao. – Bar mi kaži da li te je prošao bes i da li me malo manje mrziš.

– O tome nećemo da razgovaramo – odgovorio sam joj. – Ni sada, ni bilo kada. Zbog čega si me toliko puta zvala?

– Dao si mi pola sata, zar ne? – rekla je puštajući mi ruku i ispravljajući se. – Imamo vremena. Pričaj mi o sebi. Da li ti dobro ide? Imaš li neku ljubavnicu? Je l' stalno radiš isti posao?

– Pacer do smrti – nasmejao sam se bezvoljno, ali je ona i dalje bila vrlo ozbiljna i proučavala me je.

– S godinama si postao osetljiv, Rikardo. Ranije ti gorčina nije toliko trajala – u njenim očima je načas zatitrala stara svetlost. – I dalje ženama govoriš banalnosti ili više ne?

– Otkad si u Parizu? Šta radiš ovde? Radiš za japanskog gangstera?

Odmahnula je glavom. Učinilo mi se da će se nasmejati, ali joj je, međutim, otvrdnuo izraz i zadrhtale su joj one pune usne koje su se jasno isticale na njenom licu, iako su sada izgledale malo usahle, kao i ona cala.

– Fukuda me je otkačio pre više od godinu dana. Zato sam došla u Pariz.

– Sada razumem zašto si u takvom užasnom stanju – bio sam ironičan. – Nikada ne bih mogao da zamislim da te vidim takvu, tako propalu.

– Bila sam još gore – priznala je oporo. – U jednom trenutku sam mislila da ću umreti. Poslednja dva puta kada sam pokušala da razgovaram s tobom zvala sam te zbog toga. Da barem budeš ti taj koji će me sahraniti. Htela sam da te zamolim da me kremiraš. Užasava me ideja da mi crvi pojedu leš. No, već je prošlo.

Govorila je mirno. iako je dopustila da se u njenim rečima nasluti uzdržani bes. Nije izgledalo da glumi samosažaljenje kako bi me impresionirala, ili je to činila s oholom spretnošću. Pre bi se moglo reći da je opisivala stanje stvari objektivno, s distance, kao policajac ili notaroš.

– Jesi li pokušala da se ubiješ kada te je velika ljubav tvog života ostavila?

Odmahnula je glavom i slegla ramenima:

– Uvek mi je govorio da će se jednog dana umoriti od mene i da će me otkačiti. Bila sam pripremljena. On nije tek tako govorio. Ali trenutak kad me je oterao nije bio najbolji, kao ni razlozi koje mi je dao za to.

Zadrhtao joj je glas i usta su joj se izobličila u grimasu mržnje. Oči su joj zaiskrile. Je li to bila još jedna farsa da me gane?

– Ako ti je ta tema neprijatna, možemo da razgovaramo o nečem drugom – rekao sam joj. – Šta radiš u Parizu, od čega živiš? Je li ti gangster bar dao obeštećenje da možeš neko vreme da živiš bez problema?

– Bila sam uhapšena u Lagosu nekoliko meseci koji su mi izgledali kao vek – rekla je kao da ja odjednom više nisam prisutan. – Najužasniji, najružniji grad i najgadniji ljudi na svetu. Nemoj nikada da ti padne na pamet da ideš u Lagos. Kada sam najzad uspela da izađem iz zatvora, Fukuda mi je zabranio da se vratim u Tokio. „Pukla si, Kuriko.“ Pukla u dva smisla, hteo je da kaže. Jer me je već registrovala međunarodna policija. I pukla jer su me crnci u Nigeriji verovatno zarazili sidom. Spustio mi je slušalicu, tek tako, nakon što mi je rekao da ne smem da ga vidim ni da mu pišem ni da mu se ikada više javim. Oterao me je samo tako, kao šugavog psa. Nije mi čak ni platio put u Pariz. On je hladan i praktičan čovek koji zna šta mu odgovara. Ja mu više nisam odgovarala. On je nešto najsuprotnije tebi što postoji na svetu. Zbog toga je Fukuda bogat i moćan, a ti si pacer, i uvek ćeš to biti.

– Hvala. Posle svega, ovo što si rekla je pohvala.

Je li sve to bila istina ili jedna od onih neverovatnih laži koje su obeležavale sve faze njenog života? Povratila se. Držala je šolju čaja obem rukama i otpijala male gutljaje, duvajući u tečnost. Bilo je mučno videti je tako uništenu, tako loše obučenu, toliko stariju.

– Je li istina sva ta drama? Nije neka tvoja nova priča? Jesi li stvarno bila u zatvoru?

– U zatvoru, i pri tom su me silovali policajci u Lagosu – precizirala je, gledajući me netremice kao da sam ja bio kriv za njenu nesreću. – Neki crnci čiji se engleski nije razumeo jer su govorili *Pidgin English*.[63] Kada je hteo da me uvredi, Dejvid je govorio da je takav bio moj engleski: *Pidgin English*. Ali nisu me

---

[63] Engl.: izraz za loš i nepravilan engleski jezik. (Prim. prev.)

zarazili sidom. Samo stidnim vašima i čankirom. Užasna reč, zar ne? Jesi li je nekad čuo? Ti možda i ne znaš šta je to, nevinašce. Čankir, zarazni čirevi. Nešto odvratno, ali nije strašno ako se na vreme leči antibioticima. Samo što su u prokletom Lagosu mene lečili loše i infekcija me je skoro ubila. Mislila sam da ću umreti. Zato sam te zvala. Sada sam, srećom, dobro.

Ono što je pričala moglo je biti istina i nije, ali onaj neizmerni bes koji je prožimao sve što je govorila nije bio poza. Mada, kad je ona u pitanju, uvek je bila moguća gluma. Jedna fantastična pantomima? Bio sam zbunjen, konfuzan. Od ovog razgovora očekivao sam sve osim ovakve priče.

– Žao mi je što si prošla kroz takav pakao – rekao sam na kraju, tek da nešto kažem, jer šta se može reći posle ovakvih novosti. – Ako je istina ono što mi govoriš. Vidiš, s tobom mi se dešava nešto grozno. Napričala si mi toliko priča u životu da mi je teško da ti bilo šta poverujem.

– Nije važno što mi ne veruješ – rekla je, hvatajući me ponovo za ruku i trudeći se da bude srdačna. – Znam da si i dalje uvređen, da mi nikada nećeš oprostiti ono u Tokiju. Nije važno. Ne želim da me sažaljevaš. Ne želim ni novac. Ono što zapravo želim jeste da ti se ponekad javim i da s vremena na vreme popijemo zajedno kafu kao sada. Ništa više.

– Zašto mi ne kažeš istinu? Bar jednom. Hajde, reci mi istinu.

– Istina je da se prvi put u životu osećam nesigurno i ne znam šta da radim. Vrlo sam usamljena. Do sada mi se to nije dešavalo, iako sam imala veoma teške trenutke. Da znaš, živim umirući od straha – rekla je nekako suvo, ali s tonom i stavom koji kao da su poricali ono što je govorila. Gledala me je u oči, ne trepćući. – Strah je takođe bolest. Parališe me, poništava. Nisam to znala, a sada znam. Poznajem neke ljude ovde u Parizu, ali nemam poverenja ni u koga. U tebe imam. Verovao ili ne, to je istina. Mogu li povremeno da ti se javim? Možemo li ponekad, kao danas, da se vidimo u nekom bistrou?

– Nema nikakvog problema. Naravno da možemo.

Razgovarali smo još jedno sat vremena sve dok se nije potpuno smračilo i dok nisu zasvetleli izlozi prodavnica, prozori zgrada Sen Žermena, a crveni i žuti farovi automobila nisu napravili reku svetlosti koja je polako tekla bulevarom, ispred terase bara *Rimeri*. Onda sam se setio. Ko joj je odgovorio na telefon u mojoj kući kada me je prethodni put zvala? Da li se seća?

Pogledala me je zaintrigirano, ne shvatajući. Ali onda je potvrdila:

– Da, neka žena. Pomislila sam da imaš ljubavnicu, ali onda sam shvatila da je pre bila služavka. Neka Filipinka?

– Jedan dečak. Je li razgovarao s tobom? Jesi li sigurna?

– Mislim da mi je rekao da si na putu. Ništa, dve reči. Ostavila sam mu poruku, vidim da ti je preneo. Kakve to sada ima veze?

– Razgovarao je s tobom? Jesi li sigurna?

– Dve reči – ponovila je ona, potvrđujući. – Otkud taj dečak? Jesi li ga usvojio?

– Zove se Jilal. Ima devet ili deset godina. Vijetnamac je, sin komšija, mojih prijatelja. Jesi li sigurna da je razgovarao s tobom? Jer taj dečak je nem. Ni njegovi roditelji ni ja nikada mu nismo čuli glas.

Zbunila se i sklopivši oči jedno vreme je pokušavala da se seti. Nekoliko puta je potvrdno klimnula glavom. Da, da, sasvim jasno se sećala. Razgovarali su na francuskom. Njegov glas je bio tako tanan da joj se učinio ženskim. Napola piskav, napola egzotičan. Razmenili su nekoliko reči. Da nisam tu, da sam na putu. I kada ga je zamolila da mi kaže da me je zvala „nevaljala devojčica" – to mu je rekla na španskom – glasić ju je prekinuo: „Šta, šta?" Morala je da mu izgovori slovo po slovo „nevaljala devojčica". Vrlo dobro se sećala. Dečak je s njom razgovarao, nije bilo sumnje.

– Onda si napravila čudo. Zahvaljujući tebi, Jilal je progovorio.

– Ako imam takve moći, onda ću da ih iskoristim. Veštice sigurno zarađuju gomilu para u Francuskoj.

Kada smo se nešto kasnije rastajali na ulasku u metro Sen Žermen, zatražio sam joj telefon i adresu, ali nije htela da mi ih da. Ona će mi se javiti.

– Nikad se nećeš promeniti. Uvek misterije, uvek priče, uvek tajne.

– Prijalo mi je da te najzad vidim i da popričam s tobom – ućutkala me je. – Nadam se da mi više nećeš spuštati slušalicu.

– Zavisiće od toga kako se ponašaš.

Propela se na prste i osetio sam kako joj se usta skupljaju u brz poljubac na mom obrazu.

Video sam kako nestaje na ulasku u metro. Kako je bila tako mršava i bez štikli, s leđa se nije, kao spreda, videlo da je toliko ostarila.

Iako je i dalje padala sitna kiša i bilo pomalo hladno, umesto da uzmem metro ili autobus, rešio sam radije da hodam. To je sada bio moj jedini sport: na gimnastiku sam odlazio samo nekoliko meseci. Vežbe su mi bile dosadne, a još više vrsta ljudi koja je bila tamo dok sam bio na traci za trčanje, dok sam dizao tegove ili radio aerobik. Šetnja po ovom gradu punom tajni i divota me je, naprotiv, zabavljala, i u danima jakih osećanja, kao što je bio ovaj, prijaće mi dugo hodanje, makar i s kišobranom, kišom i vetrom.

Od onoga što mi je nevaljala devojčica ispričala, jedino apsolutno sigurno bez sumnje je bilo to da je Jilal s njom razmenio nekoliko rečenica. Dečak Gravoskih je, dakle, mogao da govori; možda je to već činio ranije s ljudima koje ne poznaje, u školi, na ulici. To je bila mala tajna koju će, pre ili kasnije, otkriti roditeljima. Zamislio sam radost Simona i Elene kada budu čuli njegov tanan, pomalo piskav glasić, kako mi ga je opisala nevaljala devojčica. Išao sam po Bulevaru Sen Žermen, prema Seni, kada sam nešto pre knjižare *Žilijar* otkrio malu radnju s olovnim vojnicima, koja me je podsetila na Solomona Toledana i njegovu nesrećnu japansku ljubav. Ušao sam i kupio Jilalu kutiju sa šest konjanika ruske carske garde.

Šta je još bilo tačno u priči nevaljale devojčice? Verovatno to da ju je Fukuda oterao na ružan način i da je bila – a možda je još uvek – bolesna. Primećivalo se, bilo je dovoljno videti njene iskolačene oči, njeno bledilo, njene podočnjake. A priča o Lagosu? Možda je bila istina da je imala problema s policijom. To je bio rizik kojem se izlagala u prljavim poslovima u koje ju je uvukao njen ljubavnik Japanac. Zar mi to nije ona sama oduševljeno rekla u Tokiju? Naivno je verovala da te švercerske avanture i sumnjiva trgovina, koje dovode u opasnost slobodu na putovanjima po Africi, začinjavaju život, čine ga sočnijim i zanimljivijim. Sećao sam se njenih reči: „Dok radim ove stvari, živim više." Dobro, ko se igra vatrom, pre ili kasnije se opeče. Ako je zaista bila uhapšena, bilo je moguće da ju je policija silovala. Nigerija je bila na glasu kao raj korupcije, vojna satrapija, i njena policija je sigurno bila trula. Ko zna koliko njih ju je silovalo, iživljavalo se satima u nekom prljavom brlogu; zarazili su je polnom bolešću i vašima, a zatim su je lečili kasapi koji su koristili nedezinfikovane sonde. Obuzelo me je osećanje stida i besa. Ako joj se sve to desilo, čak i samo nešto od toga, i ako je bila na ivici smrti, moja reakcija, tako hladna, puna neverice, bila je bedna, reakcija jednog ogorčenog čoveka koji je samo hteo da dâ oduška svom povređenom ponosu zbog onih neprijatnosti u Tokiju. Trebalo je da joj kažem nešto nežno, da se pretvaram da joj verujem. Jer, čak i ako je ono sa silovanjem i zatvorom laž, bilo je izvesno da se fizički pretvorila u ruinu. I bez sumnje, bila je napola mrtva od gladi. Ružno si se poneo, Rikardito. Vrlo ružno ako je istina da mi se javila zato što se osećala usamljeno i nesigurno i što sam bio jedina osoba na svetu u koju je imala poverenja. Ovo poslednje je sigurno bilo tačno. Ona me nikada nije volela, ali je imala poverenja u mene, nežnost prema odanom slugi. Među njenim ljubavnicima i slučajnim drugarima, ja sam bio najnesebičniji, najodaniji. Samopožrtvovan, krotak, budala. Zbog toga te je izabrala da kremiraš njen leš. I da prospeš njen pepeo u Senu ili da ga čuvaš u maloj urni od porcelana iz Sevra na tvom noćnom stočiću?

Došao sam do Ulice Žozefa Granijea mokar od glave do pete i potpuno smrznut. Istuširao sam se toplom vodom, obukao suvu odeću, spremio sendvič od sira i šunke i pojeo ga s voćnim jogurtom. S kutijicom olovnih vojnika pod rukom, zazvonio sam na vrata Gravoskih. Jilal je već bio u krevetu, a oni su završavali večeru, špagete s bosiljkom. Ponudili su mi tanjir, ali ja sam prihvatio samo šoljicu kafe. Dok je Simon razgledao olovne vojnike i šalio se da takvim poklonima od Jilala hoću da napravim militaristu, Elena je u mojoj rezervisanosti primetila nešto čudno.

– Tebi se nešto desilo, Rikardo – rekla mi je gledajući me pravo u oči. – Je li te zvala nevaljala devojčica?

Simon je podigao pogled s vojnika i zagledao se u mene.

– Upravo sam proveo s njom sat vremena u jednom bistrou. Živi u Parizu. Pretvorila se u ruinu od čoveka i u problemima je, obučena je kao prosjak. Kaže da ju je Japanac oterao nakon što ju je uhapsila policija u Lagosu na jednom od putovanja u Afriku, dok mu je pomagala u trgovini. I da su je silovali. Da su joj preneli stidne vaši i čankir. I da su je kasnije u nekoj užasnoj bolnici skoro ubili. Možda je tačno. Možda nije. Ne znam. Kaže da ju je Fukuda oterao zato što se plaši da Interpol ima njen dosije i da su je crnci zarazili sidom. Je li to istina ili izmišljotina? Nikad neću imati načina da to saznam.

– Saga svakog dana postaje sve zanimljivija – uzviknuo je Simon zapanjeno. – Istina ili ne, priča je strašna.

On i Elena su se pogledali i ja sam odlično znao na šta misle. Potvrdio sam:

– Vrlo dobro se seća kada me je pozvala na kuću. Odgovorio joj je na francuskom jedan tanan, piskav glasić i učinilo joj se da pripada nekoj Azijatkinji. Nekoliko puta mu je ponovila „nevaljala devojčica" na španskom. To nije mogla da izmisli.

Video sam kako je Elena promenila izraz lica. Vrlo brzo je treptala.

– Ja sam oduvek verovao da je tačno – promrmljao je Simon. Glas mu je bio uzbuđen i pocrveneo je kao da se guši od vrućine. Uporno se češkao po riđoj bradi. – Razmišljao sam o svim mogućnostima na svetu i došao do zaključka da mora da je tačno. Kako bi Jilal izmislio ono za „nevaljalu devojčicu"? Kakvu si nam sreću pružio tom vešću, *mon vieux!*

Elena je potvrđivala, držeći me za ruku. Smeškala se i pućila u isto vreme.

– I ja sam oduvek znala da je Jilal razgovarao s njom – rekla je, reč po reč. – Ali, molim te, ne treba ništa reći. Detetu ne treba ništa reći. Sve će samo doći na svoje mesto. Ako pokušamo da ga silimo, može da dođe do pogoršanja. To mora da uradi on, da probije tu barijeru sopstvenim naporom. To će učiniti u nekom trenutku, učiniće to vrlo brzo, videćete.

– Ovo je trenutak da izvadimo konjak – namignuo mi je Simon. – Vidiš, *mon vieux*, preduzeo sam mere. Sada smo spremni za iznenađenja koja nam povremeno priređuješ. Odličan napoleon, videćeš!

Popili smo po čašu konjaka gotovo ne razgovarajući, utonuli u sopstvene misli. Piće mi je prijalo, jer sam se od šetnje po kiši smrzao. Na rastanku, Elena je izašla sa mnom do hodnika:

– Ne znam, palo mi je na pamet – rekla je. – Možda tvojoj prijateljici treba lekarski pregled. Pitaj je. Ako hoće, mogu to da joj sredim sa drugarima u bolnici Košen. Besplatno, mislim. Pretpostavljam da nema osiguranje niti bilo šta slično.

Zahvalio sam joj. Pitaću je kada sledeći put budemo razgovarali.

– Ako je istina, mora da je bilo užasno. Jadnica! – promrmljala je. – Tako nešto ostavlja strašne ožiljke u duši.

Sledećeg dana vratio sam se brzo iz Uneska da zateknem Jilala. Gledao je na televiziji crtane filmove i pored njega je bilo postrojeno šest konjanika ruske carske garde. Pokazao mi je na tabli: „Hvala na lepom poklonu, čika Rikardo." Pružio mi je ruku smeškajući se. Uzeo sam da čitam *Mond* dok se on s uobičajenom hipnotičkom pažnjom zadubljivao u svoju emisiju. Posle sam mu, umesto da mu nešto čitam, pričao o Solomonu Toledanu. Ispričao sam mu o njegovoj kolekciji olovnih vojnika, koji su zauzimali sve ćoškove njegove kuće i o njegovoj neverovatnoj lakoći da nauči jezike. Bio je najbolji prevodilac na svetu. Kada me je na tabli pitao mogu li da ga povedem kod Solomona da vidi njegove Napoleonove bitke, objasnio sam mu da je umro vrlo daleko od Pariza, u Japanu. Jilal se rastužio. Pokazao sam mu husara kojeg sam čuvao u noćnom stočiću i kojeg mi je on poklonio onog dana kada je putovao u Tokio. Ubrzo je Elena došla po njega.

Da ne bih mnogo razmišljao o nevaljaloj devojčici, otišao sam u bioskop u Latinsku četvrt. U mračnoj i toploj sali jednog bioskopa u Ulici Šampolion, punoj studenata, dok sam odsutno pratio avanture klasičnog vesterna Džona Forda *Diližansa*, u glavi mi se stalno pojavljivala propala, katastrofalna slika Čileankice. Tog dana i do kraja nedelje, njen lik mi je bio stalno pred očima, kao i pitanje na koje nikada nisam nalazio odgovor: Da li je rekla istinu? Da li je bilo tačno ono o Lagosu, ono u Fukudi? Mučilo me je ubeđenje da to nikada neću sa sigurnošću znati.

Javila mi se posle osam dana, na kuću, opet vrlo rano ujutro. Kada sam je pitao kako je – „Dobro, sada već dobro, kao što sam ti rekla" – predložio sam joj da tog istog dana večeramo zajedno. Prihvatila je i našli smo se u starom restoranu *Prokop*, u Ulici de l'Ansijen Komedi, u osam. Došao sam pre nje i sačekao za jednim stolom pored prozora koji je gledao na pasaž Roan. Došla je gotovo odmah. Bolje obučena nego poslednji put, ali takođe siroto: ispod ružnog bespolnog sakoa nosila je tamnoplavu haljinu, bez dekoltea i rukava, i neke sveže očišćene, ispucale cipele s poluvisokom štiklom. Bilo mi je krajnje neobično da je vidim bez prstenja, narukvica, minđuša, šminke.

Bar je isturpijala nokte. Kako je mogla tako da smrša? Činilo se kao da bi se raspala kad bi se okliznula.

Naručila je goveđu supu i prženu ribu i tokom večere je jedva probala malo vina. Žvakala je vrlo polako, bezvoljno i teško je gutala. Da li joj je stvarno bilo dobro?

– Skupio mi se želudac i gotovo da ne podnosim hranu – objasnila mi je. – Od dva-tri zalogaja već sam sita. Ali ova riba je vrlo ukusna.

Na kraju sam popio sam ceo bokal „kot de rona". Kada je kelner doneo kafu za mene i čaj od vrbene za nju, rekao sam joj, hvatajući je za ruku:

– Preklinjem te, u ime svega što ti je najdraže, zakuni mi se da je istina sve ono što si mi pre neki dan ispričala u baru *Rimeri*.

– Znam: nikad više mi nećeš poverovati ništa od onoga što ti ispričam – izgledala je umorno, mrzovoljno i kao da joj ni najmanje nije bilo važno da li joj verujem ili ne. – Nećemo više o tome. Ispričala sam ti da bi mi dopustio da te povremeno viđam. Jer, mada mi ni to ne veruješ, prija mi da razgovaram s tobom.

Poželeo sam da joj poljubim ruku, ali sam se uzdržao. Preneo sam joj Elenin predlog. Gledala me je zbunjeno.

– Ali zar ona zna za mene, za nas?

Potvrdio sam. Elena i Simon su znali sve. U jednom napadu ispričao sam im celu „našu" priču. Bili su mi vrlo dobri prijatelji, nisam imao čega da se bojim. Neće je prijaviti policiji kao preprodavca afrodizijaka.

– Ne znam zašto sam im se poverio. Možda zato što, kao i svi, ponekad imam potrebu da s nekim podelim ono što me tišti ili me usrećuje. Da li prihvataš Eleninu ponudu?

Nije izgledala mnogo raspoloženo. Gledala me je uznemireno, kao da se plaši da je u pitanju neka klopka. Onaj sjaj boje tamnog meda nestao je iz njenih očiju. Kao i nestašluk i podrugljivost.

– Pusti me da razmislim – rekla mi je na kraju. – Videćemo kako se osećam. Sada mi je već dobro. Jedino što mi treba jeste mir, odmor.

– Nije tačno da ti je dobro – insistirao sam. – Pretvorila si se u sablast. Toliko si mršava da običan grip može da te otera u grob. I nemam želju da se bavim izopačenim aktivnostima kao da te spaljujem, i tako dalje. Zar ne želiš ponovo da budeš lepa?

Počela je da se smeje.

– Ah, znači sada sam ti ružna. Hvala na iskrenosti – stegnula me je za ruku kojom sam je sve vreme držao i na trenutak su joj živnule oči. – Ali i dalje si zaljubljen u mene, zar ne, Rikardito?

– Ne, više nisam. Niti ću ikad ponovo da se zaljubim u tebe. Ali ne želim da umreš.

– Mora da je tačno da me više ne voliš kad mi ovoga puta nisi rekao nijednu banalnost – priznala je, praveći neku pomalo komičnu grimasu. – Šta treba da uradim da te ponovo osvojim?

Nasmejala se s onom koketerijom starih dana i oči su joj se ispunile nestašnim sjajem, ali odjednom sam, odmah zatim, osetio kako pritisak njene ruke na mojoj popušta. Zakolutala je očima, prebledela, i zinula kao da nema vazduha. Da nisam bio pored nje i pridržao je, skotrljala bi se na pod. Istrljao sam joj slepoočnice mokrom salvetom, dao joj da popije malo vode. Malo se oporavila, ali je i dalje bila vrlo bleda, gotovo bela. I sada joj se u očima video životinjska strah.

– Umreću – promrmljala je, zarivajući mi nokte u ruku.

– Nećeš umreti. Dozvolio sam ti sve bezobrazluke sveta otkako smo bili deca, ali to da umreš, nisam. Zabranjujem ti.

Slabašno se osmehnula.

– Već je bilo vreme da mi kažeš nešto lepo – glas joj je bio jedva čujan. – Bilo mi je potrebno, čak i ako mi ni to ne veruješ.

Kada sam malo kasnije pokušao da je podignem, drhtale su joj noge i pala je na stolicu malaksala. Tražio sam od kelnera da pozove taksi sa stanice na ćošku Sen Žermena da dođe do vrata restorana, i da mi pomogne da je izvedem napolje. Odneli smo je zajedno, obuhvativši je oko struka. Kada me je čula da govorim taksisti da nas odveze u najbližu bolnicu – Otel Dije, u

Siteu, je li tako? – očajnički se uhvatila za mene: „Ne, ne, nipošto u bolnicu, ne, ne!" Morao sam da se ispravim i zamolim taksistu da nas zapravo odvede u Ulicu Žozefa Granijea. Na putu do kuće – bila je naslonjena na moje rame – ponovo je na nekoliko sekundi izgubila svest. Telo joj je omekšalo i skliznula je na sedištu. Kada sam je ispravio, osetio sam joj sve koščice na leđima. Na vratima zgrade u art deko stilu pozvao sam preko interfona Simona i Elenu i zamolio ih da siđu i da mi pomognu.

Nas troje smo je zajedno popeli u moj stan i položili na krevet. Prijatelji me nisu ništa pitali, ali su gledali nevaljalu devojčicu s bezmernom radoznalošću, kao nekoga ko je vaskrsao. Elena joj je pozajmila spavaćicu i izmerila joj je temperaturu i pritisak. Temperaturu nije imala, ali joj je pritisak bio vrlo nizak. Kada je potpuno povratila svest, Elena joj je dala da popije, gutljaj po gutljaj, vreli čaj sa dve pilule koje su, rekla joj je, bile samo vitamini. Kada je krenula, uveravala me je da ne vidi nikakvu neposrednu opasnost, ali da je tokom noći, ako joj bude loše, probudim. Ona će sama pozvati bolnicu Košen da joj pošalju hitnu pomoć. Zbog tih nesvestica bio je neophodan kompletan lekarski pregled. Ona će sve da sredi, ali biće za to potrebno bar dva dana.

Kada sam se vratio u spavaću sobu, zatekao sam je širom otvorenih očiju.

– Sigurno sada proklinješ trenutak kad si mi odgovorio na telefon – rekla je. – Samo ti pravim probleme.

– Otkako te znam, samo mi praviš probleme. Takva mi je sudbina. A protiv sudbine se ne može ništa. Gledaj, evo ti, ako ti treba. Tvoja je. Ali moraš da mi je vratiš.

I izvadio sam iz noćnog stočića četkicu za zube gerlen. Veselo ju je posmatrala.

– Znači, još je čuvaš? To je drugi kavaljerski gest večeri. Kakav luksuz! Može li se znati gde ćeš ti da spavaš?

– Sofa u dnevnoj sobi je na razvlačenje, tako da ne gajiš iluzije. Nema ni najmanje mogućnosti da spavam s tobom.

Ponovo se nasmejala. Ali taj mali napor ju je umorio, i skupivši se ispod čaršava, sklopila je oči. Pokrio sam je ćebićima i stavio joj moj penjoar kraj nogu. Otišao sam da operem zube, da obučem pižamu, i da rasklopim sofu u dnevnoj sobi. Kada sam se vratio u spavaću sobu, ona je spavala; normalno je disala. Svetlost s ulice, koja je ulazila kroz krovni prozor, osvetljavala joj je lice: uvek vrlo bleda, šiljatog nosa; kroz kosu su joj provirivale lepe male uši. Usta su joj bila poluotvorena, podrhtavale su joj nozdrve i izgledala je klonulo, potpuno napušteno. Dotakao sam joj usnama kosu i osetio na licu njen dah. Otišao sam da legnem. Gotovo odmah sam zaspao, ali sam se budio nekoliko puta tokom noći i dva puta sam ustao i na vrhovima prstiju otišao da je obiđem. Spavala je i ravnomerno disala. Koža na licu bila joj je vrlo zategnuta i isticale su joj se kosti. Ćebad na grudima joj se od disanja lako podizala i spuštala. Zamišljao sam kako njeno malo srce umorno kuca.

Sledećeg jutra sam spremao doručak kada sam je čuo kako ustaje. Pojavila se u mom penjoaru u kuhinjici gde sam kuvao kafu. Bio joj je ogroman i izgledala je kao pajac. Njene bose noge kao da su bile dečje.

– Spavala sam skoro osam sati – rekla je začuđeno. –To mi se čitavu večnost nije dogodilo. Sinoć sam se onesvestila, je li tako?

– Čista poza, samo da te dovedem kući. I vidiš, uspela si. Čak si mi se i u krevet uvukla. Sve trikove znaš, nevaljala devojčice.

– Upropastila sam ti veče, zar ne, Rikardito?

– I upropastićeš mi dan, takođe. Jer ćeš da ostaneš ovde, u krevetu, dok Elena sredi stvari u bolnici Košen da ti obave kompletan pregled. Nema diskusije. Došao je trenutak da ti nametnem svoj autoritet, nevaljala devojčice.

– Au, kakav napredak! Govoriš kao da si mi ljubavnik.

Ali ovoga puta nije mi pošlo za rukom da joj izmamim osmeh. Posmatrala me je sumorno, izobličenog lica. Bila je vrlo smešna tako sa raščupanom kosom i u tom penjoaru koji joj se vukao po podu. Prišao sam joj i zagrlio je. Osetio sam da je vrlo krhka i da drhti. Mislio sam da će se, ako je malo stegnem u zagrljaju, polomiti, kao ptičica.

– Nećeš umreti – uveravao sam je šapatom na uho, ljubeći je ovlaš u kosu. – Pregledaće te i ako nešto nije u redu, izlečićeš se. I ponovo ćeš biti lepa. Da vidimo hoćeš li tako uspeti da se ponovo zaljubim u tebe. A sada dođi, hajde da doručkujemo, neću da zakasnim u Unesko.

Dok smo pili kafu i jeli tost, došla je Elena, koja se već vratila s posla. Ponovo joj je izmerila temperaturu i pritisak, i zaključila da je bolje nego prethodne večeri. Ali joj je preporučila da ceo dan leži i da jede laganu hranu. Pokušaće da pripremi sve u bolnici da je odmah sutradan tamo prebace. Pitala je nevaljalu devojčicu da li joj nešto treba i ova joj je tražila četku za kosu.

Pre nego što sam otišao, pokazao sam joj namirnice u friži-deru i u kredencu, koje su bile više nego dovoljne da u podne spremi sebi piletinu ili makarone s puterom. Ja ću se pobrinuti za večeru kada se vratim. Ako joj ne bude dobro, treba odmah da me zove u Unesko. Ona je potvrđivala ništa ne govoreći i posmatrajući sve s odsutnim izrazom, kao da ne razume šta joj se dešava.

Pozvao sam je rano posle podne. Osećala se dobro. Okupala se u kadi punoj pene i bila srećna jer se bar šest meseci samo tuširala u javnim kupatilima, uvek na brzinu. Uveče, kad sam se vratio, zatekao sam nju i Jilala zadubljene u jedan film Stanlija i Olija koji je, sinhronizovan na francuski, zvučao apsurdno. Ali izgledalo je da su se oboje zabavljali i smejali su se glupostima debelog i mršavog. Ona je obukla jednu od mojih pižama i preko nje veliki penjoar u kojem je izgledala izgubljeno. Bila je lepo očešljana, svežeg i nasmejanog lica.

Jilal me je na svojoj tabli pitao, pokazujući na nevaljalu devojčicu: „Hoćeš li njome da se oženiš, čika Rikardo?"

– Ni mrtav – rekao sam mu s užasnutim licem. – To ona hoće. Već godinama pokušava da me zavede. Ali ja ne obraćam pažnju.

„Obrati pažnju", odgovorio mi je Jilal, pišući brzo na tabli. „Simpatična je i biće dobra žena."

– Šta si uradila da kupiš ovo dete, gerilko?

– Pričala sam mu o Japanu i Africi. Odličan je u geografiji. Zna glavne gradove bolje nego ja.

Za tri dana, koliko je nevaljala devojčica provela kod mene, pre nego što je Elena našla za nju mesto u bolnici Košen, moja gošća i Jilal su se zbližili. Igrali su dame, smejali se i šalili kao da su bili vršnjaci. Toliko su se zabavljali zajedno da zapravo nisu gledali televiziju, iako su, privida radi, držali upaljen televizor; bili su usredsređeni na jan-ken-po, igru rukama koju nisam video od svog detinjstva u Mirafloresu: kamen razbija makaze, papir obavija kamen i makaze seku papir. Ona je ponekad počinjala da čita Jilalu priče Žila Verna, ali se posle nekoliko redova udaljavala od teksta i izmišljala priču sve dok joj Jilal ne bi oteo knjigu iz ruku, tresući se od smeha. Tri puta smo večerali kod Gravoskih. Nevaljala devojčica je pomagala Eleni da kuva i da pere suđe. I za to vreme su razgovarale i razmenjivale šale. Kao da smo se nas četvoro celog života družili kao parovi.

Druge večeri ona je insistirala da spava na kauču na razvlačenje i da mi vrati spavaću sobu. Morao sam da popustim, jer mi je zapretila da će u protivnom otići iz kuće. Ta prva dva dana bila je dobro raspoložena; barem mi se tako činilo uveče kada sam se vraćao iz Uneska i zaticao je kako se igra s Jilalom. Trećeg dana, bio je još mrak, probudio sam se siguran da sam čuo kako neko plače. Oslušnuo sam i nije bilo sumnje: to je bio tih plač, isprekidan tišinom. Otišao sam u dnevnu sobu i zatekao je oblivenu suzama, skupljenu na krevetu, s rukom na ustima. Tresla se od glave do pete. Obrisao sam joj lice, poravnao kosu, doneo joj čašu vode.

– Je li ti loše? Hoćeš da probudim Elenu?

– Umreću – rekla je vrlo tiho, jecajući. – Nečim su me zarazili tamo u Lagosu i niko ne zna šta je. Kažu da nije sida, ali šta je onda? Skoro da više nemam snage ni za šta. Ni da jedem, ni da hodam, ni da podignem ruku. Tako je bilo Huanu Baretu tamo u Njumarketu, je l' se sećaš? I sve vreme dole imam neki sekret koji liči na gnoj. Nije samo bol. Osim toga, od onoga u Lagosu toliko mi je odvratno moje telo i sve ostalo.

Jecala je veoma dugo žaleći se na hladnoću, iako je bila utopljena. Ja sam joj brisao oči, povremeno sam joj davao da pije vode, utučen zbog osećanja nemoći. Šta da joj dam, šta da joj kažem da je izvučem iz tog stanja? Sve dok najzad nisam video kako tone u san. Vratio sam se u spavaću sobu dok me je stezalo u grudima. Da, bilo joj je vrlo loše, možda je imala sidu i možda će završiti kao jadni Huan Bareto.

Te večeri, kada sam se vratio s posla, ona je bila spremna da sledećeg jutra ide u bolnicu Košen. Otišla je taksijem po svoje stvari i ostavila u mom ormaru jedan veliki i jedan mali kofer. Prekorio sam je. Zašto me nije sačekala da odem s njom po stvari? Bez razmišljanja mi je odgovorila da ju je bilo sramota da vidim brlog u kojem je živela.

Sledećeg jutra, noseći samo mali kofer, otišla je s Elenom. Kada se pozdravljala, promrmljala mi je na uho nešto što me je učinilo srećnim:

– Ti si ono najbolje što mi se desilo u životu, dobri dečko.

Dva dana, koliko je trebalo da traje lekarski pregled, produžila su se na četiri i nijednom nisam mogao da je vidim. Bolnica je bila vrlo stroga u pogledu satnice i kada sam ja izlazio iz Uneska, već je bilo kasno za posete. Nisam mogao ni telefonom da razgovaram s njom. Uveče me je Elena obaveštavala o onome što je uspela da sazna. Istrajno je podnosila testove, analize, preslišavanja i ubode. Elena je radila u drugom paviljonu, ali je uspevala da svrati da je obiđe nekoliko puta dnevno. Osim toga, profesor Burišon, internista, ponos bolnice, primio je njen slučaj s interesovanjem. Uveče, kada bih zatekao Jilala ispred televizora, nalazio bih na tabli njegovo pitanje: „Kada će da se vrati?"

Četvrtog dana uveče, kada je Jilalu dala večeru i odvela ga u krevet, Elena je svratila kod mene da mi ispriča novosti. Iako je još trebalo sačekati rezultate nekih analiza, tog popodneva profesor Burišon joj je unapred rekao neke zaključke. Sida je kategorično odbačena. Bila je krajnje neuhranjena i u stanju teške depresije, gubitka volje za životom. Bio joj je potreban neodložan psihološki tretman koji će joj pomoći da povrati „iluziju života"; bez toga ceo program fizičkog oporavka neće biti efikasan. Priča o silovanju je verovatno bila tačna; imala je tragove povreda i ožiljke kako u vagini, tako i u rektumu i jednu gnojnu ranu koju je prouzrokovao metalni ili drveni predmet – ona se nije sećala – koji joj je povredio vaginalni zid, vrlo blizu materice. Bilo je iznenađujuće da ta povreda, loše zalečena, nije izazvala sepsu. Neophodna je bila hirurška intervencija da se očisti gnoj i ušije rana. Ali ono najdelikatnije u njenoj kliničkoj slici bio je jak stres usled iskustva u Lagosu i neizvesnosti njene sadašnje situacije, zbog čega je bila potište-na, nesigurna, bez apetita i žrtva povremenih napada panike. Nesvestice su bile posledica te traume. Srce, mozak i stomak su funkcionisali normalno.

– Izvršiće joj taj mali zahvat na materici sutra ujutro – doda-la je Elena. – Doktor Peno, hirurg, moj je prijatelj i neće ništa naplatiti. Samo će morati da se plati anesteziologu i za lekove. Manje-više jedno tri hiljade franaka.

– Nema nikakvog problema, Elena.

– Na kraju krajeva, vesti nisu tako loše, zar ne? – ohrabrila me je. – Moglo je da bude mnogo gore, imajući u vidu kako su jadnicu iskasapili oni divljaci. Profesor Burišon preporučuje da se izvesno vreme oporavlja u potpunom miru u nekoj klinici gde ima dobrih psihologa. Da ne padne u ruke nekog od onih lakanovaca koji bi mogli da je gurnu u lavirint i još više je slude. Problem je što su takve klinike obično vrlo skupe.

– Ja ću već da se pobrinem da joj obezbedim ono što joj je potrebno. Najvažnije je da joj nađemo dobrog specijalistu da je izvuče iz ovoga i da ponovo bude ono što je bila, a ne leš u koji se pretvorila.

– Naći ćemo ga, obećavam ti – osmehnula mi se Elena, tapšući me po ruci. – Ona je velika ljubav tvog života, zar ne, Rikardo?

– Jedina, Elena. Jedina žena koju sam voleo, otkako je bila devojčica. Učinio sam nemoguće da je zaboravim, ali stvarno je uzaludno. Uvek ću je voleti. Život ne bi imao smisla za mene ako umre.

– Kakvu sreću ima ta devojka, da probudi takvu ljubav! – smejala se moja susetka. – *Chapeau!* Tražiću joj recept. Simon je u pravu: nadimak koji ti je smislila stoji ti kao saliven.

Sledećeg jutra tražio sam u Unesku slobodan dan da budem u bolnici Košen tokom male operacije. Čekao sam u mračnom hodniku sa vrlo visokim plafonom, kroz koji je duvao ledeni vetar; prolazili su lekari, medicinske sestre, pacijenti i povremeno bolesnici na nosilima s aparatima za kiseonik ili bocama infuzije iznad glava. Tamo je visio natpis „Zabranjeno pušenje", na koji izgleda niko nije obraćao pažnju.

Doktor Peno je pred Elenom razgovarao sa mnom nekoliko minuta, dok je skidao gumene rukavice i pažljivo prao ruke penušavim sapunom pod mlazom vode koji se pušio. Bio je prilično mlad čovek, siguran u sebe, i nije se prenemagao kad je govorio:

– Biće savršeno u redu. Ali to da, vi ste upoznati s njenim stanjem. Vagina joj je povređena, sklona je upalama i krvarenju. I rektum je takođe povređen. Bilo šta može da je iziritira i da joj otvori rane. Moraćete da se kontrolišete, prijatelju. Da vodite ljubav vrlo oprezno i ne mnogo često. Bar ova prva dva meseca preporučujem vam uzdržavanje. Najbolje je da je uopšte ne dotaknete. A ako nije moguće, onda krajnje delikatno. Gospođa je doživela traumatično iskustvo. To nije bilo obično silovanje, već, da znate, pravo kasapljenje.

Bio sam pored nevaljale devojčice kad su je doneli iz operacione sale u veliku zajedničku sobu gde je ležala izolovana dvama paravanima. Prostorija je bila vrlo velika, s kamenim zidovima i konkavnim, tamnim plafonom koji je podsećao na gnezdo slepih miševa, loše osvetljena, sa blistavo čistim pločicama i snažnim mirisom na dezinfekciono sredstvo i varikinu. Ona je bila još bleđa, kao leš, polusklopljenih očiju. Kada me je prepoznala, pružila mi je ruku. Uzeo sam je među svoje i izgledala mi je tako mršava i mala kao Jilalova.

– Dobro mi je – rekla mi je krepko pre nego što sam je pitao kako se oseća. – Doktor koji me je operisao vrlo je simpatičan. I zgodan.

Poljubio sam je u kosu, u njene lepe male uši.

– Nadam se da nisi koketirala s njim. Ti si vrlo sposobna za to.

Stegnula mi je ruku i gotovo odmah zaspala. Spavala je celo jutro i probudila se tek početkom popodneva požalivši se na bolove. Prema uputstvu lekara, jedna bolničarka je došla da joj da injekciju. Nešto kasnije pojavila se Elena, u belom mantilu, i donela joj neki džemperčić. Obukla joj ga je preko spavaćice. Nevaljala devojčica je pitala za Jilala i osmehnula se kada je čula da se sin Gravoskih stalno raspituje za nju. Bio sam pored nje dobar deo popodneva i pravio joj društvo dok je jela s malog plastičnog poslužavnika: supicu od povrća i kuvano pileće belo meso s barenim krompirom. Bezvoljno je prinosila kašiku ustima samo zato što sam je terao.

– Znaš li zašto su svi tako dobri prema meni? – pitala je. – Zbog Elene. Bolničarke i lekari je obožavaju. Krajnje je omiljena u bolnici.

Nas koji smo bili u poseti ubrzo su izbacili. Te večeri, kod Gravoskih, Elena je imala novosti za mene. Obavestila se i posavetovala s profesorom Burišonom. On joj je preporučio jednu malu privatnu kliniku u Peti Klamaru, nedaleko od Pariza, gde je, sa dobrim rezultatima, već poslao neke pacijente, žrtve depresije i nervnih poremećaja usled zlostavljanja. Direktor je bio njegov kolega sa studija. Ako želimo, mogao je da mu preporuči slučaj nevaljale devojčice.

– Ne znaš koliko sam ti zahvalan, Elena. Izgleda kao pravo mesto. Idemo tamo što pre.

Elena i Simon su se pogledali. Pili smo uobičajenu šolju kafe, nakon što smo večerali tortilju, malo šunke i salatu uz čašu vina.

– Postoje dva problema – rekla je Elena s nelagodnošću. – Prvi, već znaš, to je privatna klinika i biće prilično skupa.

– Imam neku ušteđevinu, a ako nije dovoljno, tražiću zajam. I ako je neophodno, prodaću ovaj stan. Novac nije problem, najvažnije je da se izleči. Koji je drugi?

– Pasoš koji je dala u bolnici Košen lažan je – objasnila mi je Elena s izrazom i tonom kao da mi se izvinjava. – Morala sam da izvodim mađioničarske trikove da je administracija ne prijavi policiji. Ali sutra mora da napusti bolnicu i, nažalost, ne sme ponovo da kroči u nju. I ne odbacujem mogućnost da je, čim izađe, prijave vlastima.

– Ta dama nikad neće prestati da me iznenađuje – uzviknuo je Simon. – Da li vi shvatate kako su naši životi osrednji u poređenju s njenim?

– Da li bi to s papirima moglo da se sredi? – pitala me je Elena. – Pretpostavljam da će biti teško, naravno. Ne znam, to bi mogla da bude velika prepreka u klinici doktora Zilahija iz Peti Klamara. Neće je primiti ako otkriju da je ilegalno u Francuskoj. Čak bi mogli da je prijave policiji.

– Ne verujem da je nevaljala devojčica ikada u životu imala ispravne papire – rekao sam. – Siguran sam da nema jedan pasoš, već nekoliko. Možda neki izgleda manje lažno od drugih. Pitaću je.

– Na kraju će nas sve uhapsiti – prasnuo je u smeh Simon. – Eleni će zabraniti medicinsku praksu, a mene će izbaciti iz

Instituta Paster. Pa dobro, tako ćemo napokon početi da živimo pravi život.

Na kraju smo se sve troje smejali i prijao mi je taj smeh koji sam podelio s prijateljima. To je bila prva noć koju sam za poslednja četiri dana prespavao bez prekida, sve dok nije zazvonio budilnik. Sledećeg dana, kada sam se vratio iz Uneska, našao sam nevaljalu devojčicu u mom krevetu i buket cveća koji sam joj poslao u jednoj vazi s vodom na noćnom stočiću. Bilo joj je bolje, nije imala bolove. Elena ju je dovela iz bolnice Košen i pomogla joj da se popne u stan, ali onda se vratila na posao. Društvo joj je pravio Jilal, vrlo zadovoljan što je došla. Kada je dečak otišao, nevaljala devojčica mi je tiho rekla kao da sin Gravoskih još može da je čuje:

– Kaži Simonu i Eleni da ovoga puta dođu ovamo na kafu. Kada odvedu Jilala u krevet. Pomoći ću ti da je skuvaš. Hoću da im zahvalim za sve ono što je Elena učinila za mene.

Nisam je pustio da ustane da mi pomogne. Napravio sam kafu i ubrzo su na vrata zvonili Gravoski. Doneo sam nevaljalu devojčicu – nije bila teška, možda kao Jilal – da sedne s nama u dnevnu sobu i pokrio sam je ćebetom. Nije ih ni pozdravila; blistavih očiju, odmah im je saopštila vest:

– Nemojte da se šokirate, molim vas. Danas po podne kada nas je Elena ostavila same, Jilal me je zagrlio i rekao mi jasno na španskom: „Mnogo te voli, nevaljala devojčice." Rekao je „voli", ne volim.

I da ne bi bilo ni najmanje sumnje da nam je rekla istinu, učinila je nešto što nisam video od vremena kada sam išao u školu Šampanjat, u Mirafloresu: stavila je prste na usta kao krst, poljubila ih i rekla: „Kunem se, rekao mi je tačno tako, tim rečima."

Elena se zaplakala i dok je lila suze, smejala se grleći nevaljalu devojčicu. Je li Jilal rekao još nešto? Ne. Kada je pokušala da započne s njim razgovor, dečak je ponovo ućutao i odgovarao joj na francuskom preko svoje male table. Ali ta rečenica koju je izgovorio istim tananim glasićem kojeg se sećala preko telefona, dokazivala je jednom zasvagda da Jilal nije nem. Izvesno vreme smo pričali samo o tome. Posle kafe, Simon, Elena i ja popili smo po čašu malt viskija koji sam imao u kredencu, ne pamtim od kada. Gravoski su napravili strategiju. Nije trebalo da ni oni ni ja pokažemo da znamo. Kako je dečak samostalno odlučio da se obrati nevaljaloj devojčici, ona će najprirodnije moguće, ne vršeći nikakav pritisak na njega, pokušati ponovo da uspostavi dijalog, postavljajući mu pitanja, da mu se obrati ne gledajući ga, kao usput, izbegavajući na sve načine da se Jilal oseti pod prismotrom ili kao na testu.

Zatim je Elena govorila nevaljaloj devojčici o klinici doktora Zilahija, u Peti Klamaru. Bila je prilično mala, u jednom održavanom parku punom drveća, a direktor je bio prijatelj i kolega sa studija profesora Burišona, uvaženi psiholog i psihijatar, specijalizovan za lečenje bolesnika koji pate od depresije i nervnih poremećaja izazvanih nesrećama, zlostavljanjem i raznim traumama, bolestima kao što su anoreksija, alkoholizam i narkomanija. Zaključci pregleda su bili neopozivi. Trebalo je da se nevaljala devojčicam, radi apsolutnog odmora, jedno vreme izoluje na nekom odgovarajućem mestu, gde će, dok nastavlja s dijetetskim tretmanom i vežbama koji će joj povratiti snagu, dobiti psihološku pomoć da izbriše iz glave sećanje na ono užasno iskustvo.

– Hoćete da kažete da sam luda? – pitala je.

– Uvek si bila – složio sam se. – Ali sada si još i anemična i deprimirana, a to mogu da ti izleče u toj klinici. A do poslednjeg dana bićeš luda kao struja, ako je to ono što te brine.

Nije se nasmejala, ali, iako malo nepoverljivo, popustila je na moje insistiranje i pristala je da Elena zakaže sastanak s direktorom klinike u Peti Klamaru. Naša komšinica će poći s nama. Kada su Gravoski otišli, nevaljala devojčica me je pogledala potišteno i puna prekora:

– A ko će da mi plati tu kliniku kad dobro znaš da sam švorc?

– Ko drugi nego uobičajeni bilmez? – rekao sam, nameštajući joj jastuke. – Ti si moja bogomoljka, zar nisi znala? Insekt ženskog roda koji proždire muškarca dok vode ljubav. On, očigledno, umire srećan. Upravo moj slučaj. Ne brini se za novac. Zar ne znaš da sam bogat?

Obema šakama me je uhvatila za ruku.

– Nisi bogat, nego jedan jadni pacer – rekla je besno. – Da jesi, ne bih otišla ni na Kubu, ni u London, ni u Japan. Ostala bih s tobom još od onda kada si mi pokazivao Pariz i vodio me u one užasne restorane za prosjake. Uvek sam te ostavljala zbog bogataša koji su ispadali đubrad. I tako sam završila u užasnom stanju. Jesi li zadovoljan što to priznajem? Voliš to da čuješ? Radiš sve ovo da mi pokažeš koliko si superiorniji od svih njih, šta sam s tobom izgubila? Zašto to radiš, može li da se zna?

– Šta ti misliš zašto, nevaljala devojčice? Možda želim da zaradim oprost grehova i da idem na nebo. Takođe sam možda još zaljubljen u tebe. A sada, dosta zagonetki. Na spavanje. Profesor Burišon kaže da moraš pokušati da spavaš bar osam sati dnevno dok se sasvim ne oporaviš.

Dva dana kasnije završen je moj privremeni ugovor s Uneskom i mogao sam po ceo dan da se posvetim njoj. U bolnici Košen su joj prepisali dijetu na bazi povrća, ribe i kuvanog mesa, voća i čorbica, i zabranili su joj alkohol, uključujući i vino, kao i kafu i sve ljute začine. Morala je da radi vežbe i da hoda bar sat dnevno. Ujutro, posle doručka – išao sam da kupim kroasane, tek izašle iz rerne, u jednoj pekari kod Vojne škole – šetali bismo se, ruku pod ruku, u podnožju Ajfelove kule, po Marsovim poljima, i ponekad, ako je vreme dozvoljavalo, išli bismo po dokovima Sene do Trga Konkord. Ja sam je puštao da vodi razgovor, ali izbegavajući da mi govori o Fukudi ili o epizodi u Lagosu. Nije to uvek bilo moguće. Ponekad je tvrdoglavo pokretala tu temu, a ja sam samo slušao šta ima da mi kaže, ne postavljajući pitanja. Iz stvari koje je povremeno nagoveštavala u tim polumonolozima, zaključio sam da je u Nigeriji uhapšena onog dana kada je odlazila iz zemlje. Ali njena iskidana priča uvek je bila nekako maglovita. Već je prošla carinu na aerodromu, i bila je u redu putnika na ulasku u avion. Dva policajca su je izvukla odatle, na lep način; njihovo ponašanje se potpuno promenilo čim su je popeli u kamionet sa zatamnjenim staklima, a posebno kada su je odveli u jednu smrdljivu zgradu gde su bile ćelije s rešetkama koje su smrdele na izmet i urin.

– Ja mislim da me nisu otkrili, ta policija nije u stanju ništa da otkrije – govorila je stalno. – Prijavili su me. Ali ko i kada? Ponekad mislim da je to bio sam Fukuda. Ali zašto bi to učinio? Sve to nema ni glavu ni rep, zar ne?

– Kakve to sada ima veze? Prošlo je. Zaboravi, zakopaj ga. Nije dobro za tebe da se mučiš tim sećanjima. Jedino je važno da si preživela i da ćeš uskoro biti sasvim izlečena. I da se nikad ponovo nećeš uvaliti u te komplikacije u kojima si izgubila pola života.

U četvrtak nam je Elena rekla da će nas doktor Zilahi, direktor klinike u Peti Klamaru, primiti u ponedeljak u podne. Profesor Burišon je razgovarao s njim telefonom i preneo mu sve rezultate lekarskog pregleda nevaljale devojčice, kao i svoje recepte i savete. U petak sam otišao da razgovaram s gospodinom Čarnesom, koji me je pozvao preko sekretarice svoje agencije prevodilaca i simultanaca. Ponudio mi je ugovor za dvonedeljni posao u Helsinkiju, dobro plaćen. Prihvatio sam. Kada sam se vratio kući, čim sam otvorio vrata, čuo sam glasove i smeh u spavaćoj sobi. Umirio sam se, slušajući na poluotvorenim vratima. Govorili su na francuskom i jedan glas pripadao je nevaljaloj devojčici. Drugi, tanan, piskav, malo nesiguran, mogao je da bude samo Jilalov. Odjednom su mi se oznojile ruke. Ostao sam nepomičan. Nisam razumeo šta su govorili, ali nečega su se igrali, možda dama, možda jan-ken-po i sudeći po smejuljenju, lepo su se provodili. Nisu me čuli kako ulazim. Zatvorio sam polako vrata i pošao u spavaću sobu, uzvikujući glasno na francuskom:

– Kladim se da igrate dame i da pobeđuje nevaljala devojčica.

Nastupila je iznenadna tišina i kada sam napravio još jedan korak i ušao u spavaću sobu, video sam da je nasred kreveta bila otvorena tabla dama i da su sedeli na ivicama, jedno naspram drugog, oboje nagnuti nad figurama. Jilal me je gledao očima blistavim od ponosa. I onda je širom otvorio usta i rekao na francuskom:

– Pobeđuje Jilal!

– Uvek me pobeđuje, nije fer – zatapšala je nevaljala devojčica. – Ovaj dečak je šampion.

– Da vidimo, da vidimo, hoću da budem sudija u ovoj partiji – rekao sam ja, spuštajući se na ćošak kreveta i posmatrajući tablu. Trudio sam se da se ponašam potpuno prirodno, kao da se ništa posebno nije dogodilo, ali jedva sam disao.

Nagnut nad figurama, Jilal je posmatrao, proučavajući sledeći potez. Na trenutak su se moj pogled i pogled nevaljale devojčice ukrstili. Ona se osmehnula i namignula mi.

– Opet pobeđuje – uzviknuo je Jilal, tapšući.

– Stvarno, *mon vieux*, ona nema kuda da se mrdne. Pobedio si. Daj ruku!

Stegao sam mu ruku, a nevaljala devojčica ga je poljubila.

– Neću ponovo da igram dame s tobom, sita sam da me razbijaš – rekla je.

– Pala mi je na pamet još zabavnija igra, Jilale – improvizovao sam. – Zašto ne napravimo Eleni i Simonu veliko iznenađenje? Da im napravimo predstavu koje će se tvoji roditelji sećati do kraja života. Hoćeš?

Dečak je imao obazriv izraz i nepomično je čekao da nastavim, ne rekavši ni da ni ne. Dok sam mu objašnjavao plan, smišljajući ga dok sam govorio, slušao me je zaintrigiran i pomalo uplašen, ne usuđujući se da ga odbaci, istovremeno privučen i odbijen mojim predlogom. Kada sam završio, još dugo je ostao miran i nem, gledajući u nevaljalu devojčicu, gledajući u mene.

– Šta misliš, Jilale? – navaljivao sam, stalno na francuskom.
– Hoćemo li da iznenadimo Simona i Elenu? Uveravam te da neće zaboraviti do kraja života.

– Dobro – rekao je Jilalov glasić dok je njegova glava potvrđivala. – Da ih iznenadimo.

Učinili smo to onako kako sam ja improvizovao usred uzbuđenja i zbunjenosti zbog toga što sam *čuo* Jilala. Kada je Elena došla po njega, nevaljala devojčica i ja smo je molili da se posle večere ona, Simon i dečak vrate jer smo imali odličan desert kojim smo hteli da ih počastimo. Elena je, malo iznenađena, rekla dobro, ali samo nakratko, jer je u protivnom spavalicu Jilala sledećeg dana bilo vrlo teško probuditi. Izjurio sam kao da me sam đavo goni na ugao kod Vojne škole, u poslastičarnicu sa kroasanima u Aveniji de la Burdone. Srećom, bila je otvorena. Kupio sam tortu sa mnogo šlaga i debelim, jarkocrvenim jagodama odozgo. Tako uzbuđeni, jedva smo probali povrće i ribu koju sam delio s rekonvalescentkinjom.

Kada su Simon, Elena i Jilal došli – već u pantofnama i kućnim mantilima – kafa je već bila skuvana i čekala ih je torta isečena na komade. Odmah sam po Eleninom izrazu video da nešto podozreva. Simon je, naprotiv, zaokupljen člankom jednog ruskog naučnika i disidenta koji je pročitao tog popodneva, bio na Marsu; pričao nam je, dok mu je šlag teškog deserta prljao bradu, da je ovaj nedavno posetio Institut Paster i da su svi istraživači i naučnici bili impresionirani njegovom skromnošću i intelektualnim nivoom. Onda je, prema mom sumanutom scenariju, nevaljala devojčica na španskom pitala:

– Šta vi mislite, koliko jezika govori Jilal?

Primetio sam da su u tom času Simon i Elena, nepomični, širom otvorili oči kao da govore: „Šta se ovde dešava?"

– Ja mislim dva – tvrdio sam. – Francuski i španski. A šta vi mislite? Koliko jezika govori Jilal, Elena? Šta ti misliš, Simone?

Jilalove okice su prelazile s roditelja na mene, s mene na nevaljalu devojčicu, i ponovo na roditelje. Bio je vrlo ozbiljan.

– Ne govori nijedan – promucala je Elena, gledajući nas i izbegavajući da okrene glavu prema dečaku. – Barem ne još.

– Ja mislim da... – rekao je Simon i potišteno ućutao, moleći pogledom da mu damo do znanja šta treba da kaže.

– U stvari, kakve veze ima šta mi mislimo? – umešala se nevaljala devojčica. – Važno je samo ono što kaže Jilal. Šta kažeš ti, Jilale? Koliko govoriš?

– Govori francuski – rekao je tananim i piskavim glasom. I posle vrlo kratke pauze, menjajući jezik: – Jilal govori španski.

Elena i Simon su ga posmatrali; zanemeli su. Torta koju je Simon držao u ruci skliznula je s tanjira na pod i aterirala na njegove pantalone. Dečak je počeo da se smeje i prinoseći ruku ustima i pokazujući na Simonovu nogu, uzviknuo je na francuskom:

– Prljaš pantalone.

Elena je ustala i sada je stajala pored dečaka, gledajući ga s oduševljenjem, milovala ga je po kosi jednom rukom, a drugom mu uzastopno prelazila preko usana, kao što neka pobožna žena miluje sliku svog sveca zaštitnika. Ali od njih dvoje uzbuđeniji je bio Simon. Nesposoban da išta kaže, gledao je svog sina, svoju ženu, nas, onako zbunjeno kao da moli da ga ne probudimo, da ga pustimo da i dalje sanja.

Jilal te večeri više ništa nije rekao. Roditelji su ga ubrzo odveli i nevaljala devojčica, u ulozi domaćice, zapakovala je ostatak torte i insistirala je da je Gravoski ponesu. Kada smo se pozdravljali, pružio sam ruku Jilalu:

– Ispalo nam je odlično, zar ne, Jilale? Dugujem ti poklon jer si se tako dobro ponašao. Još šest olovnih vojnika za tvoju kolekciju?

On je potvrdio glavom. Kada smo zatvorili vrata za njima, nevaljala devojčica je uzviknula:

– U ovom trenutku oni su najsrećniji par na svetu.

Mnogo kasnije, kada sam već tonuo u san, video sam siluetu koja se šunja po trpezariji i tiho prilazi mom kauču. Uhvatila me je za ruku.

– Dođi, dođi kod mene – naredila mi je.

– Ne mogu i ne smem – rekao sam joj dok sam ustajao i polazio za njom. – Doktor Peno mi je zabranio. Bar dva meseca ne mogu da te dodirnem, a još manje da vodim ljubav s tobom. I neću te dirati, niti ćemo voditi ljubav sve dok ne ozdraviš. Je li ti jasno?

Već smo legli u krevet i ona se skupila uz mene i naslonila glavu na moje rame. Osećao sam njeno telo, koje je bilo sama kost i koža, i njena mala ledena stopala kako se trljaju o moje noge i prošla me je jeza od glave do pete.

– Ne želim da vodimo ljubav – prošaputala je, ljubeći me u vrat. – Želim da me zagrliš, da me ugreješ i da mi odagnaš paniku. Umirem od straha.

Njeno malo, koščato telo drhtalo je kao prut. Zagrlio sam je, protrljao joj leđa, ruke, struk, i dugo sam joj govorio na uho nežne reči. Nikada neću dopustiti da joj bilo ko naudi, mora da uloži mnogo napora da se brzo oporavi i povrati snagu, želju za životom i srećom. I da ponovo bude lepa. Slušala me je nemo, pribijena uz mene, povremeno se trzala i od toga stenjala i presavijala se. Mnogo kasnije, osetio sam kako tone u san. Ali tokom cele noći u polusnu sam osećao kako drhti, kuka, žrtva napada panike koji su se ponavljali. Kada bih je video tako bespomoćnu, padale su mi na pamet slike onoga što se dogodilo u Lagosu i osećao sam tugu, bes, surovu želju da se osvetim njenim krvnicima.

Poseta klinici u Peti Klamaru doktora Andrea Zilahija, Francuza mađarskog porekla, bila je kao šetnja po prirodi. Tog dana je zablistalo sunce; visoke topole i platani u šumi su se presijavali. Klinika je bila u dnu parka s okrnjenim statuama i veštačkim jezerom s labudovima. Stigli smo tamo u podne i doktor Zilahi nas je odmah primio u svojoj kancelariji. Klinika je bila jedna stara gospodska kuća na sprat iz 19. veka, s mermernim stepeništem i balkonima s rešetkama, modernizovana iznutra, kojoj su dodali nov paviljon s velikim prozorima, možda neki

solarijum ili gimnastičku salu s bazenom. Kroz prozore kance-
larije doktora Zilahija u daljini su se videli ljudi kako se kreću
ispod drveća i među njima beli mantili medicinskih sestara i
lekara. Sa četvrtasto oblikovanom bradicom koja je uokvirivala
slabašno lice i sjajnu ćelu, Zilahi je izgledao kao da je i on iz
19. veka. Bio je obučen u crno, sa sivim prslukom, uštirkanom
kragnom koja je izgledala lažna i umesto kravate imao je traku
presavijenu načetvoro koju je držala jarko crvena kopča. Nosio
je džepni sat sa zlatnim lancem.

– Razgovarao sam s kolegom Burišonom i pročitao izveštaj
bolnice Košen – rekao je, prelazeći odmah na stvar, kao da ne
može sebi da dozvoli da gubi vreme na banalnosti. – Imate sreće,
klinika je uvek puna i ima ljudi koji dugo čekaju da ih prime.
Ali kako je gospođa specijalan slučaj jer je preporučuje stari
prijatelj, možemo da joj napravimo mesto.

Imao je vrlo zvonak glas, kretao se i gestikulirao elegantno i
pomalo teatralno. Rekao je da će „pacijentkinja" imati posebnu
ishranu, prema odlukama nutricioniste, da nadoknadi izgu-
bljenu težinu, i da će lični trener da rukovodi njenim fizičkim
vežbama. Njen lekar biće doktorka Rulen, stručnjak za traume
te vrste. Moći će da prima posete dva puta nedeljno, između pet
i sedam uveče. Osim tretmana doktorke Rulen, učestvovaće u
seansama grupne terapije kojom je on rukovodio. Izuzev ako
postoji neka primedba s njene strane, u lečenju će moći da se
primeni hipnoza, pod njegovom kontrolom. I da – napravio je
pauzu kako bi nam dao do znanja da sledi važno objašnjenje
– ako se pacijentkinja u bilo kom trenutku lečenja oseti „razo-
čarano", može odmah da ga prekine.

– Nije nam se nikad dogodilo – dodao je pucketajući jezi-
kom. – Ali mogućnost je tu, ako se neki put desi.

Rekao je da su se posle razgovora i on i profesor Burišon složi-
li da pacijentkinja treba da ostane u klinici, za početak najmanje
četiri nedelje. Kasnije će se videti je li preporučljivo da se produži
njen boravak ili može da nastavi s kućnim oporavkom.

Odgovorio je na sva Elenina i moja pitanja – nevaljala devojčica nije otvorila usta, samo je slušala kao da se stvar ne tiče nje – o tome kako funkcioniše klinika i o njenim saradnicima. Posle jedne šale o Lakanu i njegovim bizarnim kombinacijama strukturalizma i o Frojdu, koga, pojasnio je, smeškajući se da nas umiri, „ne nudimo na našem meniju", pozvao je jednu bolničarku da odvede nevaljalu devojčicu u ordinaciju doktorke Rulen. Čekala ju je da razgovara s njom i da joj pokaže kliniku.

Kada smo ostali nasamo s doktorom Zilahijem, Elena je oprezno dotakla pitanje troškova za mesec dana lečenja. I brzo je pojasnila da „gospođa" nema nikakvo osiguranje ni ličnu imovinu i da će troškove lečenja preuzeti na sebe prisutni prijatelj.

– Otprilike sto hiljada franaka, ne računajući lekove koji bi, ne znam, teško je reći unapred, trebalo da budu, u najgorem slučaju, još dvadeset ili trideset procenata – napravio je malu pauzu i nakašljao se pre nego što je nastavio. – Reč je o specijalnoj ceni, s obzirom na to da je gospođu preporučio profesor Burišon.

Pogledao je na sat, ustao i rekao nam da, ako se odlučimo, odemo do administracije da popunimo formulare.

Skoro sat kasnije, pojavila se nevaljala devojčica. Bila je zadovoljna i posetom klinici i svojim razgovorom s doktorkom Rulen, koja joj je izgledala vrlo razumna i ljubazna. Njena soba je bila mala, udobna, vrlo lepa, s pogledom na park i na sve objekte, na trpezariju, gimnastičku salu, bazen sa zagrejanom vodom, malu salu gde su se održavala predavanja i davali dokumentarci i igrani filmovi; sve je bilo vrlo moderno. Ne diskutujući više, otišli smo u administraciju. Potpisao sam dokument kojim sam se obavezivao da ću preuzeti sve troškove i dao ček na deset hiljada franaka kao depozit. Nevaljala devojčica je pružila službenici svoj francuski pasoš, a ova, jedna mršava žena s punđom i ispitivačkim pogledom, zatražila joj je i ličnu kartu. Elena i ja smo se uznemireno pogledali, očekujući katastrofu.

– Još je nemam – rekla je nevaljala devojčica, potpuno prirodno. – Živela sam mnogo godina u inostranstvu i upravo sam se vratila u Francusku. Znam da treba da je izvadim. Učiniću to što pre.

Službenica je zapisala podatke iz pasoša u neku svesku i vratila ga.

– Smestićemo je sutra – pozdravila se s nama. – Dođite pre podne, molim vas.

Koristeći divan dan, pomalo hladan ali sav blistav i krajnje vedrog neba, otišli smo u dugu šetnju po šumi Peti Klamara, slušajući kako nam pod nogama šušti upalo jesenje lišće. Ručali smo u malom bistrou na ivici šume gde je pucketavi kamin grejao lokal i žario lica gostiju. Elena je morala da ide na posao, tako da nas je ostavila na ulasku u Pariz, na prvoj stanici metroa. Tokom celog puta do Vojne škole ona je ćutala držeći ruku u mojoj. Povremeno sam osećao kako drhti. Čim smo ušli u stančić u Ulici Žozefa Granijea, nevaljala devojčica me je posadila u fotelju u dnevnoj sobi i sela mi u krilo. Nos i uši su joj bili ledeni i drhtala je toliko da nije mogla da progovori ni reči. Cvokotali su joj zubi.

– Biće ti dobro u klinici – rekao sam joj, milujući je po vratu, ramenima, grejući joj svojim dahom ledene uši. – Brinuće se o tebi, ugojiće te, otkloniće ti te napade straha. Ulepšaće te i ponovo ćeš moći da se pretvoriš u onog đavolka koji si oduvek bila. A ako ti se klinika ne sviđa, doći ćeš odmah ovamo. Čim to kažeš. To nije zatvor nego mesto za oporavak.

Stisnuta uz mene nije odgovarala ništa, ali je dugo drhtala pre nego što se smirila. Onda sam za oboje napravio čaj s limunom. Razgovarali smo dok je ona pakovala kofer za kliniku. Pružio sam joj koverat sa hiljadu franaka da joj se nađe.

– Ovo nije poklon, ovo je pozajmica – našalio sam se. – Vratićeš mi kada se obogatiš. Naplatiću ti veliku kamatu.

– Koliko će te koštati sve ovo? – pitala je, ne gledajući me.

– Manje nego što sam mislio. Jedno sto hiljada franaka. Šta me briga za sto hiljada franaka ako mogu ponovo da te vidim lepu? To radim iz čistog interesa, Čileankice.

Dugo nije progovorila; zlovoljno je nastavila da se pakuje.

– Toliko sam poružnela – rekla je odjednom.

– Strašno – rekao sam. – Izvini, ali pretvorila si se u pravi užas od žene.

– Nije istina – rekla mi je, gađajući me u okretu sandalom, koja me je pogodila u grudi. – Sigurno nisam toliko ružna kad ti je juče u krevetu bio dignut cele noći. Uzdržavao si se da vodiš ljubav sa mnom, nevinašce jedno.

Nasmejala se i od tog trenutka popravilo joj se raspoloženje. Čim se spakovala, došla je ponovo da mi sedne u krilo, da je zagrlim i da je lagano masiram po leđima i rukama. Još je bila u tom položaju i duboko je spavala kada je oko šest ušao Jilal da gleda svoju televizijsku emisiju. Od one večeri kada je roditeljima priredio iznenađenje, oslobodio se da govori i s njima i s nama, ali samo na trenutke, jer ga je to vrlo zamaralo. Onda se vraćao tabli koju je i dalje nosio oko vrata, zajedno s nekoliko kreda u torbici. Te večeri mu nismo čuli glas sve dok se nije oprostio na španskom sa „Laku noć, prijatelji".

Posle večere otišli smo na kafu kod Gravoskih i oni su joj obećali da će je posetiti u klinici i rekli su joj da, dok ja budem u Finskoj, zove ako joj je bilo šta potrebno. Kada smo se vratili kući, nije me pustila da rasklopim kauč.

– Zašto nećeš da spavaš sa mnom?

Zagrlio sam je i stegao uz telo.

– Vrlo dobro znaš zašto. Meni je mučenje da ležiš naga pored mene, da te toliko želim a da ne mogu da te dodirnem.

– Za tebe nema leka – rekla je ona ljutito, kao da sam je uvredio. – Da si Fukuda, vodio bi ljubav sa mnom cele noći i bolelo bi te uvo da li ću da iskrvarim ili umrem.

– Ja nisam Fukuda. Još ni to nisi shvatila?

– Naravno da jesam – ponovila je, grleći me oko vrata. – I zbog toga ćeš ove noći da spavaš sa mnom. Jer ništa ne volim više nego da te mučim. Zar nisi shvatio?

– *Hélas*, jesam – rekao sam, ljubeći je u kosu. – I te kako sam shvatio, pre mnogo godina, i najgore je što nisam izvukao pouku. Čak bi pomislilo da mi se dopada. Mi smo savršen par: sadista i mazohista.

Spavali smo zajedno i kada je pokušala da me pomiluje, uhvatio sam je za ruke i sklonio ih.

– Dok se potpuno ne oporaviš, bićemo čedni kao dva anđelčića.

– Istina je, ti si *vrai con*.[64] Barem me čvrsto zagrli da odagnam strah.

Sledećeg jutra otišli smo vozom sa stanice Sen Lazar i tokom celog puta do Peti Klamara ona je ćutala sva pokunjena. Pozdravili smo se na ulazi u kliniku. Stisla se uz mene kao da se više nikada nećemo videti i pokvasila mi je lice suzama.

– Ako ovako nastaviš, sigurno ćeš se zaljubiti u mene.

– Kladim se u šta hoćeš da se to nikad neće desiti, Rikardito.

Otputovao sam u Helsinki tog istog popodneva i dve nedelje koje sam tamo radio, svakodnevno sam govorio ruski, od jutra do mraka. Bila je u pitanju tripartitna konferencija s delegatima iz Evrope, SAD i Rusije, da se uobliči politika pomoći i saradnje zapadnih zemalja s onim što je ostalo od ruševina Sovjetskog Saveza. Bilo je komisija za ekonomiju, za institucije, za socijalnu politiku, za kulturu i sport i u svima njima ruski delegati su se izražavali sa slobodom i spontanošću donedavno nepojmljivim za one monotone robote, aparatčike, koje su na međunarodne konferencije slale vlade Brežnjeva, pa čak i Gorbačova. Stvari su se tamo menjale, to je bilo očigledno. Imao sam želju da se vratim u Moskvu i u ponovo prekršteni Sankt Peterburg, gde nisam bio već nekoliko godina.

---

[64] Franc.: prava budala. (Prim. prev.)

Mi prevodioci imali smo mnogo posla i skoro nam nije ostajalo vremena za šetnju. To je bilo moje drugo putovanje u Helsinki. Prvo je bilo na proleće, kada se moglo ići ulicama i otići van grada u jelove šume prošarane jezerima i u divna sela sa drvenim kućama u toj zemlji gde je sve bilo lepo: arhitektura, priroda, ljudi i posebno starci. Međutim sada, sa snegom i temperaturom od dvadeset stepeni ispod nule, u slobodnim trenucima radije sam ostajao u hotelu i čitao ili vežbao misteriozne saunske rituale koji su mi stvarali prijatno anestetičko dejstvo.

Posle deset dana boravka u Helsinkiju, dobio sam pismo od nevaljale devojčice. Bila je dobro smeštena u klinici u Peti Klamaru, kojoj se prilagodila bez teškoća. Nisu je stavili na dijetu nego na pojačanu ishranu, ali kako je morala da radi puno gimnastičkih vežbi – i osim toga je plivala, uz pomoć profesora, jer nikada nije naučila da pliva, samo da se održava na površini i mrda u vodi kao kuca – to joj je otvaralo apetit. Već je bila na dve seanse kod doktorke Rulen, koja je bila vrlo inteligentna, i imale su vrlo dobar odnos. Gotovo da nije imala prilike da razgovara s drugim pacijentima; samo je za vreme obroka razmenjivala pozdrave s nekima od njih. Jedina pacijentkinja s kojom je razgovarala dva-tri puta bila je jedna devojka iz Nemačke, anoreksična, vrlo stidljiva i plašljiva ali dobra. Jedino čega se sećala s hipnotičke seanse sa doktorom Zilahijem jeste osećanje dubokog spokoja i opuštenosti kada se probudila. Rekla mi je, takođe, da joj nedostajem i da ne činim „mnogo gadosti u tim finskim saunama, koje su, kao što svi znaju, veliki centri seksualne degeneracije".

Kada sam se vratio u Pariz, posle skoro dve nedelje, agencija gospodina Čarnesa mi je gotovo odmah našla drugi posao od pet dana u Aleksandriji. Bio sam u Francuskoj samo jedan dan i nisam mogao da odem u posetu nevaljaloj devojčici. Ali razgovarali smo predveče telefonom. Bila je dobro raspoložena, zadovoljna pre svega doktorkom Rulen, koja joj je, rekla mi je, „vrlo mnogo pomagala"; zabavljala ju je grupna terapija koju je vodio profesor Zilahi, „nešto kao crkveno ispovedanje, samo u grupi i sa propovedima doktora". Šta je htela da joj donesem iz Egipta? „Kamilu." Dodala je ozbiljno: „Znam šta: jednu od onih plesnih haljina arapskih igračica u kojoj se vidi stomak." Je li mislila da me po izlasku iz klinike nagradi predstavom trbušnog plesa? „Kad izađem, uradiću ti neke stvari za koje i ne znaš da postoje, nevinašce." Kada sam joj rekao da mi mnogo nedostaje, odgovorila mi je: „I ti meni, mislim." Nesumnjivo joj je bilo bolje.

Te noći sam večerao kod Gravoskih i odneo Jilalu tuce olovnih vojnika koje sam kupio u jednoj radnji u Helsinkiju. Elena i Simon nisu znali za sebe od sreće. Iako se dečak povremeno povlačio u ćutanje i nije odustajao od svoje table, svakog dana se oslobađao sve više, ne samo s njima već i u školi, gde su ga drugovi koji su mu bili dali nadimak „Mutavi" sada zvali „Papagaj". To je bilo pitanje strpljenja; uskoro će biti potpuno normalan. Gravoski su išli nekoliko puta da posete nevaljalu devojčicu i uverili su se da se potpuno prilagodila klinici. Elena je jednom razgovarala telefonom sa profesorom Zilahijem i on joj je pročitao nekoliko redova u kojima mu je doktorka Rulen davala vrlo pozitivan izveštaj o napredovanju bolesnice. Ugojila se i svakog dana je imala sve više kontrole nad svojim živcima.

Sledećeg popodneva otputovao sam u Kairo, gde sam posle pet teških sati leta morao da uzmem drugi avion jedne egipatske kompanije za Aleksandriju. Stigao sam mrtav umoran. Čim sam se smestio u malu sobu jednog bednog hotelčića po imenu *Nil* – ja sam bio kriv, izabrao sam najjeftiniji koji su prevodiocima nudili – bez volje da se raspakujem spavao sam skoro osam sati neprekidno, što mi se vrlo retko dešavalo.

Sledeći dan mi je bio slobodan i prošetao sam se po tom starom gradu koji je osnovao Aleksandar, posetio muzej rimskih starina, ruševine amfiteatra i dugo sam šetao prelepom avenijom duž mora, punom kafea, restorana, hotela i radnji za turiste, gde je vrvelo od kosmopolitskog i bučnog mnoštva ljudi. Dok sam sedeo na jednoj od onih terasa koje su me navodile da mislim na pesnika Kafavija – njegova kuća u nestaloj i sada arabizovanoj grčkoj četvrti nije mogla da se poseti i natpis na engleskom govorio je da ju je preuređivao grčki konzulat – napisao sam dugo pismo bolesnici, govoreći joj koliko mi je drago što znam da je zadovoljna na klinici u Peti Klamaru i nudeći joj, ako se bude dobro ponašala i ako iz klinike izađe potpuno oporavljena, jednonedeljni put na neku plažu na jug Španije, da se sunča. Da li bi volela da ide na medeni mesec s ovim pacerom?

Posle podne sam pregledao svu dokumentaciju o konferenciji koja je počinjala sledećeg dana. Reč je bila o ekonomskoj kooperaciji i razvoju svih zemalja mediteranskog pojasa: Francuska, Španija, Grčka, Italija, Turska, Kipar, Egipat, Liban, Alžir, Maroko, Libija i Sirija. Izrael je bio isključen. To je bilo pet iscrpljujućih dana bez vremena za bilo šta; utonuo sam u konfuzne i dosadne govore i debate, koji, iako su proizveli brda štampane hartije, činilo mi se, u praksi ničemu ne služe. Jedan od arapskih prevodilaca na konferenciji, rodom iz Aleksandrije, pomogao mi je poslednjeg dana da nađem porudžbinu nevaljale devojčice: haljinu za arapsku igračicu, punu velova i kamenčića. Zamislio sam je u njoj, kako se njiše kao palma na pustinjskom pesku, na mesečini, uz ritam klarineta, flauta, čegrtaljki, tamburina, mandolina, činela i svakojakih arapskih instrumenata i poželeo sam je.

Sledećeg dana, nakon što sam stigao u Pariz, čak pre nego što sam razgovarao sa Gravoskima, otišao sam da je posetim u kliniku u Peti Klamaru. To je bio jedan tmuran, kišni dan i okolna šuma je bila bez lišća i skoro potpuno osušena od zime. Park sa kamenom fontanom, sada bez labudova, bio je turoban i obavijen vlažnom izmaglicom. Sproveli su me u prilično veliku salu gde su neke osobe sedele na foteljama; izgledali su kao porodične grupe. Čekao sam pored jednog prozora s pogledom na fontanu i odjednom sam je video kako ulazi u bademantilu, u sandalama, s peškirom na glavi umotanim kao turban.

– Izvini što si me čekao, bila sam u bazenu, plivala sam – rekla mi je propinjući se na prste da me poljubi u obraz. – Nisam imala pojma da ćeš doći. Tek juče sam dobila tvoje pismo iz Aleksandrije. Hoćemo li stvarno da idemo na medeni mesec na neku plažu na jugu Španije?

Seli smo u onaj isti ćošak i ona je privukla svoju stolicu mojoj sve dok nam se kolena nisu dotakla. Pružila mi je obe ruke i tako smo sedeli, izukrštanih prstiju, taj sat koliko je trajao naš razgovor. Promena je bila vidljiva. Zaista se oporavila, njeno telo je ponovo imalo oblike i kroz kožu na njenom licu više se nisu videle kosti niti su joj upale jagodice. U njenim očima boje tamnog meda ponovo su se pojavljivali stara živost i nestašluk i na čelu joj je krivudala plava vena. Koketno je pokretala svoje pune usne i tako me podsećala na nevaljalu devojčicu iz praistorijskih vremena. Video sam je sigurnu, mirnu, zadovoljnu zato što se oseća dobro i zato što, uveravala me je, sada samo ponekad ima one napade straha koji su je poslednje dve godine doveli do ivice ludila.

– Ne treba da mi govoriš da ti je bolje – rekao sam joj ljubeći je u ruke i gutajući je očima. – Dovoljno mi je da te vidim. Opet si lepa. Od oduševljenja jedva znam šta govorim.

– I još si me uhvatio na izlasku iz bazena – odgovorila mi je, gledajući me provokativno u oči. – Čekaj da me vidiš doteranu i našminkanu, ima da se srušiš, Rikardito.

Te noći sam večerao sa Gravoskima i pričao im o neverovatnom poboljšanju nevaljale devojčice posle tri nedelje lečenja. Oni su je posetili prethodne nedelje i stekli su isti utisak. I dalje su bili srećni zbog Jilala. Dečak se sve više ohrabrivao da govori, kod kuće i u školi, iako bi se nekih dana ponovo zatvarao u ćutanje. Ali bez ikakve sumnje: nije bilo povratka. Izašao je iz onog zatvora u koji se sam sklonio i sve više se ponovo uklapao u zajednicu bića koja govore. Uveče me je pozdravio na španskom: „Moraš da mi pričaš o piramidama, čika Rikardo.“

Sledećih dana sam čistio, raspremao i ulepšavao stan u Ulici Žozefa Granijea da dočekam pacijentkinju. Dao sam da se operu i ispeglaju zavese i čaršavi, angažovao sam jednu Portugalku da mi pomogne da očistim i izglačam podove, da opajam zidove, operem veš, i kupio sam cveće za sve četiri vaze u kući. Paket sa haljinom za trbušni ples stavio sam na krevet u spavaćoj sobi i uz njega – jednu veselu čestitku. Dan pre nego što je trebalo da napusti kliniku, bio sam uzbuđen kao klinac koji prvi put izlazi sa nekom devojkom.

Otišli smo po nju Eleninim kolima, zajedno sa Jilalom, koji tog dana nije išao u školu. Uprkos kiši i sivilu vazduha, ja sam imao osećaj da nebo u mlazevima šalje zlatastu svetlost na Francusku. Ona je već bila spremna i čekala nas je na ulasku u kliniku s koferom pored nogu. Pažljivo se očešljala, ovlaš namazala usne, stavila malo rumenila na obraze, doterala ruke i maskarom produžila trepavice. Imala je na sebi kaput koji nikada do tada nisam video, morskoplave boje, i kaiš s velikom šnalom. Kada ju je video, Jilalu su zasijale oči i potrčao je da je zagrli. Dok je portir stavljao prtljag u Elenina kola, svratio sam do administracije i žena s punđom mi je dala račun. Ukupna suma je bila manje-više koliko je predvideo doktor Zilahi: 127.315 franaka. Ja sam za tu svrhu imao deponovanih 150.000 na svom računu. Prodao sam sve državne obveznice u koje sam uložio svoju ušteđevinu i podigao dva zajma, jedan od kase uzajamne pomoći sindikata čiji sam član bio i gde su kamate bile minimalne, a drugi od moje banke *Sosijete ženeral*, s većim kamatama. Sve je ukazivalo na to da je ulaganje bilo odlično: pacijentkinja je izgledala mnogo bolje. Službenica mi je rekla da se javim direktorovoj sekretarici i da zakažem s njim sastanak, jer je doktor Zilahi hteo da me vidi. Dodala je: „Nasamo."

To je bilo divno veče. Večerali smo kod Gravoskih vrlo lagano, mada uz flašu šampanjca, i čim smo se vratili kući, zagrlili smo se i dugo se ljubili. U početku nežno, zatim pomamno, strasno, očajnički. Moje ruke su istraživale celo njeno telo i pomogle joj da se svuče. Bilo je čarobno: njena figura, i dalje mršava, ponovo je imala obline, i bilo je divno osetiti na rukama i na usnama tople, nežne, lepo oblikovane male grudi s nabubrelim bradavicama i malim zrnastim krunicama. Neumorno sam udisao miris njenih glatkih pazuha. Kada je bila naga, podigao sam je u naručje i odneo u spavaću sobu. Onim svojim starim podrugljivim pogledom gledala me je kako se svlačim:

– Hoćeš da vodiš ljubav sa mnom? – izazivala me je, govoreći kao da peva. – Ali još nije prošlo dva meseca koja je odredio lekar.

– Večeras mi nije važno – odgovorio sam joj. – Suviše si lepa i kad ne bih vodio ljubav s tobom, umro bih. Zato što te volim celom dušom.

– Već mi je bilo čudno što mi još nisi rekao nijednu banalnost – nasmejala se ona.

Dok sam joj ljubio celo telo, polako, od kose do stopala, sasvim nežno i s ogromnom ljubavlju, osetio sam kako uzbuđeno prede, skuplja se i isteže. Kada sam je poljubio između nogu, osetio sam da je tamo vlažno, drhtavo, nabubrelo. Snažno me je obgrlila nogama. Ali čim sam prodro u nju, jauknula je i zaplakala uz bolne grimase.

– Boli me, boli me – zajecala je, gurajući me obema rukama. – Htela sam večeras da ti učinim, ali ne mogu, razdire me, boli me.

Plakala je, ljubila me očajnički u usta i njena kosa i njene suze ulazile su mi u oči i nos. Počela je da drhti, kao kada su je spopadali napadi straha. Ja sam joj tražio oproštaj, zato što sam bio grubijan, neodgovoran, egoista. Voleo sam je, nikada je ne bih naterao da pati, ona je bila za mene ono najdraže, najslađe i najnežnije u životu. Kako bol nije popuštao, ustao sam, onako nag, i doneo iz kupatila peškirić natopljen toplom vodom; njime sam joj blago prelazio između nogu sve dok malo-pomalo bol nije počeo da jenjava. Pokrili smo se ćebetom i ona je htela da joj svršim u usta, ali sam odbio. Kajao sam se što je zbog mene patila. Sve dok joj ne bude sasvim dobro, ovo se neće ponoviti: vodićemo čedan život, njeno zdravlje je bilo važnije od mog zadovoljstva. Slušala me je ne govoreći ništa, pribijena uz mene i potpuno nepomična. Ali mnogo kasnije, pre nego što je zaspala, s rukama oko mog vrata i usnama zalepljenim za moje, šapnula mi je: „Pročitala sam tvoje pismo iz Aleksandrije bar deset puta. Spavala sam s njim svaku noć, stiskala sam ga među nogama.“

Sledećeg jutra pozvao sam iz govornice kliniku u Peti Klamaru i sekretarica doktora Zilahija zakazala mi je sastanak za dva dana. Takođe mi je naglasila da direktor želi da me vidi nasamo. Po podne sam otišao u Unesko da proverim mogućnosti za neki posao, ali mi je šef prevodilaca rekao da do kraja meseca nema ništa i predložio mi da me preporuči za neku trodnevnu konferenciju u Bordou. Nisam pristao. Ni agencija gospodina Čarnesa nije trenutno imala za mene ništa u Parizu ili okolini, ali kako je moj stari gazda video da mi treba posao, dao mi je da prevedem s ruskog na engleski gomilu dokumenata i to je bilo prilično dobro plaćeno. Tako da sam se s pisaćom mašinom i rečnicima smestio da radim u maloj dnevnoj sobi. Odredio sam sebi kancelarijsko radno vreme. Nevaljala devojčica mi je kuvala kafu i brinula se za hranu. Povremeno je, kao što bi učinila neka tek udata žena puna pažnje prema mužu, dolazila da mi se obesi o ramena i da me poljubi s leđa u vrat ili uho. Ali kada je dolazio Jilal, potpuno je zaboravljala na mene i igrala se s dečakom kao da su istih godina. Uveče, posle večere, slušali smo ploče pre spavanja i ponekad je u mom naručju tonula u san.

Nisam joj rekao za sastanak na klinici u Peti Klamaru i izašao sam iz kuće pod izgovorom da imam razgovor oko mogućeg posla u okolini Pariza. Došao sam na kliniku pola sata pre vremena, potpuno smrznut; čekao sam u sali za posetioce, gledajući kako provejava slab sneg i pada na travnjak. Loše vreme je sakrilo kamenu fontanu i drveće.

Obučen isto kao kad sam ga pre mesec dana video prvi put, doktor Zilahi me je čekao s doktorkom Rulen. Bila mi je simpatična na prvi pogled: jedna krupna žena, još mlada, inteligentnih očiju i ljubaznog osmeha koji se gotovo nije skidao s njenih usana. Nosila je neku fasciklu, koju je ritmično prebacivala iz ruke u ruku. Sačekali su me stojeći i mada je u kancelariji bilo stolica, nisu mi ponudili da sednem.

– Kako vam izgleda? – pitao me je direktor umesto pozdrava, ostavljajući mi isti utisak kao prvi put: kao neko ko ne gubi vreme na opširna izlaganja.

– Fantastično, doktore – odgovorio sam mu. – Ona je druga osoba. Oporavila se, povratila je oblik i dobila boju. Vidim da je vrlo spokojna. I nestali su oni napadi straha koji su je toliko mučili. Vrlo vam je zahvalna. I ja, naravno.

– Dobro, dobro – rekao je doktor Zilahi, mašući rukama kao mađioničar i meškoljeći se na stolici. – Upozoravam vas, međutim, da u ovim stvarima čovek nikada ne može da se pouzda u spoljni izgled.

– U kojim stvarima, doktore? – prekinuo sam ga zaintrigirano.

– U stvarima uma, prijatelju – osmehnuo se. – Ako vi više volite da to zovete duša, nemam ništa protiv. Gospođa je fizički dobro. Njen organizam se zaista oporavio zahvaljujući disciplinovanom životu, dobrom režimu ishrane i vežbama. Sad se treba pobrinuti da sledi uputstva o ishrani koja smo joj dali. Ne sme da prekine s gimnastikom i plivanjem, koji su joj mnogo pomogli. Ali u psihičkom pogledu moraćete da pokažete mnogo strpljenja. Dobro je orijentisana, čini mi se, mada je put pred njom dugačak.

Pogledao je doktorku Rulen, koja do tada nije progovarala. Ona je potvrdno klimnula glavom. Nešto u njenim prodornim očima navelo me je da se trgnem. Video sam kako otvara fasciklu i brzo je lista. Hoće li mi saopštiti neku ružnu vest? Tek tada, direktor mi je pokazao na stolice. Svi smo seli.

– Vaša prijateljica je mnogo propatila – rekla je doktorka Rulen tako ljubazno kao da hoće da kaže nešto sasvim drugo. – Ona ima pravu pometnju u glavi. To je zato što je toliko povređena. Bolje rečeno, posledica onoga od čega boluje.

– Ali meni i psihički deluje mnogo bolje – rekao sam tek da nešto kažem. Uvodi oboje lekara na kraju su me uplašili. – U redu, pretpostavljam da posle onakvog iskustva kao u Lagosu nijedna žena nikad ne može sasvim da se oporavi.

Nastupila je kratka tišina i nova brza razmena pogleda između direktora i doktorke. Kroz veliki prozor koji je gledao na park, pahuljice su sada bile gušće i belje. Nestali su vrt, drveće i fontana.

– To silovanje se verovatno nikada nije desilo, gospodine – osmehnula se ljubazno doktorka Rulen s izvinjavajućim izrazom lica.

– To je fantazija koju je izgradila da zaštiti nekoga, da izbriše tragove – dodao je doktor Zilahi, ne dajući mi vremena da reagujem. – Doktorka Rulen je na to posumnjala još pri prvom razgovoru koji su vodile. A zatim smo to potvrdili kada sam je hipnotisao. Zanimljivo je što je to izmislila da zaštiti nekoga ko ju je vrlo dugo, godinama, iskorišćavao i sistematski zloupotrebljavao. Vi ste bili u toku, zar ne?

– Ko je bio gospodin Fukuda? – pitala je blago doktorka Rulen. – Ona govori o njemu sa mržnjom i istovremeno s poštovanjem. Njen muž? Avantura?

– Njen ljubavnik – promucao sam. – Jedna gadna osoba, umešana u mutne radnje, s kojom je nekoliko godina živela u Tokiju. Ona mi je objasnila da ju je napustio kada je saznao da je u Lagosu policija uhapsila i silovala, jer je mislio da su je zarazili sidom.

– Još jedna fantazija, ovoga puta da zaštiti samu sebe – mlatarao je rukama direktor klinike. – Taj gospodin je takođe nije oterao. Ona je pobegla od njega. Njeni strahovi dolaze otuda. To je mešavina straha i griže savesti zato što je pobegla od osobe koja je imala potpunu moć nad njom, koja ju je lišila nezavisnosti, ponosa, samopoštovanja i gotovo razuma.

Zinuo sam, zapanjen. Nisam znao šta da kažem.

– Strah da bi on mogao da je progoni da bi se osvetio i kaznio je – dodala je doktorka Rulen istim tonom, ljubaznim i diskretnim. – Ali to što se usudila da pobegne od njegam, velika je stvar, gospodine. Znak da despot nije sasvim uništio njenu ličnost. Ona je u dubini sačuvala svoje dostojanstvo. Svoju slobodu volje.

– Ali one povrede, one rane – pitao sam i odmah sam se pokajao, pogađajući šta će mi odgovoriti.

– On ju je podvrgavao svakovrsnim mučenjima, radi svoje zabave – objasnio je direktor bez mnogo okolišanja. – Bio je u isto vreme istančan i stručan u priređivanju svojih užitaka. Vi treba da imate jasnu ideju o tome šta je ona pretrpela da biste mogli da joj pomognete. Nema druge nego da vas uputim u neprijatne detalje. Samo tako ćete biti u stanju da joj pružite svu podršku koja joj je potrebna. Šibao ju je nekim kanapima koji ne ostavljaju traga. Pozajmljivao ju je svojim prijateljima i telohraniteljima, usred orgija, da bi ih gledao, jer je takođe bio voajer. Ono najgore, ono što je ostavilo najsnažniji trag u njenom sećanju, bili su vetrovi. Vrlo su ga uzbuđivali, očigledno. Terao ju je da pije neke praškove koji su je punili gasovima. To je bila jedna od fantazija kojom se zadovoljavao taj ekscentrični gospodin: da je poseduje nagu, četvoronoške, kao psa, dok ona izbacuje vetrove.

– Nije joj samo uništio rektum i vaginu, gospodine – rekla je doktorka Rulen, podjednako blago i ne skidajući osmeh. – Uništio joj je ličnost. Sve ono što je u njoj bilo dostojanstveno i pristojno. Zbog toga vam ponavljam: ona je patila i patiće još vrlo mnogo, iako spolja ne izgleda tako. I postupaće ponekad iracionalno.

Osušilo mi se grlo i, kao da mi je pročitao misli, doktor Zilahi mi je dodao čašu gazirane vode.

– Dakle, treba reći sve. Nemojte da živite u zabludi. Ona nije bila prevarena. Bila je dobrovoljna žrtva. Podnela je sve to znajući vrlo dobro šta radi – oči direktora su odjednom počele uporno da me istražuju, prateći moju reakciju. – Možete to da zovete iščašena ljubav, bizarna strast, perverzija, mazohistički impuls ili, jednostavno, potčinjenost dominantnoj ličnosti kojoj nije uspevala da pruži nikakav otpor. Ona je bila snishodljiva žrtva i dobrovoljno je pristala na sve hirove tog gospodina. Sada, kada je toga postala svesna, hvataju je bes i očajanje.

– To će biti najsporija, najteža rekonvalescencija – rekla je doktorka Rulen. – Da povrati svoje samopoštovanje. Ona je pristala, htela je da bude robinja, ili gotovo tako, i tako je tretirana, razumete? Sve dok jednog dana, ne znam kako, ne znam zašto, ni ona ne zna, nije shvatila opasnost. Osetila je, pogodila da će, ako nastavi tako, završiti vrlo loše, povređena, luda ili mrtva. I onda je pobegla. Ne znam odakle joj snaga da to uradi. Treba joj se diviti zbog toga, uveravam vas. Oni koji dođu do tog stepena zavisnosti obično se nikada ne oslobode.

– Strah je bio toliki da je izmislila celu priču s Lagosom, policijsko silovanje, da ju je njen dželat oterao plašeći se side. I pri tom je počela da veruje u to. Život u toj fikciji davao joj je razloge da se oseti sigurnijom, što je manje opasno nego da živi u stvarnosti. Svima je teže živeti u stvarnosti nego u laži. Ali još više za nekoga u njenoj situaciji. Koštaće je mnogo da se ponovo navikne na stvarnost.

Ućutao je, a ni doktorka Rulen takođe ništa nije govorila. Oboje su me gledali radoznalo i puni razumevanja. Ja sam ispijao vodu u gutljajima, nesposoban da bilo šta kažem. Bio sam zajapuren i oznojen.

– Vi možete da joj pomognete – ubrzo je rekla doktorka Rulen. – I još više, gospodine. Vi ste, iznenadiće vas da to čujete, verovatno jedina osoba na svetu koja može da joj pomogne. Mnogo više nego mi, uveravam vas. Opasnost je u tome da se ona povuče duboko u sebe, u neku vrstu autizma. Vi možete da budete njen most za komunikaciju sa svetom.

– Ona ima poverenja u vas i, verujem, ni u koga više – potvrdio je direktor. – Ona se pred vama oseća, kako da vam kažem...

– Prljava – rekla je doktorka Rulen, pristojno spuštajući načas pogled. – Jer vi ste za nju, iako ne verujete, neka vrsta sveca.

Moj smeh je zvučao vrlo lažno. Osećao sam se glupo, tupavo, imao sam želju da pošaljem do đavola ovaj par i da im oboma kažem da pravdaju nepoverenje koje sam celog života osećao prema psiholozima, psihijatrima, psihoanalitičarima, popovima, vračevima i šamanima. Oni su me gledali kao da mi čitaju misli i opraštaju mi. Spokojni osmeh doktorke Rulen nije se menjao.

– Ako budete imali strpljenja i, pre svega, mnogo nežnosti, ona može da povrati i svoj duh isto tako kao što se povratila fizički – rekao je direktor.

Pošto više nisam znao šta da kažem, pitao sam ih da li je nevaljaloj devojčici potrebno da se vrati na kliniku.

– Naprotiv, obrnuto – rekla je nasmejana doktorka Rulen. – Ona mora da zaboravi na nas, da je bila ovde, da ova klinika postoji. Da započne svoj život ponovo i od nule. Život vrlo različit od onoga koji je imala, s nekim ko je voli i poštuje. Kao što ste vi.

– Još nešto, gospodine – rekao je direktor ustajući i pokazujući mi tako da se razgovor privodi kraju. – Izgledaće vam neobično. Ali i ona i svi oni koji žive dobar deo svog života zatvoreni u fantazije koje grade da bi pobegli od pravog života i znaju i ne znaju šta rade. Granica im se na periode izgubi, a zatim ponovo pojavljuje. Hoću da kažem, ponekad znaju, a ponekad ne znaju šta rade. Ovo je moj savet: ne pokušavajte da je naterate da prihvati stvarnost. Pomozite joj, ali nemojte da je obavezujete, ne požurujte je. To je dugo i teško naučiti.

– Moglo bi da bude kontraproduktivno i da je vrati u bolest
– rekla je sa zagonetnim osmehom doktorka Rulen. – Ona sopstvenim naporom mora da se malo-pomalo prilagodi, prihvatajući ponovo stvarni život.

Nisam dobro shvatio šta su hteli da mi kažu, ali nisam ni
pokušao da razjasnim. Hteo sam da odem, da izađem odande
i da se nikada ponovo ne setim onoga što sam čuo. Znao sam
vrlo dobro da će to biti nemoguće. U prigradskom vozu na
povratku u Pariz duboko sam se obeshrabrio. Teskoba me je
gušila. Nije bilo iznenađujuće što je izmislila ono s Lagosom.
Zar nije provodila život izmišljajući razne stvari? Ali bolelo me
je saznanje da joj je rane na vagini i rektumu naneo Fukuda,
koga sam počeo da mrzim iz sve snage. Čemu ju je podvrgavao? Sodomiji sa šipkama, onim nazubljenim vibratorima koje
su stavljali na raspolaganje klijentima u *Šato Meguruu*? Znao
sam da će me slika nevaljale devojčice, gole, četvoronoške, sa
stomakom naduvenim od tog praška, kako ispušta gasove, jer
su ti prizori i ti zvuci i mirisi izazivali erekciju japanskog gangstera – samo njemu ili su to bile predstave koje je takođe nudio
svojim ortacima? – proganjati mesecima, godinama, možda
do kraja života. Je li to bilo ono što je nevaljala devojčica zvala
„živeti intenzivno", ono što mi je sa grozničavim uzbuđenjem
rekla u Tokiju? Ona se sama prepustila svemu tome. U isto vreme je bila i žrtva i Fukudin saučesnik. U njoj je postojalo nešto
isto tako podmuklo i izopačeno kao i u groznom Japancu. Kako
da joj ne izgleda kao svetac idiot koji se upravo zadužio da bi
ona ozdravila i, posle izvesnog vremena, mogla da ode s nekim
bogatijim ili zanimljivijim od jadnog pacera?! I uprkos svim tim
prekorima i besu, samo sam hteo što pre da dođem kući da je
vidim, dodirnem, i da joj kažem da je volim više nego ikada.
Jadnica! Koliko je patila! Pravo je čudo što je bila živa. Ja bih
posvetio ostatak života da je izvučem iz te rupe. Budala!

U Parizu sam se pažljivo trudio da imam normalan izraz
lica kako nevaljala devojčica ne bi posumnjala šta mi se mota

po glavi. Kada sam ušao u kuću, zatekao sam Jilala kako je uči da igra šah. Ona se žalila da je vrlo teško i da mora mnogo da misli, da je mnogo lakše i zabavnije bilo igrati dame. „Jilal će da uči." „Jilal će da te nauči, ne da uči", ispravljala ga je ona.

Kada je dečak otišao, kako bih sakrio svoje duševno stanje, počeo sam da prevodim i kucao sam na mašini sve do večere. Kako je glavni sto bio zatrpan mojim papirima, jeli smo u kuhinjici, za malim stolom sa dve hoklice. Ona je napravila tortilju od sira i salatu.

– Šta ti je? – upitala me je odjednom dok smo jeli. – Čudan si. Bio si na klinici, je li tako? Zašto mi ništa nisi kazao? Jesu li ti rekli nešto loše?

– Ne, naprotiv – ubeđivao sam je. – Dobro ti je. Rekli su mi da sada treba da zaboraviš na kliniku, na doktorku Rulen i na prošlost. Oni sami su mi to rekli: da ih zaboraviš da bi tvoj oporavak bio potpun.

U očima sam joj video da zna kako nešto krijem od nje, ali nije navaljivala. Otišli smo na kafu kod Gravoskih. Naši prijatelji su bili vrlo uzbuđeni. Simon je dobio ponudu da provede nekoliko godina na univerzitetu Prinston, da vrši istraživanja u programu razmene sa Institutom Paster. Oboje su se nadali odlasku u Nju Džersi: za dve godine u SAD Jilal će naučiti engleski, a Elena će moći da obavlja praksu u bolnici u Prinstonu. Proveravali su da li će joj bolnica Košen dati dve-tri godine neplaćenog odsustva. Kako su oni govorili sve vreme, ja skoro nisam morao da otvorim usta, samo sam slušao ili sam se, bolje rečeno, pravio da slušam, na čemu sam im bio vrlo zahvalan.

Nedelje i meseci koji su usledili bili su puni posla. Kako bih plaćao dugove i istovremeno održavao tekuće troškove, koji su se sada, kada je nevaljala devojčica živela sa mnom, povećali, morao sam da prihvatam sve poslove koji su se nudili i istovremeno sam, noću ili vrlo rano ujutro, po dva-tri sata prevodio dokumente koje mi je poručivala kancelarija gospodina Čarnesa; veran sebi, trudio se da mi uvek pomogne. Išao sam po

Evropi i vraćao se, radeći na konferencijama i kongresima svih vrsta i nosio sa sobom prevode koje sam nastavljao noću po hotelima i pansionima, na portabl mašini. Nije mi smetao višak posla. Istina je da sam bio srećan što živim sa ženom koju volim. Ona je izgledala potpuno oporavljeno. Nikada nismo razgovarali ni o Fukudi, ni o Lagosu, ni o klinici u Peti Klamaru. Išli smo u bioskop, ponekad da slušamo muziku u neku džez *cave*[65] na Sen Žermenu, i subotom da večeramo u nekom ne mnogo skupom restoranu.

Moje jedino rasipništvo bila je gimnastika, jer sam bio siguran da nevaljaloj devojčici čini dobro. Upisao sam je u gimnastički centar u Aveniji Montenj, koji je imao bazen sa zagrejanom vodom i ona je tamo rado odlazila nekoliko puta nedeljno na časove aerobika sa trenerom i na plivanje. Sada kada je naučila da pliva, to je postalo njen omiljeni sport. Kada me nije bilo, obično je provodila veliki deo vremena sa Gravoskima, koji su napokon dobili dozvolu za Elenu i pripremali se za put u SAD na proleće. Oni su je povremeno vodili u bioskop, na neku izložbu ili su izlazili na večeru. Jilal je uspeo da je nauči da igra šah i da je pobeđuje isto onako ubedljivo kao u damama.

Jednog dana nevaljala devojčica mi je rekla da, pošto se oseća odlično – što je izgledalo tačno s obzirom na njen dobar izgled i na ljubav prema životu, koju je, očito, povratila – hoće da potraži posao da ne bi gubila vreme i da bi mi pomogla oko troškova u kući. Mučilo ju je što se ja ubijam radeći, a ona samo ide na gimnastiku i igra se sa Jilalom.

Ali kada je počela da traži posao, pojavio se problem isprava. Imala je tri pasoša, jedan peruanski koji je istekao, drugi francuski i treći engleski, ova poslednja dva falsifikovana. Nigde joj neće dati posao dok nema legalni status. I još manje u tim vremenima kada je u celoj Evropi, a pre svega u Francuskoj, porasla paranoja zbog imigranata iz zemalja trećeg sveta. Vlade

---

[65] Engl.: pećina, rupa. (Prim. prev.)

su ograničavale vize i počinjale da proganjaju strance bez dozvole za rad.

Engleski pasoš s njenom fotografijom, gde joj je šminka gotovo potpuno menjala izgled, bio je izdat na ime misiz Patriša Stjuard. Objasnila mi je da je, otkako je njen bivši muž Dejvid Ričardson dokazao bigamiju, što je poništavalo njen engleski brak, automatski izgubila britansko državljanstvo koje je primila kada se udala. Francuski pasoš koji je dobila zahvaljujući prethodnom mužu nije se usuđivala da koristi jer nije znala da li je mesje Rober Arnu konačno odlučio da je prijavi, da li je pokrenuo sudski postupak, optužio za bigamiju ili učinio bilo šta da se osveti. Fukuda joj je za njena afrička putovanja, isto kao i Englez, nabavio francuski pasoš na ime madam Florans Milun; u njemu je na fotografiji izgledala vrlo mlada i imala je potpuno drukčiju frizuru. S tim pasošem je poslednji put ušla u Francusku. Ja sam se plašio da će, ako je otkriju, izbaciti iz zemlje ili nešto još gore.

Uprkos toj prepreci, nevaljala devojčica je nastavila da traži, javljajući se na oglase za posao u Eku, u turističkim agencijama, u oblasti odnosa sa javnošću, umetničkim galerijama i kompanijama koje su radile sa Španijom i Latinskom Amerikom i bilo im je potrebno osoblje s poznavanjem španskog. Nije mi izgledalo nimalo lako da, s obzirom na svoj neizvestan pravni status, nađe regularan posao, ali nisam hteo da je razočaram i ohrabrivao sam je da nastavi s potragom.

Nekoliko dana pre putovanja Gravoskih u SAD, na oproštajnoj večeri na koju smo ih pozvali u *Klozeri de Lila*, kada je slušala nevaljalu devojčicu kako priča koliko joj je teško da nađe posao bez isprava, Eleni je odjednom pala na pamet ideja:

– A zašto se ne venčate? – obratila se meni. – Ti imaš francusko državljanstvo, je li tako? E pa, oženi se njome i daj državljanstvo svojoj ženi. I gotovo je s pravnim problemima, dečko. Biće prava pravcata Francuskinja.

To je rekla ne razmišljajući, u šali, i Simon je prihvatio ton: taj brak mora da sačeka, on hoće da bude prisutan i da bude svedok mladoženji, a kako se neće vraćati u Francusku dve godine, moraćemo da odložimo plan do tada. Osim ako ne rešimo da se venčamo u Prinstonu u Nju Džersiju, u kom slučaju on neće biti samo svedok već i kum, itd. Po povratku kući, napola ozbiljno napola u šali, rekao sam nevaljaloj devojčici, koja se svlačila:

– A ako poslušamo Elenin savet? Ona je u pravu: ako se venčamo, tvoja situacija je odmah rešena.

Obukla je spavaćicu i okrenula se da me pogleda, s rukama na struku, s podrugljivim osmehom i u stavu borbenog petlića; rekla mi je sa svom ironijom za koju je bila sposobna:

– Stvarno me prosiš?

– Pa, valjda – pokušao sam da se našalim. – Ako ti hoćeš. Pa da ti rešimo pravne probleme. Nećemo da te iznenada izbace iz Francuske jer si ilegalno tu.

– Ja se udajem samo iz ljubavi – rekla je, prostrelivši me pogledom i lupivši o pod isturenim desnim stopalom. – Nikad se ne bih udala za nekog prostaka koji mi nudi brak tako neotesano kao što si ti upravo učinio.

– Ako hoćeš, kleknuću i s rukom na srcu zamoliću te da budeš moja obožavana žena za vjek i vjekove – rekao sam zbunjeno, ne znajući da li se i dalje šali ili je počela da govori ozbiljno.

Kroz malu spavaćicu od organdina videle su joj se grudi, pupak i tamni žbunić stidnih dlačica. Sezala joj je samo do kolena i ostavljala otkrivena ramena i ruke. Kosa joj je bila raspuštena i lice užareno od predstave koju je započela. Svetlost lampe s noćnog stočića padala joj je na leđa i pravila zlaćani oreol oko njene figure. Izgledala je vrlo privlačno, smelo i ja sam je poželeo.

– Učini to – naredila mi je. – Na kolenima, s rukom na grudima. Reci mi najbolje banalnosti iz svog repertoara, da vidimo hoćeš li me ubediti.

Pao sam na kolena i molio je da se uda za mene. Ljubio sam joj stopala, članke, kolena, milovao joj zadnjicu i poredio je sa Devicom Marijom, sa boginjama s Olimpa, sa Semiramidom i Kleopatrom, sa Odisejevom Nausikajom, sa Kihotovom Dulsinejom i govorio sam joj da je lepša i poželjnija od Klaudije Kardinale, Brižit Bardo i Katrin Denev zajedno. Na kraju sam je uhvatio oko struka i naterao da legne na krevet. Dok sam je milovao i voleo, čuo sam kako se smeje i šapuće mi: „Žalim, ali tražili su moju ruku i bolje, gospodine paceru." Uvek kada smo vodili ljubav, morao sam veoma da vodim računa da je ne povredim. I mada sam se pravio da joj verujem da joj je iz dana u dan sve bolje, s vremenom sam se uverio da nije tako i da one rane u njenoj vagini nikada neće potpuno nestati i da će zauvek ograničiti naš seksualni život. Mnogo puta sam izbegao da prodrem u nju, a kada nisam, to sam činio vrlo oprezno, povlačeći se čim bi joj se telo zgrčilo a lice iskrivilo u bolnu grimasu. Ali čak i tako, iako je ponekad bilo teško voditi ljubav, ponekad nedovršeno, ja sam beskrajno uživao. To što sam joj pružao užitak svojim ustima i rukama i što sam to primao od nje, pravdalo je moj život, zbog toga sam se osećao najpovlašćenijim smrtnikom. Iako je često u krevetu imala ono svoje udaljeno držanje, ponekad je izgledalo da oživljava i da učestvuje s poletom i žarom. Tada sam joj govorio: „Iako ne želiš to da priznaš, mislim da si me zavolela." Te noći, kada smo već iscrpljeni tonuli u san, ukorio sam je:

– Nisi mi odgovorila, gerilko. Ovo mora da je petnaesti put da ti izjavljujem ljubav. Hoćeš li da se udaš za mene ili nećeš?

– Ne znam – odgovorila mi je vrlo ozbiljno, grleći me. – Još moram da razmislim.

Gravoski su otputovali u SAD jednog sunčanog prolećnog dana i sa prvim zelenim izdancima na kestenovima, bukvama i crnim topolama Pariza. Otišli smo da ih ispratimo na aerodrom Šarl de Gol. Kada je zagrlila Jilala, nevaljaloj devojčici su grunule suze na oči. Gravoski su nam ostavili ključ od stana

da povremeno bacimo pogled i da sprečimo da utone u praši-
nu. Bili su vrlo dobri prijatelji, jedini s kojima smo imali ono
duboko prijateljstvo na južnoamerički način, i za te dve godine
mnogo će nam nedostajati. Pošto sam video nevaljalu devojči-
cu tako utučenu zbog Jilalovog odlaska, predložio sam joj da
umesto povratka kući odemo u šetnju ili u bioskop. Onda ću je
odvesti na večeru u mali bistro na ostrvu Sen Luj koji joj se vrlo
dopadao. Toliko je zavolela Jilala da sam joj, dok smo šetali oko
Notr Dama prema restoranu, rekao u šali da, ako hoće, kada se
venčamo, možemo da usvojimo dete.

– Otkrio sam u tebi materinski instinkt. Uvek sam mislio da
ne želiš da imaš decu.

– Kada sam bila na Kubi s onim komandantom Čakonom,
podvezala sam jajovode jer je on hteo dete, a mene je ta ideja
užasavala – odgovorila je resko. – Sada se kajem.

– Hajde da usvojimo jedno – podstakao sam je. – Zar nije
isto? Zar nisi videla odnos koji Jilal ima sa svojim roditeljima?

– Ne znam da li je isto – promrmljala je i osetio sam kako
joj je glas postao neprijateljski. – Osim toga, čak i ne znam da li
ću se udati za tebe. Molim te, promenimo temu.

Postala je vrlo neraspoložena i shvatio sam da sam nehotice
dotakao neki povređeni ćošak njene intime. Pokušao sam da
je razonodim, i odveo sam je da vidi katedralu, prizor koji svih
godina koliko sam u Parizu nikada nije prestajao da me očarava.
I te noći više nego ikada. Jedna slaba svetlost s blagom ružiča-
stom aurom kupala je zidove Notr Dama. Ta masivna građevina
delovala je lako zbog savršene simetrije njenih uravnoteženih
delova koji su se brižljivo održavali kako se ništa ne bi odvoji-
lo ni popustilo. Istorija i pročišćena svetlost ispunjavale su tu
fasadu aluzijama i odjecima, slikama i pričama. Bilo je mnogo
turista koji su se slikali. Je li to bila ona ista katedrala koja je
bila poprište toliko vekova francuske istorije, ona ista iz romana
Viktora Igoa koji me je toliko oduševio kad sam ga, kao dete,
u Mirafloresu pročitao u kući moje tetke Alberte? Bila je ta ista

i druga, uvećana mitologijama i novijim događajima. Prelepa, ostavljala je utisak stabilnosti i trajnosti, kao da je utekla od izrabljivanja vremena. Nevaljala devojčica me je slušala kako hvalim Notr Dam, ne obraćajući pažnju, utonula u svoje misli. Tokom večere je bila pokunjena, zlovoljna i jedva je okusila nešto. I te noći je zaspala a da mi nije poželela laku noć, kao da sam ja kriv što je Jilal otišao. Dva dana kasnije, otputovao sam u London jer sam dobio jednonedeljni ugovor. Opraštajući se od nje vrlo rano ujutro, rekao sam joj:

– Nije važno da se venčamo ako nećeš, nevaljala devojčice. Nije potrebno. Moram nešto da ti kažem pre nego što odem. Za mojih četrdeset sedam godina života nikada nisam bio tako srećan kao ovih meseci otkad smo zajedno. Ne znam kako da ti se odužim za sreću koju si mi pružila.

– Požuri, otići će ti avion, dosadnjakoviću – gurala me je prema vratima.

Još je bila loše volje, stalno zatvorena u sebe. Od odlaska Gravoskih skoro nisam mogao da razgovaram s njom. Zar ju je toliko pogodio Jilalov odlazak?

Moj posao u Londonu bio je zanimljiviji od ostalih konferencija i kongresa. To je bio sastanak sazvan pod jednim od onih beznačajnih naziva koji se neumorno ponavljaju na razne teme: „Afrika: podsticaj za razvoj". Pokrovitelji su bili Komonvelt, Ujedinjene nacije, Savez afričkih zemalja i razni nezavisni instituti. Ali za razliku od drugih rasprava, bilo je vrlo ozbiljnih svedočanstava političkih rukovodilaca, biznismena ili akademika afričkih zemalja o jadnom stanju u kojem su ostale stare francuske i engleske kolonije kada su dobile nezavisnost i prepreke na koje su sada nailazile da dovedu u red društvo, stabilizuju insitucije, likvidiraju militarizam i moć lokalnih poglavara, integrišu u skladno jedinstvo različite etničke grupe svake zemlje i ostvare ekonomski napredak. Situacija skoro svih predstavljenih nacija bila je kritična; pa ipak, iskrenost i lucidnost s kojima su ti Afrikanci, većinom vrlo mladi, prikazivali svoju stvarnost, imale su nešto uzbudljivo što je davalo podstrek pun nade za promenu tih tragičnih uslova. Iako sam koristio i španski, uglavnom sam morao da prevodim sa francuskog na engleski i obratno. I radio sam to sa zanimanjem, radoznalošću i željom da nekad otputujem na odmor u Afriku, iako nisam mogao da zaboravim da je nevaljala devojčica u Fukudinoj službi išla u svoje pohode po tom kontinentu.

Uvek kada sam odlazio da radim van Pariza, razgovarali smo svaki drugi dan. Zvala me je ona jer je bilo jeftinije; hoteli i pansioni su neverovatno mnogo naplaćivali međunarodne pozive. Ali iako sam joj ostavio telefon hotela *Šorhem* u Bejsvoteru, prva dva dana u Londonu nevaljala devojčica me nije zvala. Trećeg dana sam ja nju pozvao, i to rano, pre nego što sam otišao u Institut Komonvelt, gde je držana konferencija.

Primetio sam da je vrlo čudna. Odsečna, neodređena, iritirana. Uplašio sam se pomislivši da su joj se možda vratili stari napadi panike. Uveravala me je da nisu, da se oseća dobro. Da li joj onda nedostaje Jilal? Naravno da joj nedostaje. A da li joj ja malo nedostajem?

– Čekaj da razmislim – rekla mi je, ali ton njenog glasa nije bio glas žene koja se šali. – Ne, iskreno, još mi ne nedostaješ mnogo.

Kada sam spustio slušalicu, ostao mi je ružan ukus u ustima. Pa dobro, svi imaju svoje periode neurastenije, kada više vole da budu antipatični i pokažu da su nezadovoljni svetom. Proći će je. Kako me ni dva dana kasnije nije pozvala, opet sam to učinio ja, takođe vrlo rano. Nije odgovorila na telefon. Bilo je nemoguće da je izašla iz kuće u sedam sati ujutro: to nikada nije činila. Jedino objašnjenje je bilo da je i dalje neraspoložena – ali zbog čega? – i da nije htela da mi odgovori, jer je vrlo dobro znala da ja zovem. Ponovo sam je zvao uveče i opet nije podigla slušalicu. Zvao sam četiri ili pet puta tokom besane noći: potpuna tišina. Toliko puta ponovljena zvonjava telefona progonila me je sledeća dvadeset četiri sata sve dok, čim se završila poslednja sednica, nisam odjurio na aerodrom Hitrou da uzmem avion za Pariz. Od svih mračnih misli put mi je bio beskrajan kao i potonja vožnja taksijem od Šarl de Gola do Ulice Žozefa Granijea.

Već je prošlo dva ujutro kada sam po upornoj kišici otvorio vrata svog stana. Bio je u mraku, prazan i na krevetu je bilo pisamce napisano olovkom na onom žutom papiru s linijama koji smo držali u kuhinji da zapisujemo dnevne stvari. To je bio obrazac hladnoće i sažetosti: „Već sam se umorila od toga da glumim sitnoburžoasku domaćicu kakva bi ti voleo da budem. Ja to nisam, niti ću biti. Mnogo ti hvala na onome što si učinio za mene. Žao mi je. Čuvaj se i nemoj mnogo da patiš, dobri dečko."

Raspakovao sam se, oprao zube, legao. I ostatak noći sam proveo razmišljajući, fantazirajući. To si očekivao, toga si se plašio, zar ne? Znao si da će se pre ili kasnije desiti otkako si pre sedam meseci smestio nevaljalu devojčicu u Ulicu Žozefa Granijea. Iako si iz kukavičluka pokušao to da ne prihvatiš, da izbegneš, varajući sam sebe, govoreći sebi da je ona napokon, posle onih užasnih iskustava s Fukudom, odustala od avantura, opasnosti, da se pomirila s tim da živi s tobom. Ali uvek si znao, duboko u sebi, da će ta iluzija trajati koliko traje njen oporavak. Da će je osrednji i dosadan život koji vodi s tobom umoriti i da će, kada povrati zdravlje, samopouzdanje i kada joj prođe griža savesti ili strah od Fukude, umeti da nađe nekog zanimljivijeg, bogatijeg i manje dosadnog od tebe i da će započeti novu avanturu.

Čim se pojavilo malo svetla na krovnom prozorčiću, ustao sam, napravio kafu i otvorio mali sef gde sam uvek držao izvesnu količinu novca u gotovini za mesečne troškove. Odnela je sve, naravno. Dobro, uostalom, nije bilo bogzna šta. Ko li je ovog puta srećnik? Kada i kako ga je upoznala? Sigurno za vreme nekog mog poslovnog puta. Možda u gimnastičkom centru u Aveniji Montenj dok je išla na aerobik i plivala. Možda neki od onih plejboja bez imalo sala na telu sa dobrim mišićima, od onih koji se izlažu kvarcovanju da im pocrni koža, sređuju nokte i idu kod frizera da im masiraju kožu glave. Jesu li već vodili ljubav dok je ona glumila da je i dalje sa mnom i tajno pripremala bekstvo? Sigurno. I, bez sumnje, novi kavaljer nije toliko obziran prema njenoj povređenoj vagini kao ti, Rikardito.

Pregledao sam ceo stan i nije bilo ni traga od nje. Odnela je sve do poslednje sitnice. Čovek bi rekao da nikada i nije bila tu. Okupao sam se, obukao i izašao na ulicu, bežeći od ta dva i po sobička gde sam, kako joj rekoh kad smo se pozdravljali, bio srećniji nego igde i gde ću počev od sada – još jednom! – biti beskrajno nesrećan. Ali zar nisi to zaslužio, Peruančiću? Zar nisi znao, kada joj nisi odgovarao na telefonske pozive, da će se, ako to učiniš i ponovo podlegneš tvrdoglavoj strasti, sve završiti kao sada? Nemaš čemu da se čudiš: dogodilo se ono što si oduvek znao da će se dogoditi.

Bio je lep dan, sunčan, bez oblaka, pomalo hladan, i proleće je ispunilo zelenilom ulice Pariza. Parkovi su plamteli od cveća. Hodao sam satima po dokovima, po parku Tiljerije, po Luksemburškoj bašti, a kada bih osetio da ću se onesvestiti od umora, ulazio bih u neki kafe na piće. Predveče sam pojeo sendvič i popio pivo i posle ušao u neki bioskop, ne znajući ni koji film se daje. Zaspao sam čim sam seo i probudio se tek kada su palili svetla. Nisam se sećao nijedne slike.

Napolju je već pala noć. Osećao sam veliku teskobu i plašio sam se da će mi poći suze. Nisi sposoban samo da govoriš banalnosti nego i da ih živiš, Rikardito. Zaista, zaista, ovoga puta neću imati potrebnu snagu da se, kao što sam činio ranije, oporavim, da reagujem i da se i dalje pretvaram da zaboravljam nevaljalu devojčicu.

Popeo sam se dokovima Pariza do dalekog mosta Mirabo, pokušavajući da se setim prvih stihova Apolinerove pesme, ponavljajući ih kroz zube:

Sous le Pont Mirabeau
Coule la Seine
Faut-il qu'il m'en souvienne

de nos amours
Ou après la joie
Venait toujours la peine?[66]

Rešio sam, hladno, bez dramatičnosti, da je, na kraju krajeva, to dostojanstven način da umrem: da skočim sa tog mosta, opevanog dobrom modernističkom poezijom i snažnim glasom Žilijet Greko, u prljavu vodu Sene. Ako zaustavim disanje ili se nagutam vode, ubrzo ću izgubiti svest – možda ću je izgubiti odjednom, kada moje telo udari u vodu – i smrt će odmah nastupiti. Ako ne možeš da imaš nju, ono jedino što si želeo u životu, onda je bolje da ovako završiš, jednom zauvek, paceru.

Došao sam do mosta Mirabo mokar kao miš. Nisam ni primetio da pada kiša. U blizini nije bilo ni prolaznika ni kola. Stigao sam do sredine mosta i bez oklevanja se popeo na metalnu ogradu gde sam, propevši se na prste da skočim – kunem se da sam to hteo – osetio udarac vetra u lice i u isto vreme dve šake kako me hvataju za noge i jedan trzaj od kojeg sam se zaljuljao i pao na leđa, na asfalt mosta:

– *Fais pas le con, imbécile!*[67]

To je bio jedan klošar koji je smrdeo na vino i prljavštinu, poluizgubljen u velikom plastičnom mantilu koji mu je pokrivao glavu. Imao je ogromnu sivobeličastu bradu. Nije mi pomogao da ustanem i prineo mi je flašu vina usnama; naterao me je da otpijem gutljaj: nešto toplo i snažno od čega mi se okrenula utroba. Prokislo vino koje je već postajalo sirće. Osetio sam mučninu, ali nisam povratio.

– *Fais pas le con, mon vieux* – ponovio je. I video sam kako se okreće i udaljava, ljuljajući se sa flašom kiselog vina koja mu

---

[66] Pesma *Most Mirabo* Gijoma Apolinera (prevod: Nikola Bertolino): Ispod mosta Mirabo teče Sena/ I ljubav naša/ Zar je sve uspomena/ Patnja uvek radošću beše ispraćena. (Prim. prev.)

[67] Franc.: Ne budi lud, idiote! (Prim. prev.)

je poigravala u ruci. Znao sam da ću uvek pamtiti njegovu bezobličnu facu, te izbuljene i zakrvavljene oči i njegov promukli, ljudski glas.

Vratio sam se peške do Ulice Žozefa Granijea smejući se sam sebi, pun zahvalnosti i divljenja prema onoj pijanoj skitnici s mosta Mirabo koja mi je spasla život. Hteo sam da skočim, skočio bih da me on nije sprečio. Osećao sam se glupo, smešno, postiđeno i počeo sam da kijam. Ceo taj jeftini cirkus završiće se prehladom. Bolele su me kosti leđa od udarca o zemlju i hteo sam da spavam, da prespavam ostatak noći i života.

Kada sam otvarao vrata stana, opazio sam unutra tračak svetla. U dva skoka sam prešao dnevnu sobu. Sa vrata spavaće sobe video sam s leđa nevaljalu devojčicu kako pred ogledalom komode isprobava haljinu arapske igračice koju sam joj kupio u Kairu i koju, mislim, ranije nikad nije obukla. Iako me je sigurno čula, nije se okrenula da me pogleda, kao da je u sobu ušao duh.

– Šta ti radiš ovde? – rekao sam, viknuo ili zarežao, paralisan na pragu, osećajući da mi je glas vrlo čudan, kao glas čoveka koga dave.

Vrlo mirno, kao da se ništa ne dešava i da je ta scena najtrivijalnija na svetu, crnomanjasta, polunaga figura, obavijena velovima, sa čijeg su struka visile neke trake koje su mogle da budu koža ili lanci, osvrnula se i pogledala me, smeškajući se:

– Predomislila sam se i eto me nazad – rekla je kao da mi otkriva neki salonski trač. I prelazeći na važnije stvari, pokazala mi je haljinu i objasnila: – Bila mi je malo velika, ali mislim da je sada u redu. Kako mi stoji?

Nije mogla da kaže ništa više jer sam, ne znajući kako, prešao sobu u jednom skoku i ošamario je iz sve snage. Video sam sjaj straha u njenim očima, video sam kako se ljulja, oslanja na komodu, pada na pod i čuo sam kako govori, možda viče, ne gubeći u potpunosti mir, onaj teatralni spokoj:

– Učiš kako da se ponašaš prema ženama, Rikardito.

Pao sam na pod pored nje. Držao sam je za ramena i drmao, izluđen, istresajući svoju gorčinu, svoj bes, svoju glupost, svoju ljubomoru:

– Pravo je čudo što nisam na dnu Sene, tvojom krivicom, zbog tebe – reči su mi se sudarale u ustima, zaplitao sam jezikom. – Za ova poslednja dvadeset četiri sata naterala si me da umrem hiljadu puta. Čega se ti igraš sa mnom, reci mi, čega? Jesi li me zato zvala i tražila kada sam već uspeo da te se oslobodim? Do kada misliš da ću moći da podnesem? I ja imam granice. Dođe mi da te ubijem.

U tom trenutku sam shvatio da bih zaista mogao da je ubijem ako nastavim tako da je drmusam. Uplašeno sam je pustio. Ona je bila mrtvački bleda i gledala me je otvorenih usta, štiteći se podignutim rukama.

– Ne mogu da te prepoznam, to nisi ti – promrmljala je i glas joj se prekinuo. Počela je da trlja obraz i desnu slepoočnicu, koji su mi u polumraku delovali natečeno.

– Samo što se nisam ubio zbog tebe – ponovio sam, glasom punim gorčine i mržnje. – Popeo sam se na ogradu mosta da skočim u reku i spasao me je jedan klošar. Samoubica, ono što ti je falilo u biografiji. Misliš da ćeš nastaviti ovako da se igraš sa mnom? Vidi se da ću te se zauvek osloboditi samo ako ubijem sebe ili tebe.

– Nije istina, ti nećeš da ubiješ ni sebe ni mene – rekla je primičući mi se. – Nego da me karaš. Zar nije istina? I ja hoću da me karaš. Ili ako ti ta vulgarnost smeta, da vodiš ljubav sa mnom.

Prvi put sam je čuo kako izgovara tu reč, glagol koji godinama nisam čuo. Ona je napola ustala da mi se baci u naručje i pipala mi je odeću užasnuta: „Potpuno si mokar, prehladićeš se, skini ove mokre stvari, šašavko. Ako hoćeš, posle me ubij, ali sada hajde da vodimo ljubav." Povratila je mir i sada je vladala situacijom. Srce je htelo da mi iskoči i jedva sam disao. Pomislio sam kako bi bilo glupo da se baš u tom trenutku onesvestim. Pomogla mi je da skinem sako, pantalone, cipele, košulju – sve kao da je tek izvađeno iz vode – i dok mi je pomagala da se skinem, prelazila mi je rukom po kosi u tom retkom, jedinom milovanju kojeg bi me ponekad udostojila. „Kako ti lupa srce, ludo jedna", rekla mi je trenutak kasnije, stavljajući svoje uho na moje grudi. „Jesam li ga ja dotle dovela?" I ja sam počeo nju da milujem, iako me nije prošao bes. Ali s tim osećanjem sada se mešala sve veća želja koju je ona podsticala – strgla je sa sebe haljinu igračice i ispružena na meni sušila me je pokrećući se na mom telu – stavljajući mi jezik u usta, terajući me da gutam njenu pljuvačku, uhvatila je moj ud, milovala ga obema rukama, i na kraju uvijajući se kao jegulja, stavila ga u usta. Ljubio sam je, milovao, grlio, bez pređašnje delikatnosti, više grubo, još uvek ranjen, povređen i na kraju sam je naterao da izvadi moj ud iz usta i da legne ispod mene. Raširila je noge, krotko, kada je osetila da se moj kruti ud upinje da uđe u nju. Prodro sam u nju grubo i čuo je kako jauče od bola. Ali nije me odbila, stenjala je i cvilela napetog tela. Čekala je polako da svršim. Njene suze su mi kvasile lice i ja sam ih lizao. Bila je usahla, iskolačenih očiju i lica izobličenog od bola.

– Bolje je da odeš, da me stvarno ostaviš – preklinjao sam je, drhteći od glave do pete. – Danas samo što se nisam ubio i skoro sam ubio tebe. Ne želim to. Idi, nađi drugog, nekog ko će ti omogućiti da živiš intenzivno, kao Fukuda. Nekog ko će da te bičuje, ko će te pozajmiti ortacima, naterati da gutaš prašak i da mu prdiš u njegovu prljavu njušku. Ti nisi za to da živiš sa dosadnim nevinašcetom kao što sam ja.

Ona mi je prebacila ruke oko vrata i ljubila me u usta dok sam joj govorio. Celo njeno telo se trljalo o moje da bi se bolje namestilo.

– Ne mislim da idem ni sada niti ikada – šapnula mi je na uho. – Nemoj da me pitaš zašto, jer ti ni mrtva neću reći. Nikad ti neću reći da te volim, iako te volim.

U tom trenutku mora da sam se onesvestio ili odjednom zaspao, mada sam već od njenih poslednjih reči osećao da me napušta snaga i da sve počinje da mi se okreće. Probudio sam se mnogo kasnije, u mračnoj sobi, osetivši kako se neka topla tvar šćućurila u meni. Ležali smo ispod čaršava i ćebadi i kroz veliki krovni prozor video sam kako svetluca neka zvezda. Pre izvesnog vremena prestala je kiša, bez sumnje, jer stakla više nisu bila zamagljena. Nevaljala devojčica je bila pripijena uz moje telo, njene noge upletene s mojima i njena usta naslonjena na moj obraz. Osetio sam njeno srce; kucalo je, ujednačeno, u meni. Prošao me je bes i sada sam bio pun kajanja što sam je udario i naterao da pati dok smo vodili ljubav. Poljubio sam je nežno, trudeći se da je ne probudim, i prošaptao na njeno uho, gotovo bezglasno: „Volim te, volim te, volim te." Nije spavala. Stisla se uz mene i govorila mi stavljajući usne na moje, dok je između reči njen jezik bockao moj:

– Ti nikad nećeš živeti mirno sa mnom, upozoravam te. Jer ne želim da se umoriš od mene, da se navikneš na mene. I mada ćemo se venčati da bismo sredili moje papire, nikada neću biti tvoja supruga. Hoću uvek da budem tvoja ljubavnica, tvoja kuca, tvoja kurva. Kao ove noći. Jer ćeš tako uvek biti lud za mnom.

Govorila je to ljubeći me bez prestanka i pokušavajući da se cela uvuče u moje telo.

VI
ARKIMEDES, GRADITELJ LUKOBRANA

– Lukobrani su najveća tajna inženjerije – preterivao je Alberto Lamijel, šireći ruke. – Da, striče Rikardo, nauka i tehnika su rešile sve tajne univerzuma osim te. Nikad ti to nisu rekli?

Otkako me je stric Ataulfo upoznao s tim svojim sinovcem, diplomiranim inženjerom sa MIT-a,[68] ponosom porodice Lamijel, mladim pobednikom koji me je zvao „striče" iako mu to nisam bio – jer je bio Ataulfov sinovac po drugoj strani porodice – bio mi je malo antipatičan jer je govorio suviše i nepodnošljivo visokoparnim tonom. Ali antipatija, očigledno, nije bila uzajamna, jer je, otkako sam ga upoznao, stalno bio pun pažnje prema meni i ukazivao mi poštovanje koliko srdačno toliko neshvatljivo. Kakvo interesovanje je ovaj sjajni, uspešni mladić, koji je tih osamdesetih godina na sve strane gradio zgrade u sve većoj Limi, mogao da ima za mračnog prevodioca, emigranta koji se posle toliko godina vraćao u Peru i na sve je gledao pomalo nostalgično i pomalo zbunjeno? Ne znam kakvo, ali Alberto je gubio mnogo vremena sa mnom. Odveo me je da

---

[68] Engl.: M.I.T. (*Massachussetts Institute of Technology*) – Masačusetski tehnološki fakultet, veoma ugledan. (Prim. prev.)

vidim nove četvrti – Kasuarinas, Planisije, Čakarilja, Rinkona-
da, Vilja – letovališta koja su nicala kao gljive na plažama na
jugu i pokazivao mi neke kuće okružene parkovima, jezerima
i bazenima koje kao da su izašle iz holivudskih filmova. Pošto
je čuo da sam jednom rekao kako sam kao dete najviše zavideo
svojim drugovima iz Mirafloresa to što su mnogi od njih bili
članovi kluba *Regatas* – ja sam morao da ulazim u klub krišom
ili plivajući s obližnje plaže Peskadores – pozvao me je na ručak
u staru instituciju Čoriljosa. Kao što mi je rekao, klupski objekti
su sada bili vrlo moderni, s terenima za tenis i fronton,[69] olim-
pijskim i zagrejanim bazenima i dve nove plaže otete od mora,
zahvaljujući dvama dugačkim nasipima. Ispostavilo se da je
tačno i to da je restoran *Alfresko* kluba *Regatas* spremao pirinač s
plodovima mora koji je uz hladno pivo bio neverovatno ukusan.
Panorama tog novembarskog podneva, sivog i oblačnog, jedne
zime koja se opirala odlasku, sa sablasnim hridinama Baranka i
Mirafloresa, polunevidljivim od magle, budila mi je mnoge slike
iz dubine sećanja. Ono što mi je upravo rekao o lukobranima
trglo me je iz odsutnosti u koju sam utonuo.

– Govoriš ozbiljno? – pitao sam ga radoznalo. – Stvarno ne
verujem, Alberto.

– Ni ja nisam verovao, striče Rikardo. Ali kunem ti se da je
tako.

On je bio visok i amerikanizovan mladić, atleta – dolazio je
u klub *Regatas* da igra paletu svakog dana u šest ujutro – vrlo
kratko ošišan, tamnoput; iz njega su izbijali sposobnost i opti-
mizam. Ubacivao je u svoj govor engleske reči. Imao je devojku
u Bostonu kojom je trebalo da se oženi za nekoliko meseci, čim
ona diplomira i postane hemijski inženjer. Odbio je nekoliko
ponuda za posao u SAD kada je sa najboljih uspehom diplo-
mirao na MIT-u, da bi došao u Peru da „gradi otadžbinu", jer

---

[69] Šp.: *frontón* ili *paleta* – sport u kojem igrači, u singlu ili dublu, drvenim
reketima udaraju o zid. (Prim. prev.)

ako svi povlašćeni Peruanci odu u inostranstvo, „ko će zasukati rukave i povesti napred našu zemlju?" Prekorevao me je svojim dobrim patriotskim osećanjima, ali to nije primećivao. Alberto Lamijel je bio jedina osoba iz svog okruženja koja je imala toliko poverenja u budućnost Perua. Tih poslednjih meseci druge vlade Fernanda Belaundea Terija, krajem 1984, sa eksplozijom inflacije, terorizmom Sendera Luminosa, isključivanjima struje, otmicama i perspektivom da APRA, s Alanom Garsijom, pobedi na izborima iduće godine, bilo je mnogo neizvesnosti i pesimizma u srednjoj klasi. Ali izgledalo je da Alberta ništa ne obeshrabruje. Imao je u kamionetu napunjen pištolj za slučaj da ga napadnu i stalan osmeh na licu. Mogućnost da Alan Garsija dođe na vlast nije ga plašila. Prisustvovao je nekom sastanku mladih biznismena sa aprističkim kandidatom i izgledao mu je „prilično pragmatičan, nimalo ideološki opterećen".

– To jest, lukobran ispada dobar zahvaljujući ne tehničkim stvarima, tačnim ili pogrešnim proračunima, graditeljskim vrlinama i manama, nego zbog neobičnih čini, bele ili crne magije – zavitlavao sam ga. – To hoćeš da mi kažeš ti, inženjer koji je diplomirao na MIT-u? Vradžbine su stigle u Kembridž, Masačusets?

– Upravo to, ako hoćeš tako da kažeš – nasmejao se on. Ali uozbiljio se i potvrdio energičnim klimanjem glave: – Jedan lukobran funkcioniše ili ne iz razloga koje nauka nije u stanju da objasni. Pitanje je tako fascinantno da pišem mali *report* za časopis mog univerziteta. Tebi bi se dopalo da upoznaš moj izvor informacija. Zove se Arkimedes, ime koje mu stoji kao saliveno. Lik je iz filma, striče Rikardo.

Kada sam čuo Albertove priče, lukobrani kluba *Regatas* koje smo videli s terase *Alfreska* dobijali su legendarni oreol kao drevni spomenici, kameni nasipi koji ne samo što su sekli more da ga nateraju da se povuče i prepusti deo plaže kupačima već su bili i sećanje na starinu, napola urbane, napola religiozne građevine, istovremeno proizvod zanatske veštine i tajne mudrosti, svete i mitske, pre nego praktične i funkcionalne. Prema mom navodnom sinovcu, da bi se sagradio lukobran, da bi se tačno odredilo mesto gde treba da se podigne ta konstrukcija kamenih blokova postavljenih jedni na druge ili sastavljenih malterom, nije bio dovoljan, niti čak potreban, ni najmanji tehnički proračun. Bilo je neophodno „oko" praktičara, neke vrste vrača, šamana, vidovnjaka, poput rašljara koji otkriva bunare sa skrivenom vodom ispod površine zemlje; ili kineskog majstora feng šuija koji odlučuje u kom pravcu treba da bude okrenuta neka kuća i nameštaj kako bi budući stanovnici živeli u miru i uživali u njoj, ili se, ako ga nema, osećaju ugroženi i skloni neslaganjima i sukobima; sposobnog da putem predosećaja ili prirodnog dara – kao što je to činio već pola veka na obali Lime stari Arkimedes – otkrije gde da se sagradi lukobran da ga vode prihvate i ne prevare ga zasipajući ga peskom, podrivajući ga, kriveći ga sa strana, sprečavajući ga da ispuni svoj zadatak da pokori more.

– Nadrealisti bi se oduševili da čuju takvu stvar, sinovče – rekao sam mu, pokazujući na lukobrane kluba *Regatas*, nad kojima su leteli beli galebovi, crne patke i jato pelikana filozofskog pogleda sa kljunom kao kutlača. – Lukobrani, savršeni primer za čudesno-svakodnevno.

– Posle ćeš da mi objasniš ko su nadrealisti, striče Rikardo – rekao je inženjer pozivajući kelnera i pokazujući mi odlučno da će on platiti račun. – Vidim da te je, iako se praviš skeptičan, moja priča o lukobranima ostavila *knocked out*.

Jeste, vrlo me je zainteresovala. Je li govorio ozbiljno? Ono što mi je Alberto ispričao od tog dana mi se vrtelo po glavi, povremeno odlazilo i dolazilo u moju svest kao da sam imao predosećaj da ću, ako sledim taj slabi trag, odjednom pronaći pećinu sa blagom.

Vratio sam se u Limu na dve nedelje, pomalo naglo, sa namerom da se oprostim od strica Ataulfa Lamijela i da ga sahranim, jer su ga hitno preneli na Američku kliniku zbog drugog srčanog udara i podvrgli operaciji na otvorenom srcu bez mnogo nade da će je preživeti. Ali, začudo, preživeo je; čak je izgledalo da se vidno oporavlja, sa svojih osamdeset godina i četiri bajpasa. „Tvoj stric ima više života nego mačka", rekao mi je doktor Kastanjeda, kardiolog iz Lime koji ga je operisao. „Iskreno, ja sam mislio da se ovog puta neće izvući." Moj stric Ataulfo se umešao da kaže da sam ga ja svojim dolaskom u Limu povratio u život, a ne kasapi. Već je napustio Američku kliniku i oporavljao se kod kuće uz brigu stalne bolničarke i Anastasije, devedesetogodišnje služavke koja je bila uz njega celog života. Strina Dolores je preminula nekoliko godina ranije. Iako sam pokušao da se smestim u hotelu, on je insistirao da me odvede u svoju jednospratnu kućicu, nedaleko od parka Olivar u San Isidru, gde je bilo mesta na pretek.

Stric Ataulfo je vrlo ostareo i sada je bio krhki čovečuljak koji je vukao noge, mršav kao prut. Ali održao je svoju tradicionalnu srdačnost i bio je budan i radoznao, čitao je uz pomoć filatelističke lupe tri ili četiri dnevna lista i svako veče slušao vesti da bi znao šta se dešava u svetu u kojem živimo. Za razliku od Alberta, stric Ataulfo je imao mračne slutnje o bliskoj budućnosti. Mislio je da će Sendero Luminoso i MRTA[70] (Revolucionarni pokret Tupak Amaru) potrajati i nije imao poverenja u pobedu APRA na sledećim izborima, koju su ankete prognozirale. „To će biti udarac za jadni Peru, sinovče", žalio se.

Ja sam se vratio u Limu posle gotovo dvadeset godina. Osećao sam se kao potpuni stranac u gradu u kojem skoro nije ostalo traga od mojih uspomena. Kuća tetke Alberte je nestala i na njenom mestu je iznikla neka ružna četvorospratna zgrada. Isto se dešavalo na sve strane u Mirafloresu, gde se poneka od onih kućica sa baštom iz mog detinjstva jedva opirala modernizaciji. Cela četvrt je postala bezlična zbog obilja zgrada nejednake visine, mnoštva prodavnica i čitave šume svetlećih reklama

---

[70] Šp.: MRTA – *Movimiento Revolucionario Túpac Amaru* – gerilski pokret ekstremne levice u Peruu. (Prim. prev.)

koje su se takmičile u vulgarnosti i lošem ukusu. Zahvaljujući inženjeru Albertu Lamijelu mogao sam da bacim pogled na četvrti iz bajke kuda su se preselili bogataši. Bile su okružene ogromnim predgrađima, koja su se sada eufemistički zvala mlada naselja, gde se su se sklonili milioni seljaka koji su sišli sa planina bežeći od gladi i nasilja – oružane akcije i terorizam su uglavnom bili koncentrisani u centralnoj planinskoj oblasti – koji su životarili u kućercima od asura, direka, pleha, krpa ili bilo čega, u naseljima u kojima u većini slučajeva nije bilo vode, struje, kanalizacije, ni ulica, ni saobraćaja. Zbog te koegzistencije bogatstva i siromaštva u Limi su bogati izgledali još bogatiji, a siromašni još siromašniji. Mnogo puta, kada uveče nisam izlazio da se nađem sa starim prijateljima iz „Vesele četvrti" ili s mojim novim sinovcem Albertom Lamijelom, ostajao sam da razgovaram sa stricem Ataulfom i ta tema se opsesivno vraćala u naš razgovor. Meni se činilo da su se ekonomske razlike između sićušne manjine Peruanaca koji su živeli dobro i uživali u obrazovanju, poslu, zabavi i onih koji su jedva preživljavali u siromašnim ili vrlo bednim uslovima, pogoršale za ove dve decenije. Po njegovom mišljenju to je bio lažan utisak, zbog perspektive koju sam donosio iz Evrope, gde je postojanje ogromne srednje klase ublažavalo i brisalo te kontraste među krajnostima. Ali u Peruu, gde je sloj srednje klase bio vrlo tanak, ti ogromni kontrasti su oduvek postojali. Stric Ataulfo je bio zapanjen zbog nasilja koje se obrušilo na peruansko društvo. „Uvek sam podozrevao da ovo može da se desi. Eto, desilo se. Srećom, jadna Dolores to nije stigla da vidi." Otmice, bombe terorista, uništavanje mostova, puteva, električnih centrala, atmosfera nesigurnosti i vandalizma, žalio se, usporiće još mnogo godina onaj skok zemlje prema modernom u koji stric Ataulfo nikada nije prestao da veruje. Do sada. „Ja već neću videti taj skok, sinovče. Daj bože da ti vidiš."

Nikada nisam uspeo da mu dam ubedljivo objašnjenje zašto nevaljala devojčica nije htela da dođe u Limu sa mnom, jer ga ni ja nisam imao. Sa pritvornom skepsom je prihvatio da ona nije mogla da ostavi posao jer je upravo u to doba godine njena firma morala da se suoči s ogromnom potražnjom za organizacijom skupova, svadba, banketa, i raznih proslava, što ju je sprečavalo da uzme dve nedelje odmora. Ni ja u to nisam poverovao, tamo u Parizu, kada je ona iznela taj izgovor da ne bi pošla sa mnom i to sam joj rekao. Nevaljala devojčica mi je onda, na kraju, priznala da to nije istina, da zapravo neće da ide u Limu. „A zašto, može li se znati?", ispitivao sam je. „Zar ti ne nedostaje toliko peruanska hrana? E pa, nudim ti dve nedelje sa svim specijalitetima nacionalne gastronomije, seviče od korvine, čorbicu od račića, patku sa pirinčem, naseckani biftek, kausu, suvo meso s bananama i sve što ti se prohte." Nije bilo šanse, ni ozbiljno ni u šali nije prihvatala moje pokušaje da je ubedim. Neće ići u Peru, ni sada niti ikada. Neće kročiti tamo ni na nekoliko sati. I kada sam hteo da otkažem put da je ne ostavljam samu, insistirala je da idem, navodeći da će upravo u tom periodu u Parizu biti Gravoski, kojima je mogla da se obrati ako joj u nekom trenutku zatreba pomoć.

Pronalazak posla bio je najbolji lek za njeno duševno stanje. Takođe joj je pomoglo, čini mi se, što smo se, posle hiljadu komplikacija, venčali i ona se pretvorila, kako je ponekad u intimi volela da mi kaže, u „ženu koja prvi put u životu, sa gotovo četrdeset osam godina, ima ispravne dokumente". Ja sam mislio da će joj, s obzirom na to da je po prirodi oduvek bila nemirna i krajnje slobodna osoba, posao u kompaniji koja organizuje „društvene događaje" vrlo brzo dosaditi i da će je kao nekompetentnog službenika otpustiti. Nije bilo tako. Naprotiv, ubrzo je stekla poverenje svoje šefice. Shvatala je vrlo ozbiljno to što treba da radi, da se brine o raznim stvarima, da preuzme obaveze, makar bila reč o tome da traži cene u hotelima i restoranima, da ih upoređuje i pregovara o popustima, da proverava šta preduzeća, udruženja, porodice žele da imaju – kakvu vrstu pejzaža, hotela, menija, predstava, orkestara – prilikom svojih skupova, banketa, godišnjica. Nije radila samo u kancelariji već i kod kuće. Po podne i uveče, čuo sam kako preko telefona s beskrajnim strpljenjem raspravlja o detaljima tih poslova ili kako Martini, svojoj šefici, podnosi izveštaj o proteklom danu. Ponekad je morala da putuje u unutrašnjost, sa Martin ili po njenom nalogu – uglavnom u Provansu, na Azurnu obalu ili u Bijaric. Tada bi me zvala svake večeri i potanko mi pričala šta je radila preko dana. Prijalo joj je da bude zauzeta, da preuzme odgovornosti i da zarađuje. Ponovo se oblačila koketno, išla kod frizera, na masažu, kod manikira i pedikira i stalno me je iznenađivala menjajući šminku, frizuru ili odeću. „Radiš li to da pratiš modu ili da bi tvoj muž stalno bio zaljubljen u tebe?" „To radim pre svega zato što klijenti vole da me vide lepu i elegantnu. Jesi li ljubomoran?" Jesam, bio sam. Bio sam i dalje zaljubljen u nju do ušiju i mislim da je i ona bila u mene jer, izuzev malih prolaznih kriza, od one noći kada umalo nisam skočio u Senu, primećivao sam neke detalje u našem odnosu koji su ranije za nju bili nezamislivi. „Ovaj dvonedeljni rastanak biće proba", rekla mi je veče pred moj put. „Da vidimo da li ćeš se još više zaljubiti u mene ili ćeš me ostaviti zbog neke od onih nestašnih Peruanki, dobri dečko." „Što se tiče nestašnih Peruanki, i ti si mi suviše." Sačuvala je svoju vitku figuru – uvek je vikendom išla u gimnastički centar u Aveniji Montenj da radi vežbe i da pliva – i lice joj je i dalje bilo sveže i vedro.

Naše venčanje je bilo prava birokratska avantura. Iako ju je smirivalo saznanje da je njena situacija najzad u redu, ja sam podozrevao da će, ako jednog dana, iz nekog razloga, francuske vlasti krenu da joj pregledaju papire, otkriti da naš brak ima toliko suštinskih i formalnih mana da zapravo ne važi. Ali nisam joj to govorio, a pogotovu ne sada kada joj je posle dve godine braka francuska vlada dala državljanstvo, ne sumnjajući da je nova madam Rikarda Somokursija već bila zbog braka naturalizovana Francuskinja pod imenom madam Robera Arnua.

Kako bismo mogli da se venčamo, morali smo da joj napravimo lažne isprave sa imenom drukčijim od onoga koje je imala kada se udala za Robera Arnua. To ne bismo uspeli bez pomoći strica Ataulfa. Kada sam mu u grubim crtama izneo problem, ne dajući više objašnjenja od neophodnih i izbegavajući škakljive detalje iz života nevaljale devojčice, odmah mi je odgovorio da ne treba da zna ništa više. Nerazvijeni svet je, za ovakve slučajeve, imao gotova iako malo nelagodna rešenja. Rečenoučinjeno, za nekoliko nedelja poslao mi je izvod iz matične knjige rođenih i krštenicu koje mu je izdala opština i parohija iz Uaure, na ime Lusi Solorsano Kahauaringa, s kojima smo, sledeći njegova uputstva, otišli kod peruanskog konzula u Briselu, njegovog prijatelja. Stric Ataulfo mu je pre toga pismom objasnio da je Lusi Solorsano, devojka njegovog sinovca Rikarda Somokursija, izgubila sve svoje papire, uključujući i pasoš i da joj je potreban nov. Konzul, ljudska relikvija u prsluku, sa satom na lancu i monoklom, primio nas je s obazrivom ali uljudnom hladnoćom. Nije nam postavio nijedno pitanje, po čemu sam shvatio da ga je stric Ataulfo obavestio o više stvari nego što je on pokazivao da zna. Bio je ljubazan i vrlo formalan. Obavestio je Ministarstvo inostranih poslova, preko njega vladu i policiju, i poslao je kopije izvoda iz knjige rođenih i krštenih moje devojke, tražeći dozvolu da izda novi dokument. Posle dva meseca nevaljala devojčica je dobila nov pasoš i nov identitet, s kojim smo mogli, i dalje u Belgiji, da joj izdejstvujemo turističku vizu za Francusku, za koju sam garantovao ja, naturalizovani Francuz sa stalnim boravkom u Parizu. Odmah smo započeli postupak u opštini u petom arondismanu na Trgu Panteon. Tamo smo se napokon venčali u oktobru 1982, jednog jesenjeg podneva, samo u prisustvu Gravoskih, koji su bili svedoci. Nije bilo nikakvog svadbenog banketa niti bilo kakve proslave, jer sam istog popodneva otputovao u Rim po dvonedeljnom ugovoru za FAO.

Nevaljaloj devojčici je bilo mnogo bolje. Ponekad mi je bilo teško da je gledam kako vodi tako normalan život, zaokupljena svojim poslom, i činilo mi se, zadovoljna, ili bar pomirena s našim sitnoburžoaskim životom; preko cele nedelje smo mnogo radili, uveče spremali hranu i odlazili u bioskop, pozorište, na neku izložbu ili izlazili na večeru preko vikenda, skoro uvek sami ili sa Gravoskima kada su bili tu, jer su i dalje nekoliko meseci godišnje provodili u Prinstonu. Jilala smo viđali samo preko leta, jer je ostatak godine provodio u školi u Nju Džersiju. Njegovi roditelji su odlučili da se školuje u SAD. Na njemu nije ostalo ni traga od negdašnjeg problema. Govorio je i rastao normalno i izgledalo je da se vrlo dobro uklopio u američki svet. Povremeno nam je slao razglednice ili pisamca, a nevaljala devojčica mu je pisala svakog meseca i uvek mu je slala neki poklon.

Iako kažu da su samo budale srećne, priznajem da sam bio srećan. Ispunjavalo mi je život da dane i noći provodim s nevaljalom devojčicom. Uprkos tome što je bila nežna prema meni, u poređenju s tim kako je ledena bila u prošlosti, zaista je postigla da nikad ne budem potpuno miran, u strahu da će jednog lepog dana sasvim neočekivano da se vrati na staro i nestane, ne rekavši ni zbogom. Uvek je uspevala da mi da na znanje ili, bolje rečeno, da naslutim da u njenom dnevnom životu postoji jedna ili nekoliko tajni, dimenzija njenog postojanja meni nedostupna, iz koje je u svakom trenutku mogao da proistekne zemljotres koji će srušiti naš zajednički život. Nije mi ulazilo u glavu da Čileankica Lili prihvata da će ostatak njenog života biti onakav kao sada: pariska srednja klasa, bez iznenađenja i misterije, utonula u strogu rutinu i lišena avantura.

Nikada nismo bili tako vezani kao onih meseci koji su usledili po našem pomirenju, nazovimo ga tako, kao one noći kada je nepoznati klošar izronio iz kiše i mraka na mostu Mirabo da mi spase život. „Da te nije sam Bog lično uhvatio za noge, dobri dečko?", rugala se ona. Nikada nije potpuno poverovala da sam hteo da se ubijem. „Kada neko hoće da se ubije, to i učini, i nema klošara koji će ga u tome sprečiti, Rikardito", rekla mi je više puta. U to vreme su je još ponekad spopadali napadi straha. Onda se slaba, pomodrelih usana, vrlo bleda i s velikim podočnjacima, nije odvajala od mene ni na sekund. Pratila me je po celoj kući kao kučence, držeći me za ruku, držeći se za moj kaiš ili moju košulju, jer joj je taj fizički kontakt davao minimalnu sigurnost bez koje „bih se raspala", govorila mi je zamuckujući. Gledajući je kako tako pati, i ja sam patio. I ponekad je nesigurnost koja ju je hvatala usred krize bila takva da ni u kupatilo nije mogla sama; umirući od stida, cvokoćući zubima, molila me je da uđem s njom u kupatilo i da je držim za ruku dok obavlja svoje potrebe.

Nikada nisam mogao tačno da shvatim prirodu straha koji ju je odjednom obuzimao, sigurno zato što to nije imalo racionalno objašnjenje. Da li su to bile razlivene slike, osećanja, predosećaji, slutnje da će se nešto strašno obrušiti na nju i uništiti je? „To i mnogo više." Kada je imala takav napad straha, koji je obično trajao nekoliko sati, ta žena, toliko smela i s toliko karaktera, postajala je bespomoćna i ranjiva kao mala devojčica. Ja sam je stavljao na krilo i ušuškavao uz sebe. Osećao sam kako drhti, uzdiše, priljubljena uz mene, ispunjena očajanjem koje ništa nije ublažavalo. Posle izvesnog vremena padala je u dubok san. Sat-dva kasnije, budila se i bilo joj je dobro, kao da se ništa nije desilo. Sve moje molbe da pristane da se vrati na kliniku u Peti Klamaru bile su uzaludne. Na kraju sam prestao da insistiram jer bi je samo spominjanje te teme razbesnelo. Tih meseci, iako smo bili fizički toliko vezani, jedva da smo vodili ljubav jer čak ni u intimi postelje nije uspevala da oseti ni najmanji spokoj, trenutno prepuštanje užitku.

Posao joj je pomogao da izađe iz tog teškog perioda. Krize nisu nestale odjednom, ali su se proredile i oslabile su. Činilo se da joj je sada bilo mnogo bolje i gotovo da se pretvorila u normalnu ženu. Dobro, u suštini, ja sam znao da ona nikada neće biti normalna žena. Nisam ni hteo da bude, jer sam takođe voleo ono neukroćeno i neočekivano u njenoj ličnosti.

U razgovorima tokom njegovog oporavka, stric Ataulfo me nikada nije pitao o prošlosti moje žene. Slao joj je pozdrave, bilo mu je vrlo drago što je deo porodice, nadao se da će se neki put rešiti da dođe u Limu da je upozna, jer u protivnom, uprkos svom slabom zdravlju, neće imati druge nego da dođe da nas poseti u Parizu. Na jednom stočiću u dnevnoj sobi stajala mu je uramljena fotografija koju smo mu poslali s venčanja, s Panteonom u pozadini, kada smo izašli iz opštine.

U tim popodnevnim razgovorima posle ručka, koji su ponekad trajali satima, pričali smo mnogo o Peruu. On je celog života s entuzijazmom bio belaundista, ali sada mi je ožalošćeno priznao da ga je druga vlada Belaundea Terija razočarala. Osim što je vratila novine i televizijske kanale koje je oduzela vojna diktatura Velaska Alvarada, nije se usudila da popravi nijednu od njenih pseudoreformi koje su još više osiromašile Peru i zaoštrile situaciju i još izazvale inflaciju koja će na sledećim izborima doneti pobedu APRA. I za razliku od njegovog sinovca Alberta Lamijela, moj stric nije gajio iluzije u pogledu Alana Garsije. Ja sam sebi govorio da u zemlji gde sam rođen, i od koje sam se sve nepovratnije udaljavao, bez sumnje ima mnogo muškaraca i žena kao što je on, elementarno pristojnih, koji su tokom čitavog života sanjali da će ekonomski, društveni, kulturni i politički napredak od Perua napraviti moderno, demokratsko društvo s otvorenim mogućnostima za sve; tako su, stalno frustrirani, kao stric Ataulfo dolazili do starosti – na ivicu smrti – zbunjeni, pitajući se zbog čega smo, umesto da napredujemo, nazadovali, pa nam je gore – sa još više kontrasta, razlika, nasilja i nesigurnosti – nego kada su počinjali da žive.

– Kako je dobro što si otišao u Evropu, sinovče – ponavljao je kao refren, pipkajući svoju prosedu bradicu. – Zamisli šta bi bilo od tebe da si ostao da radiš ovde, sa svim ovim isključivanjima struje, bombama i otmicama. I još nema posla za mlade.

– Nisam tako siguran, striče. Jeste, tačno je, imam zanimanje koje mi omogućuje da živim u divnom gradu. Ali tamo sam postao biće bez korena, duh. Nikada neću postati Francuz, iako imam pasoš koji kaže da to jesam. Tako ću uvek biti *métèque*.[71] A prestao sam da budem Peruanac, jer ovde se osećam kao još veći stranac nego u Parizu.

– Pa, mislim da znaš da po jednoj anketi Univerziteta u Limi šezdeset odsto mladih prevashodno u životu želi da ode u inostranstvo; ogromna većina u SAD, a ostatak u Evropu, Japan, Australiju, bilo kuda. Kako bismo mogli da ih prekorevamo, zar ne? Kad njihova zemlja ne može da im da ni posao, ni mogućnosti, ni bezbednost, opravdano je što da žele da odu. Zbog toga se toliko divim Albertu. Mogao je da ostane u SAD na odličnom mestu, a radije je došao da se muči za Peru. Nadam se da neće požaliti. On te vrlo ceni, primetio si, zar ne, Rikardo?

– Da, striče, i ja njega. Stvarno je vrlo ljubazan. Zahvaljujući mom rođaku upoznao sam druga lica Lime. Milionerska i ona u predgrađima.

Upravo u tom trenutku zazvonio je telefon; zvao me je Alberto Lamijel.

– Da li bi voleo da upoznaš starog Arkimedesa, graditelja lukobrana o kojem sam ti pričao?

– Naravno da bih, čoveče – rekao sam mu, oduševljen.

– Grade nov nasip u Punti, a opštinski inženjer je moj prijatelj Čičo Kanepa. Sutra ujutro, ako ti odgovara. Doći ću po tebe u osam. Nije ti mnogo rano?

– Mora da sam mnogo ostareo, striče Ataulfo, iako imam samo pedeset godina – rekao sam ovome kada sam spustio slušalicu. – Jer Alberto, koji je tvoj sinovac, meni je zapravo brat. Ali on insistira da me zove striče. Sigurno mu izgledam kao Metuzalem.

---

[71] Franc.: *métèque* - stranac (Prim. prev.)

– Nije to – smejao se stric Ataulfo. – Kako živiš u Parizu, budiš mu poštovanje. Živeti u tom gradu za njega je potvrda, to je isto kao da si uspeo u životu.

Sledećeg jutra, tačan kao sat, Alberto je došao nekoliko minuta pre osam, s inženjerom Kanepom, zaduženim za radove na plaži Kantalao i u pristaništu Punta, već starijim čovekom, s tamnim naočarima i velikim pivskim stomakom. On je izašao iz Albertovog džipa čiroki i ustupio mi prednje sedište. Oba inženjera su bila u farmerkama, u raskopčanim košuljama i kožnim jaknama. Pored ove sportski obučene gospode, osećao sam se smešno u svom odelcetu, u košulji sa krutom kragnom i kravatom.

– Vrlo će vas impresionirati stari Arkimedes – uveravao me je Albertov prijatelj inženjer, koga je ovaj zvao Čičo. – On je simpatičan šašavac. Znam ga već dvadeset godina i još uvek me zapanjuje svojim pričama. On je čarobnjak, videćete. I vrlo zabavno priča anegdote.

– Trebalo bi uključiti magnetofon, kunem ti se, striče Rikardo – dodao je Alberto. – Njegove priče o lukobranima su fantastične, ja ga uvek vučem za jezik.

– Još mi ne ulazi u glavu ono što si mi ispričao, Alberto – rekao sam. – I dalje mislim da me zavitlavaš. Zvuči mi nemoguće da je potrebniji vrač nego inženjer da bi se izgradio nasip u moru.

– E pa, bolje da poverujete – prasnuo je u smeh Čičo Kanepa. – Jer ako neko to zna, onda sam to ja, i to iz gorkog iskustva.

Rekao sam mu da prestane da mi govori „vi", da nisam toliko star i da od sada pređemo na „ti".

Išli smo putem duž plaže prema Magdaleni i San Migelu, u podnožju golih hridina. S leve strane nemirno more, napola sakriveno izmaglicom, u kome je, uprkos zimi, bilo nekoliko surfera koji su jurili talase obučeni u svoja gumena odela. Tihi, jedva vidljivi, jahali su po moru, neki s rukama podignutim uvis, njišući telo da održe ravnotežu. Čičo Kanepa je pričao šta mu se desilo s jednim nasipom na Zelenoj obali, koju smo upravo prošli, onim napola izgrađenim, s jarbolom na vrhu. Opština Mirafloresa ga je angažovala da proširi stazu i da izgradi dva lukobrana da otmu jednu plažu od mora. Sa prvim koji je podigao tamo gde mu je Arkimedes rekao nije imao nikakvih teškoća. Čičo je hteo da drugi bude na simetričnoj udaljenosti od prvog, između restorana *Kosta verde* i *Rosa nautika*. Arkimedes je uporno tvrdio: neće izdržati, more će ga progutati.

– Nije bilo nikakvog razloga da ne izdrži – naglasio je inženjer Kanepa. – Ja znam te stvari, za to sam učio. Struje i talasi su bili oni isti koji su udarali u prvi. Linija protoka identična, kao i dubina morske osnove. Radnici su insistirali da poslušam Arkimedesa, ali meni je to izgledalo kao hir jednog starog pijanca da opravda svoju platu. I izgradio sam ga tamo gde sam ja hteo. Nažalost, prijatelju Rikardo! Stavio sam dvostruko više kamena i maltera nego u prvi, ali je prokleti nasip stalno bio zasut peskom. Pravio je vrtloge koji su remetili sve naokolo i izazivali strujanja koja su plažu pretvorila u opasnost za kupače. Za manje od šest meseci more mi je razbilo đavolski nasip i napravilo od njega ruševinu koju si video. Svaki put kad prođem tuda, pocrvenim kao rak. Spomenik mojoj sramoti! Opština me je kaznila i na kraju sam izgubio novac.

– Kakvo ti je objašnjenje dao Arkimedes? Zbog čega lukobran nije mogao tamo da se izgradi?

– Objašnjenja koja ti daje nisu objašnjenja – rekao je Čičo. – To su budalaštine. Kao „More ga ne prihvata tamo", „Tamo ne ide", „Tamo će da se pomeri, a ako se pomeri, voda će da ga sruši". Takve gluposti koje nemaju ni glavu ni rep. Čarolije, kao što ti kažeš, ili šta već bilo. Ali posle onoga što mi se desilo na Zelenoj obali, ja ni da pisnem, šta god stari kaže. Kad je o lukobranima reč, ne vredi nikakva inženjerija: on zna više.

Zaista sam bio nestrpljiv da upoznam to čudo od krvi i mesa. Alberto je rekao da se nada da ćemo ga zateći kako posmatra more. Tada je Arkimedes postajao predstava: sedeo je na plaži ukrštenih nogu kao Buda, nepomičan, skamenjen; mogao je da provede sate posmatrajući vodu u stanju metafizičke komunikacije sa skrivenim snagama plime i oseke i bogova morskih dubina, ispitujući ih, slušajući ih i moleći im se u tišini. A onda, odjednom, kao da bi vaskrsnuo. Mrmljajući nešto, ustajao bi i energično presuđivao: „Da, može", ili „Ne, ne može"; u tom slučaju trebalo je tražiti drugo mesto, pogodno za lukobran.

I onda je odjednom, blizu Trga San Migel, mokrog od kišice, ne podozrevajući kakav će potres da proizvede u meni, inženjeru Čiču Kanepi palo na pamet da kaže:

– Taj stari je simpatična sanjalica. Uvek priča nešto ekstravagantno jer takođe ima maniju veličine. Jedno vreme je izmislio da ima ćerku u Parizu i da će ga odvesti da živi tamo, s njom, u Gradu svetlosti!

Kao da se jutro odjednom pomračilo. Osetio sam kiselinu koju mi je povremeno izazivao jedan stari čir na dvanaestopalačnom crevu, iskre svetlosti u glavi; ne znam tačno šta sam još osetio jer je bilo mnogo toga i u tom trenutku sam znao zašto sam, otkako je Albertu Lamijelu palo na pamet da mi u klubu *Regatas* priča o Arkimedesu i lukobranima, osećao teskobu, neobičan nemir koji prethodi neočekivanom, predosećaj kataklizme ili čuda, kao da ta priča ima nešto što me se duboko tiče. Jedva sam izdržao da Čiča Kanepu, zbog onog što je upravo rekao, ne spopadnem pitanjima.

Čim smo se džipom spustili po keju Figeredo na pristaništu Punta, ispred plaže Kantolao, znao sam ko je bio Arkimedes bez potrebe da mi ga pokažu. Nije stajao mirno. Hodao je s rukama u džepovima, na samoj obali, gde su lagani talasi dolazili da zamru na plaži od crnog kamena i šljunka koju nisam video još od svoje mladosti. To je bio jadan i ispijen melez svetle kože, s retkom i raščupanom kosom. Neko ko je sigurno prešao u ono doba kad počinje starost, to beznačajno vreme u kojem nestaju hronološke razlike i čovek može da ima sedamdeset, osamdeset, a možda i devedeset godina a da se one mnogo ne primećuju. Bio je u plavoj, iznošenoj košulji na kojoj je ostalo samo jedno dugme; vetar hladnog i tmurnog jutra ju je podizao, pokazujući ćosave i koščate grudi starca koji je malo pogrbljen, i spotičući se o kamenje na plaži ide tamo-amo nekim krupnim koracima kao čaplja i preti da će se srušiti pri svakom koraku.

– To je on, je li tako? – pitao sam ih.

– Ko drugi nego on! – rekao je Čičo Kanepa. I sastavivši dlanove na ustima, povikao je: – Arkimedese! Arkimedese! Dođi, neko hoće da te upozna. Stigao je iz Evrope da te vidi, zamisli.

Starac je stao i okrenuo glavu. Zbunjeno nas je pogledao. Onda je klimnuo glavom i krenuo prema nama, balansirajući po crnom i olovnom kamenju plaže. Kada je prišao bliže, mogao sam bolje da ga osmotrim. Imao je upale obraze kao da je izgubio sve zube, a bradu mu je presecala brazda koja je lako mogla da bude neki ožiljak. Ono najživlje i najmoćnije na njemu bile su njegove oči, sitne i vodnjikave, ali prodorne i ratoborne, koje su gledale ne trepćući, drsko i postojano. Mora da je bio vrlo star, da, zbog bora na čelu i oko očiju, koje su na njegovom vratu izgledale kao petlova kresta i zbog kvrgavih ruku sa crnim noktima koje je ispružio da nas pozdravi.

– Toliko si poznat, Arkimedese, da je, iako ne veruješ, moj stric Rikardo došao iz Francuske da upozna velikog graditelja lukobrana iz Lime – rekao je Alberto, tapšući ga po leđima. – Želi da mu ispričaš kako i zašto znaš gde može da se podigne lukobran, a gde ne.

– To ne može da se objasni – pružio mi je ruku starac, prskajući pri govoru kišicu pljuvačke. – To se oseća u utrobi. Drago mi je, gospodine. Vi ste, dakle, Francuz?

– Ne, ja sam Peruanac. Ali živim tamo već mnogo godina.

Imao je slabašan i tanak glasić i jedva je završavao reči, kao da nema daha da izgovori sve glasove. Gotovo bez pauze, čim me je pozdravio, obratio se Čiču Kanepi:

– Žao mi je, ali mislim da tamo neće moći, inženjeru.

– Kako misliš? – razbesneo se ovaj, podižući glas. – Jesi li siguran ili nisi?

– Nisam siguran – priznao je starac s nelagodom, još više se mršteći. Napravio je pauzu pa bacio brz pogled na okean i dodao: – Bolje rečeno, čak i ne znam da li sam siguran. Nemojte da se ljutite na mene, ali nešto mi govori da ne može.

– Ne zezaj, Arkimedese – protestovao je inženjer Kanepa, mašući rukama. – Moraš da mi daš jasan odgovor. Ili, do đavola, neću da ti platim.

– Pa more je nekad ćudljiva ženka, od onih koje kažu „da, ali ne", „ne, ali da" – nasmejao se stari, šireći usta u kojima su se videla jedva dva-tri zuba. Onda sam primetio da mu je dah prožet jakim i oporim mirisom, na neku rakiju ili vrlo žestok pisko.[72]

– Gubiš svoje moći, Arkimedese – ponovo ga je srdačno potapšao moj rođak Alberto. – Ranije nikad nisi sumnjao u takve stvari.

– Ne mislim da je tako, inženjeru – rekao je Arkimedes, postajući vrlo ozbiljan. Pokazao je jednim pokretom sivkasto-zelenu vodu. – Tako je to s morem, koje ima svoje tajne kao i sve na svetu. Gotovo uvek na prvi pogled mogu da vidim da li se može ili ne. Ali ova plaža Kantolao je baš nezgodna, ima svoje ćudi i zbunjuje me.

Odbijanje talasa i zvuk njihovog udaranja o kamen plaže bili su vrlo jaki i na trenutke mi se starčev glas gubio. Otkrio sam jedan njegov tik: povremeno je prinosio ruku nosu i trljao ga vrlo brzo kao da tera neku bubu.

Prišli su neki ljudi u čizmama i jaknama od nepromočivog platna sa žutim slovima; pisalo je „Opština Kaljao". Čičo Kanepa i Alberto su se odvojili s njima. Čuo sam kako im ovaj govori, ne obazirući se da li ga Arkimedes čuje: „Sad ispada da prevejani lisac nije siguran da li se može ili ne. Tako da, eto, mi treba da donesemo odluku."

---

[72] Šp.: *pisco* – peruanska rakija od grožđa. (Prim. prev.)

Starac je stajao pored mene, ali me nije gledao. Sada mu je pogled ponovo bio uperen u more, i istovremeno je polako pomerao usne, kao da se moli ili govori sam sa sobom.

– Arkimedese, voleo bih da vas pozovem na ručak – rekao sam mu tiho. – Da mi pričate malo o lukobranima. Ta tema me mnogo interesuje. Samo vi i ja. Da li biste pristali?

Okrenuo je glavu i uperio u mene svoj miran, sad ozbiljan pogled. Moj poziv ga je vrlo zbunio. Između njegovih bora pojavio se izraz nepoverenja; namrštio se.

– Na ručak? – ponovio je zbunjen. – Gde?

– Gde vi hoćete. Gde vam se sviđa. Vi izaberite mesto, a ja vas pozivam. Pristajete?

– A kada? – stari je dobijao na vremenu posmatrajući me sa sve većim nepoverenjem.

– Sada. Danas, na primer. Recimo da dođem po vas ovde oko dvanaest i idemo da ručamo gde vi izaberete. Hoćete?

Posle izvesnog vremena je pristao, ne prestajući da me gleda kao da sam mu odjednom postao neka pretnja. „Šta, do đavola, ovaj tip hoće od mene?“, govorile su njegove mirne, vodnjikave, tamnožućkaste oči.

Kada su pola sata kasnije Arkimedes, Alberto, Čičo Kanepa i tipovi iz opštine Kaljao prestali da diskutuju, i moj rođak i njegov prijatelj ušli u džip koji su parkirali na keju Figeredo, najavio sam im da ću ja ostati. Hteo sam malo da šetam po Punti da se prisetim mladosti kada sam s drugovima iz „Vesele četvrti“ dolazio na igranke u *Regatas* Union i da zavodimo plave bliznakinje Leka, koje su živele nedaleko odavde i preko leta učestvovale u jedriličarskim takmičenjima. Kasnije ću se vratiti taksijem u Miraflores. Malo su se iznenadili, ali su na kraju krenuli uz savet da vodim računa kuda idem, da je Kaljao pun lopova i da se u poslednje vreme dešavaju pljačke i otmice.

Dugo sam šetao po kejovima Figeredo, Pardo i Vise. Velike kuće od pre četrdeset-pedeset godina izgledale su bezbojno, trošno i prljavo od vlage i vremena, a njihovi vrtovi usahli. Iako u vidnom opadanju, četvrt je čuvala tragove svog pređašnjeg sjaja, kao stara gospođa koja povlači sa sobom senku lepotice kakva je bila. Razgledao sam kroz ogradu objekte Pomorske škole. Video sam grupu kadeta u belim, dnevnim uniformama kako defiluju i drugu koja je na obali pristaništa privezivala jedan brodić uz dok. I sve to vreme sam ponavljao: „Nemoguće je. Apsurdno je. Glupost bez glave i repa. Zaboravi tu fantaziju, Rikardo Somokursio." Bilo je suludo pretpostaviti tako nešto. Ali u isto vreme sam se prisećao: u životu mi se već desilo dovoljno toga da znam da ništa nije nemoguće, da su najbizarnije i najneverovatnije slučajnosti i događaji mogući kada je posredi ta žena koja je sada bila moja supruga. Iako se decenijama nisam vraćao ovamo, Punta se nije promenila toliko kao Miraflores, uvek je imala gospodski izgled, staromodan, elegantno siromaštvo. Sada su između kuća takođe iznikle neke bezlične i turobne zgrade kao u mojoj staroj četvrti, ali bile su retke i nisu uspevale da potpuno unište sklad celine. Ulice su bile gotovo puste, izuzev poneke služavke koja se vraćala iz kupovine i domaćice koja je gurala kolica s detetom ili izvela psa da obavi nuždu na obali mora.

U dvanaest sam ponovo došao na plažu Kantalao, sada gotovo sasvim u izmaglici. Iznenadio sam Arkimedesa u položaju u kojem mi ga je opisao Alberto: sedeo je kao Buda, nepokretno, gledao netremice u more. Bio je toliko miran da je jato belih galebova šetalo oko njega, ravnodušno prema njegovom prisustvu, ključajući među kamenjem i tražeći nešto za jelo. Huka talasa koji se lome bila je jača. Povremeno su galebovi pištali u isto vreme: zvuk između hrapavog i oštrog, ponekad kreštav.

– Može da se izgradi lukobran – rekao je Arkimedes s trijumfalnim osmehom kada me je video. Zapucketao je prstima: – Inženjer Kanepa će se mnogo obradovati.

– Sada ste sigurni?

– Potpuno siguran, naravno – rekao je nekako hvalisavo, klimajući glavom nekoliko puta. Okice su mu sijale od zadovoljstva.

Pokazao mi je na more s potpunim ubeđenjem, kao da mi pokazuje da je dokaz bio tamo za svakoga ko bi se udostojio da ga vidi. Ali jedino što sam ja video bila je zapenušana, zelenkastosiva voda koja je udarala o kamenje, stvarajući ritmičan i na trenutke bučan zvuk i povlačila se ostavljajući klupka smeđih algi. Izmaglica je napredovala i uskoro će nas sasvim obaviti.

– Zadivljujete me, Arkimedese. Kakve sposobnosti imate! Šta se dogodilo od jutros, kada ste sumnjali, da sada napokon budete sigurni? Jeste li nešto videli? Jeste li nešto čuli? Je li to bilo neko predosećanje, neka slutnja?

Kako sam video da starac ima teškoća da se podigne, pomogao sam mu uhvativši ga za ruku. Bio je mršav, bez mišića, mekih kostiju, kao kod beskičmenjaka.

– *Osetio* sam da može – objasnio mi je Arkimedes, odmah ućutavši kao da je taj glagol mogao da objasni celu tajnu.

Prošli smo u tišini po strmoj kamenitoj plaži do keja Figeredo. Starčeve probušene patike su upadale između kamenja i, kako mi se činilo da će svakog trenutka pasti, opet sam ga uhvatio za ruku da ga pridržim, ali on se mrzovoljno izvukao.

– Gde želite da odemo na ručak, Arkimedese?

Na sekund je oklevao, a zatim pokazao prema nejasnom i sablasnom horizontu Kaljaa.

– Tamo u Čukuitu znam jedno mesto – rekao je, oklevajući. – *Čim pum Kaljao.*[73] Prave dobar seviče, sa svežom ribom. Ponekad inženjer Čičo ide tamo na sendviče sa svinjetinom i lukom.

– Odlično, Arkimedese. Idemo tamo. Vrlo volim seviče i sto godina nisam jeo te sendviče.

Dok smo hodali prema Čukuitu praćeni hladnim vetrićem, slušajući krike galebova i zvuk mora, rekao sam Arkimedesu de

---

[73] Čim pum Kaljao – uzvik navijača fudbalskog tima „Sport bojs" iz Kaljaa. Reč „čimpum" je peruanski izraz za sportske patike, proistekao iz iskrivljenog čitanja marke *champion*. (Prim. prev.)

me ime tog restorana podseća na navijače *Sport bojsa*, čuvenog fudbalskog tima iz Kaljaa, koji su, kad sam ja bio dečak, na utakmicama na Nacionalnom stadionu u Ulici Hose Dijas, zaglušivali tribine gromkim: „Čim pum! Kaljao! Čim pum! Kaljao!" I takođe sam se, uprkos svim proteklim godinama, uvek sećao onog čudesnog para iz navale *Sport bojsa*, Valerijana Lopesa i Heronima Barbadilja, prave napasti za sve odbrambene igrače koji su se nadmetali s timom ružičastih dresova.

– Barbadilja i Valerijana Lopesa upoznao sam kad su bili momci – rekao je stari; hodao je malo pogrbljen, gledajući u zemlju, i vetar je mrsio njegovu retku i beličastu kosu. – Čak smo i šutirali loptu zajedno nekoliko puta na stadionu Potao, gde su *Bojsi* trenirali, ili na poljanama Kaljaa. Pre nego što su postali poznati, naravno. U to vreme fudbaleri su igrali samo za slavu. Kao maksimum su povremeno dobijali napojnice. Ja sam veoma voleo fudbal. Ali nikad nisam bio dobar fudbaler, nisam imao izdržljivost. Brzo sam se umarao i u drugom poluvremenu bih već dahtao kao pas.

– Pa dobro, vi imate druge sposobnosti, Arkimedese. To što vi znate, gde da se sagrade lukobrani, zna malo ljudi na svetu. To je samo vaša genijalnost, uveravam vas.

Čim pum Kaljao bio je bircuz na jednom od ćoškova parka Hose Galves. Okolina je bila puna skitnica i dece koji su prodavali slatkiše, lutriju, kikiriki, ušećerene jabuke, u nekim drvenim kolicima ili na daskama postavljenim na stalke. Arkimedes mora da je tamo često išao jer je rukom pozdravljao prolaznike i neki ulični psi su mu se motali oko nogu. Kada smo ušli u *Čim pum Kaljao*, vlasnica lokala, jedna debela crnkinja sa viklerima koja je radila za šankom – dugačkom daskom naslonjenom na dva bureta – pozdravila ga je srdačno: „Zdravo, stari lukobranče". Bilo je desetak rustičnih stolova, sedišta su bila klupice i samo jedan deo kafane imao je krov; na drugom, otvorenom, videlo se oblačno i tužno zimsko nebo. Radio je iz sve snage emitovao salsu Rubena Bladesa: *Pedro Navaha*. Seli smo za sto kraj vrata, naručili seviče, sendviče i hladno pivo pilzen.

Crnkinja s viklerima bila je jedina žena u kafani. Za skoro svim stolovima sedela su po dva-tri muškarca, koji su sigurno radili u blizini, jer su neki imali mantile koje nose radnici hladnjača, a za jednim stolom, ispod klupe, bile su kacige i koferi električara.

– Šta ste hteli da znate, gospodine? – prešao je na stvar Arkimedes. Gledao me je pun radoznalosti i s vremena na vreme prinosio ruku nosu da ga istrlja i otera nepostojećeg insekta.

– Mislim, čemu treba da zahvalim na ovom pozivu?

– Kako ste otkrili da imate tu sposobnost da pogodite namere mora? – pitao sam ga. – Kao dete? Kao mladić? Pričajte mi. Sve što možete o tome da mi kažete veoma me zanima.

Slegao je ramenima kao da se ne seća ili kao da stvar ne zaslužuje da se o njoj priča. Promrmljao je da je jednom neki novinar iz *Kronike* došao da ga intervjuiše i kao da je zanemeo. Na kraju je promrmljao: „To nisu stvari koje mi prolaze kroz glavu i zato ne mogu da ih objasnim. Znam gde se može, a gde ne. Ali nekada ostanem u neznanju. Hoću da kažem, ne osećam ništa." Ponovo je dugo ćutao. Pa ipak, čim su doneli pivo i čim smo nazdravili i popili po gutljaj, počeo je prilično neusiljeno da mi prepričava i opisuje svoj život. Nije se rodio u Limi, nego u brdima, u Paljanki, ali njegova porodica se spustila na obalu kada je on tek prohodao, tako da se nimalo nije sećao planine i kao da se rodio u Kaljau. U duši se osećao kao da je iz Kaljaa. Naučio je da čita i piše u Državnoj školi broj 5 u Beljavisti, ali nije završio ni osnovnu školu, jer je porodica morala da se prehrani, pa ga je otac poslao da radi kao prodavac na triciklu jedne sad već nestale a tada čuvene prodavnice sladoleda koja je bila u Aveniji Saens Penja: *Delisiosa*. Kao dete i kao momak radio je svašta, kao pomoćnik stolara, zidar, kurir carinske službe, dok na kraju nije počeo da radi kao pomoćnik na ribarskom brodiću koji je imao bazu u Pomorskom terminalu. Tamo je počeo da otkriva, ne znajući ni kako ni zašto, da se on i more „razumeju kao dva ortaka". Umeo je da nanjuši pre ikog drugog gde treba baciti mreže jer će tamo jata sardela doći da traže hranu, a takođe gde ne treba, zbog meduza koje teraju ribe, pa ni ona najobičnija neće da zagrize udicu. Vrlo dobro se sećao kada je prvi put pomagao da se izgradi morski nasip u Kaljau, na visini Perle, otprilike tamo gde se završava Avenija Palmeras. Svi napori šefova gradilišta da struktura izdrži talase bili su uzaludni. „Koji se đavo dešava, zašto se ovo sranje stalno zatrpava peskom?" Šef gradilišta, jedan namćorasti melez iz Čiklaja, čupao se za kosu i slao u pičku materinu more i ceo svet. Ali ma koliko psovao i grdio, more je govorilo „ne". A kada more kaže „ne", to je „ne", gospodine. U to vreme on još nije imao ni dvadeset godina i nije hteo nigde da se skrasi jer je vojska još mogla da ga regrutuje.

Onda je Arkimedes počeo da misli, da mozga i umesto da ga psuje, palo mu je na pamet da „govori moru". I još više od toga, „da ga sluša kao što se sluša prijatelj". Prineo je ruku uhu i poprimio pažljiv i pokoran izraz, kao da upravo sada sluša tajno poveravanje okeana. Jednom mu je paroh crkve Karmen de la Legua rekao: „Da li ti znaš koga slušaš, Arkimedese? Boga. On ti saopštava te mudre stvari koje govoriš o moru." Dobro, možda, možda Bog živi u moru. I tako je dakle bilo. Počeo je da sluša i onda jeste, gospodine, more mu je dalo na znanje da će se, ako ga ne izgrade tamo gde nije htelo, nego pedeset metara severnije, prema Punti, „prepustiti lukobranu". Otišao je i rekao to šefu gradilišta. Čiklajac je prvo umro od smeha, kao što se i moglo očekivati. Ali posle je iz čistog očajanja rekao: „Da probamo, do đavola." Probali su na mestu koje je predložio Arkimedes i lukobran je obuzdao more. Još uvek je bio tamo, čitav, i opirao se talasima. To se pročulo i Arkimedes je počeo da stiče reputaciju „vešca", „maga", „lukobranca". Od tada se u celom zalivu Lime nije gradio lukobran a da se šefovi gradilišta ili inženjeri ne konsultuju s njim. Ne samo u Limi. Vodili su ga u Kanjete, u Pisko, u Supe, u Činču, na gomilu mesta, da bude savetnik u izgradnji nasipa. Mogao je ponosno da kaže da je tokom celog svog profesionalnog života malo puta pogrešio. Mada neki put jeste, jer je jedini koji ne greši Bog, i možda đavo, gospodine.

Seviče je bio ljut kao da je paprika u njemu bila iz Arekipe. Kada se flaša piva ispraznila, naručio sam drugu, koju smo pili polako, dok smo sa zadovoljstvom jeli odlične sendviče od svinjetine u bagetu koji su dobro išli sa sosom od zelene salate, luka i paprike. Podstaknut pivom, u jednom trenutku kada je Arkimedes ćutao, usudio sam se da napokon postavim pitanje koje mi je već tri sata kao knedla stajalo u grlu:

– Rekli su mi da imate ćerku u Parizu? Je li to istina, Arkimedese?

Zagledao se u mene, zaintrigiran što sam upućen u te porodične intimnosti. I malo-pomalo njegov opušteni izraz postao je kiseo. Pre nego što mi je odgovorio, besno je protrljao nos i zamahom ruke oterao nevidljivog insekta.

– O tom izrodu ne želim ništa da znam – progunđao je. – A još manje da govorim o njoj, gospodine. Kunem vam se, da se pokaje i dođe da me vidi, zalupio bih joj vrata kuće ispred nosa.

Kada sam video koliko se naljutio, izvinio sam se zbog drskosti. Tog jutra, od jednog inženjera čuo sam za njegovu ćerku i pošto sam i ja živeo u Parizu, bio sam radoznao, pomislio sam da je možda poznajem. Ne bih to spominjao da sam posumnjao da mu je neprijatno.

Ne odgovorivši na moja objašnjenja, Arkimedes je završavao svoj sendvič i ispijao gutljaje piva. Kako mu gotovo nije ostalo zuba, žvakao je teško, mljackao je i dugo mu je trebalo da proguta svaki zalogaj. Bilo mi je neprijatno zbog duge tišine, ubeđen da sam napravio grešku što sam ga pitao za ćerku – šta si očekivao da čuješ, Rikardito? – podigao sam ruku da pozovem crnkinju s viklerima i da joj zatražim račun. U tom trenutku, Arkimedes je ponovo počeo da priča:

– Ma ona je izrod, kunem vam se – potvrdio je, namršteno i ozbiljno. – Nije poslala novac ni za sahranu svoje majke. Egoista, eto šta je. Otišla je tamo i okrenula nam leđa. Misli da je mnogo iznad nas i to joj sada daje pravo da nas prezire. Kao da u venama nema krv svog oca i majke.

Uistinu je pobesneo. Dok je govorio, pravio je grimase koje su mu još više borale lice. Ponovo sam promrmljao da mi je žao što sam pokrenuo tu temu, da mi nije bila namera da mu bude neprijatno, da možemo da razgovaramo o nečemu drugom. Ali on me nije slušao. U njegovom netremičnom pogledu zenice su sijale, vodnjikave i užarene.

– Ponizio sam se i tražio da me odvede tamo, a mogao sam da joj naredim; otac sam joj – rekao je, udarajući u sto. Usne su mu drhtale. – Spustio sam se, ponizio sam se. Ona nije htela da me izdržava, ma kakvi! Ja bih radio bilo šta. Pomagao bih, na primer, da se sagrade lukobrani. Da li se grade lukobrani tamo u Parizu? Dobro, onda sam mogao tamo da radim na tome. Ako sam dobar ovde, zašto ne bih tamo? Jedino za šta sam je molio bila je karta. Ne za njenu majku, ne za njenu braću i sestre. Samo za mene. Ja bih se mučio, zaradio bih, uštedeo bih i dovodio bih malo-pomalo ostatak porodice. Je li to bilo mnogo? Bilo je malo, gotovo ništa. I kako je ona postupila? Nije mi više odgovorila ni na jedno pismo. Nijedno, nikada više, kao da je užasava ideja da se tamo pojavim. Je li to ono što radi ćerka? Ja znam zašto kažem da je postala izrod, gospodine.

Crnkinji s viklerima, koja je prišla stolu njišući se kao panter, umesto računa tražio sam još jedno hladno pivo. Stari Arkimedes je govorio tako glasno da su se sa raznih stolova osvrtali i gledali ga. On je primetio, napravio se lud, nakašljao se i spustio glas.

– U početku se sećala porodice, moram da kažem. Dobro, ponekad, ali i to je bolje nego ništa – nastavio je mirnije. – Ne kada je bila na Kubi; tamo, izgleda, zbog političkih stvari nije mogla da piše pisma. Tako je barem rekla kasnije, već udata, kada je otišla da živi u Francusku. Onda jeste, povremeno, za državne praznike ili za moj rođendan, ili za Božić, slala neko pismo i mali ček. Kakve muke da se naplati! Da nosiš u banku dokumenta, a u banci ti uzimaju ne znam koliku proviziju. Ali, sve u svemu, u to vreme, tek ponekad bi se setila da ima porodicu. Sve dok joj nisam tražio kartu za Francusku. Tu je prekinula. Nikada više. Do dana današnjeg. Kao da joj je cela porodica umrla. Sahranila nas je, kažem vam. Ni kada joj je jedan brat pisao tražeći pomoć da stavimo mermernu ploču na grob njene majke, nije se udostojila da odgovori.

Sipao sam prvo Arkimedesu čašu penušavog piva koje je crnkinja s viklerima upravo donela, a onda i sebi. Kuba, udata u Parizu: nije bilo nikakve sumnje. Ko bi bio ako ne ona! Sad sam ja počeo da drhtim. Bio sam uznemiren, kao da će iz starčevih usta u svakom trenu izaći užasno otkriće. Rekao sam: „Živeli, Arkimedese!", i obojica smo otpili po dug gutljaj. Sa svog mesta mogao sam da vidim starčevu probušenu patiku iz koje je virio kvrgav članak, sa krastama ili prljavštinom među kojima se kretao mrav, kojeg on, izgleda, nije osećao. Da li je bila moguća tolika slučajnost? Da, bila je. Više nisam uopšte sumnjao.

– Mislim da sam je jednom upoznao – rekao sam praveći se da govorim tek tako, bez ikakvog ličnog interesa. – Vaša ćerka je jedno vreme imala stipendiju na Kubi, je li tako? I posle se udala za nekog francuskog diplomatu, zar ne? Jednog gospodina čije je prezime bilo Arnu, ako se ne varam.

– Ne znam da li je bio diplomata ili šta već beše, nije nam poslala čak ni fotografiju – otresao se Arkimedes, pipkajući nos. – Ali bio je neki važan Francuz i dobro je zarađivao, tako su mi rekli. Zar u takvim slučajevima jedna ćerka nema obaveza prema porodici? Naročito ako je porodica siromašna i prolazi kroz teškoće.

Ponovo je otpio gutljaj piva i dugo ostao zamišljen. Neka jeftina raštimovana i monotona muzika koju su izvodili *Šapisi* zamenila je salsu. Za susednim stolom električari su govorili o nedeljnim konjskim trkama i jedan od njih se kleo: „U trećoj je

Kleopatra favorit." Odjednom, setivši se nečega, Arkimedes je podigao glavu i uperio u mene svoje užarene okice:

– Vi ste je upoznali?

– Mislim da jesam, onako površno.

– Taj tip, Francuz, je li stvarno imao mnogo para?

– Ne znam. Ako govorimo o istoj osobi, on je bio funkcioner Uneska. To je svakako dobar položaj. Vaša ćerka, kada sam je viđao, uvek je bila lepo obučena. To je bila jedna zgodna i elegantna žena.

– Otilita je uvek sanjala ono što nema, odmalena – rekao je odjednom Arkimedes, ublažujući glas i šireći usne u jedan neočekivan osmeh pun praštanja. – Bila je vrlo bistra, u školi je dobijala nagrade. Ali to da, imala je maniju veličine otkad se rodila. Nije se zadovoljavala svojom sudbinom.

Nisam mogao da se uzdržim od glasnog smeha i starac me je zbunjeno gledao. Čileankica Lili, drugarica Arlet, madam Robera Arnua, misiz Ričardson, Kuriko i madam Rikarda Somokursija zapravo se zvala Otilija. Otilita. Komično.

– Nikada ne bih mogao zamisliti da se zove Otilija – objasnio sam mu. – Ja sam je upoznao pod drugim imenom, imenom njenog muža. Madam Robera Arnua. U Francuskoj je takav običaj, kada se žena uda, primi ime i prezime svog muža.

– Kakvi običaji! – prokomentarisao je Arkimedes, smeškajući se i sležući ramenima. – Odavno je niste videli?

– Odavno, da. Ne znam čak ni da li još živi u Parizu. Ako je uopšte reč o istoj osobi, naravno. Peruanka za koju vam kažem da je bila na Kubi i tamo se, u Havani, udala za francuskog diplomatu. On ju je zatim, šezdesetih godina, poveo da žive u Parizu. Tamo smo se poslednji put videli pre četiri-pet godina. Sećam se da je mnogo govorila o Mirafloresu, govorila je da je provela detinjstvo u toj četvrti.

Stari je potvrdio. U njegovom vodnjikavom pogledu nostalgija je zamenila bes. Držao je čašu piva u vazduhu i polako duvao penu s ivice, poravnavajući je.

– To je ona – potvrdio je, klimajući glavom nekoliko puta dok je trljao nos. – Otilita je živela u Mirafloresu kada je bila mala, jer joj je majka radila kao kuvarica u jednoj porodici koja je tamo živela. Gospoda Arenas.

– U Ulici Esperansa? – pitao sam.

Stari je potvrdio i, iznenađen, prodorno me pogledao.

– I to znate? Kako znate toliko o Otiliti?

Pomislio sam: „Kako bi reagovao da mu kažem: Zato što mi je žena?"

– Pa rekao sam vam. Vaša ćerka se stalno sećala Mirafloresa i kućice u Ulici Esperansa. To je kraj u kojem sam i ja živeo kao mali.

Iza šanka, crnkinja s viklerima je pratila suludi ritam *Šapisa*, mrdajući glavom. Arkimedes je otpio dug gutljaj i oko njegovih upalih usana ostao je trag pene.

– Otkada je bila ovolicka, Otilita nas se stidela – rekao je, ponovo se razbesnevši. – Ona je htela da bude kao beli i bogati. Bila je umišljena devojčica, vrlo hirovita. Prilično oštroumna, ali živa vatra. Ne može svako da ode u inostranstvo bez prebijene pare kao ona. Jednom je pobedila na konkursu u Radio Americi. Imitirala je Meksikance, Čileance i Argentince. Mislim da je imala samo devet ili deset godina. Kao nagradu je dobila rolšue. Osvojila je porodicu Arenas, gde je njena majka radila kao kuvarica. Osvojila ih je, kažem vam. Tretirali su je kao člana porodice. Puštali su je da se druži s njihovom ćerkom. Razmazili su je, znači. Od tada ju je bilo sramota što je ćerka svoje majke i svog oca. Odmalena se, dakle, videlo kakav će izrod da bude kad poraste.

U tom trenutku razgovora odjednom mi je postalo neprijatno. Šta sam ja tu radio, što sam gurao nos u te prljave intimnosti? Šta si još hteo da znaš, Rikardito? Zbog čega? Počeo sam da tražim izgovor za odlazak jer mi je odjednom *Čim pum Kaljao* postao kao kavez. Arkimedes je i dalje govorio o svojoj porodici. Sve što mi je pričao još više me je deprimiralo i rastuživalo. Sa

tri različite žene očigledno je imao gomilu dece, „sve prizna-
te". Otilita je bila prva ćerka njegove prve žene, koja je umrla.
„Nahraniti dvanaest usta, to ubija", ponavljao je rezignirano.
„Mene je smrvilo. Ne znam kako još imam snage da i dalje zara-
đujem, gospodine." Zaista, izgledao je istrošen i krhak. Samo
su njegove oči, žive i brze, pokazivale volju da nastavi; ostatak
njegovog tela izgledao je pobeđen i uplašen.

Sigurno je prošlo najmanje dva sata otkako smo ušli u *Čim
pum Kaljao*. Svi stolovi, izuzev našeg, opusteli su. Gazdarica je
ugasila radio, nagoveštavajući da je vreme da zatvori. Zatražio
sam račun, platio i kada smo izašli na ulicu, zamolio sam Arki-
medesa da primi kao poklon novčanicu od sto dolara.

– Ako se tamo u Parizu nekad opet sretnete s Otilitom, recite
joj da se seti svog oca i da ne bude tako loša ćerka, jer je u dru-
gom životu mogu kazniti – pružio mi je ruku starac.

Gledao je u novčanicu od sto dolara kao da je pala s neba.
Mislio sam da će da zaplače od uzbuđenja. Promucao je: „Sto
dolara! Bog će vam platiti, gospodine." Ja sam pomislio: „A kad
bih mu rekao: Zamislite, Arkimedese, vi ste mi tast?"

Kada se posle izvesnog vremena na samom Trgu Hose Galves
pojavio jedan rasklimatani taksi, koji sam rukom zaustavio,
okružila me je grupa dronjave dece koja je ispruženih ruku
prosila. Rekao sam šoferu da me vozi u Ulicu Esperansa, u
Miraflores.

Tokom duge vožnje u krntiji koja se pušila i tandrkala, kajao
sam se što sam pokrenuo onaj razgovor s Arkimedesom. Bilo
mi je beskrajno žao dok sam razmišljao o tome kakvo je bilo
Otilitino detinjstvo u jednom od onih predgrađa Kaljaa. Znajući
da mi je bilo nemoguće da se približim realnosti toliko udalje-
noj od one iz Mirafloresa koju sam ja imao sreću da proživim,
zamišljao sam je onako malecku u haosu i prljavštini krivih
kućeraka na obalama Rimaka – kada smo prošli pored njih,
taksi se napunio muvama – gde su se nastambe brkale s pira-
midama ko zna otkada nagomilanog đubreta, i pri tom osku-

dica, nestalnost, svakodnevna nesigurnost sve dok, kao poklon proviđenja, majka nije dobila posao kuvarice u jednoj porodici srednje klase u stambenoj četvrti, gde je uspela da odvuče najstariju ćerku. Zamišljao sam veštine, maženje, ljupkost, kojima je Otilita, devojčica obdarena izrazito razvijenim nagonom za preživljavanje i prilagođavanje, pribegavala dok nije osvojila vlasnike kuće. Sigurno su joj se prvo smejali; posle im se dopalo koliko je vragolasta kuvaričina ćerka. Sigurno su joj poklanjali cipelice, haljinice koje su postajale male njihovoj ćerki Lusi, drugoj Čileankici. Tako se Arkimedesova kći uspinjala nalazeći svoje mestašce u porodici Arenas. Sve dok napokon nije stekla pravo da se igra, izlazi, kao jednaka, kao drugarica, kao sestra, s ćerkom iz te porodice, iako je ova išla u privatnu školu, a ona u državnu. Sada je bilo jasno, posle trideset godina, zašto Čileankica Lili iz mog detinjstva nije htela da ima dečka niti da poziva ikoga u svoju kuću u Ulici Esperansa. I pre svega, bilo je sasvim jasno zašto je odlučila da napravi onu predstavu, da se deperuanizuje, pretvori u Čileankicu da bi je primili u Mirafloresu. Bio sam raznežen do suza. Bio sam lud od nestrpljenja da zagrlim svoju ženu, hteo sam da je pomilujem, da je mazim, da joj tražim oproštaj zbog detinjstva koje je imala, da je golicam, da joj pričam šale, da glumim pajaca samo da bih je slušao kako se smeje, da joj obećam da nikada više neće patiti.

Ulica Esperansa se nije toliko promenila. Prošao sam njome dvaput, od Avenije Larko do Sanhona, tamo i nazad. Knjižara *Minerva* je i dalje bila na uglu ispred Centralnog parka, iako iza pulta, služeći klijente, u njoj više nije bila ona italijanska gospođa sede kose, uvek tako ozbiljna, udovica Hosea Karlosa Marijategija. Više nije postojao nemački restoran *Gambrinus*, ni prodavnica traka i dugmića, kuda sam jednom išao u kupovinu s tetkom Albertom. Ali trospratna zgrada u kojoj su živele Čileankice i dalje je bila tamo. Uska, bezbojna, stešnjena između jedne kuće i jedne zgrade. Sa svojim balkončićima i drvenim gelenderima izgledala je siroto i starinski. U tom stanu s mračnim i tesnim sobama, u tom sobičku pored kuhinje, gde je sigurno bila soba za poslugu i gde joj je majka sigurno svake noći postavljala dušek na pod, Otilita je bila beskrajno manje nesrećna nego u Arkimedesovoj kući. I možda je još tu, kada je bila nedozrela balavica, donela vrlo smelu odluku da napreduje, da učini bilo šta, da prestane da bude Otilita, ćerka kuvarice i graditelja lukobrana, da pobegne zauvek iz te klopke, zatvora i prokletstva koje je za nju bio Peru i da ode daleko i da bude bogata – pre svega to: bogata, prebogata – pa makar zbog toga morala da prođe sito i rešeto, da se izlaže najgroznijim rizicima, da uradi bilo šta, dok se ne pretvori u hladnu, bezosećajnu, proračunatu, okrutnu ženu. To je uspevala samo nakratko i plaćala veoma skupo, ostavljajući na putu parčiće svoje kože i duše. Kada sam je se setio u najgorem periodu njene krize, kako sedi na klozetskoj šolji i drhti od straha držeći se za moju ruku, morao sam da uložim veliki napor da ne zaplačem. Naravno da si bila u pravu, nevaljala devojčice, što nisi htela da se vratiš u Peru, što mrziš zemlju koja te podseća na sve ono što si prihvatila, pretrpela i uradila da bi pobegla iz nje. Učinila si dobro što nisi pošla sa mnom na ovo putovanje, ljubavi moja.

Dugo sam šetao po ulicama Mirafloresa prateći putanje svoje mladosti: Centralni park, Avenija Larko, Park Salasar, kejovi. U grudima me je stezalo od potrebe da je vidim, da čujem njen glas. Nikad joj, naravno, neću reći da sam upoznao njenog oca. Nikad joj, naravno, neću priznati da znam njeno pravo ime. Otilija, Otilita, smešno, nimalo joj ne pristaje. Zaboraviću, naravno, Arkimedesa i sve ono što sam ovog jutra čuo.

Kada sam došao kod njega, stric Ataulfo je već legao. Stara Anastasija mi je ostavila večeru na stolu, poklopljenu da ostane topla. Pojeo sam samo zalogaj i čim sam ustao od stola, otišao sam da se zatvorim u dnevnu sobu. Bilo mi je neprijatno da telefoniram u inostranstvo, jer sam znao da mi stric Ataulfo neće dozvoliti da platim poziv, ali imao sam toliku potrebu da razgovaram s nevaljalom devojčicom, da joj čujem glas, da joj kažem da mi nedostaje, da sam se ipak rešio da je zovem. Seo sam u fotelju u uglu gde je stric Ataulfo čitao svoje novine i kraj koje je bio stočić s telefonom; soba je bila u mraku i okrenuo sam broj. Telefon je zvonio nekoliko puta i niko se nije javio. Razlika u vremenu, naravno! U Parizu je bilo četiri sata ujutro. Ali, upravo zato, bilo je nemoguće da Čileankica – Otilija, Otilita, baš smešno – ne čuje telefon. Bio je na noćnom stočiću pored njenog uha. I ona je imala vrlo lak san. Jedino objašnjenje je bilo da je otišla na neko od svojih poslovnih putovanja na koje ju je slala Martin. Popeo sam se u svoju sobu vukući noge, razočaran i tužan. Naravno, nisam mogao oka da sklopim, jer svaki put kada sam osetio kako tonem u san, budio sam se uplašen i rasanjen, gledajući kako se u senci ocrtava lice Arkimedesa, koji me je podrugljivo gledao i ponavljao ime svoje najstarije ćerke: Otilita, Otilija. Da li bi bilo moguće da je...? Ne, to je glupa ideja, napad smešne ljubomore jednog pedesetogodišnjaka. Je li to nova igrica da te uznemiri, Rikardito? Nemoguće, kako bi ona mogla da posumnja da ćeš je zvati telefonom upravo danas, u ovo doba noći? Logično objašnjenje je da nije bila kod kuće jer je otišla na poslovni put, u Bijaric, u Nicu, u Kan, u bilo koji od gradova na obali gde su se održavali sastanci, konferencije, skupovi, svadbe i ostali izgovori koje su Francuzi tražili da bi proždrljivo pili i jeli.

Nastavio sam da je zovem sledeća tri dana i nijednom se nije odazvala. Izjeden ljubomorom, više nisam video ništa i nikoga i samo sam brojao beskrajne dane koji su me delili od povratka avionom u Evropu. Stric Ataulfo je primetio moju nervozu, iako sam ja preterivao u naporima da izgledam normalno, a možda upravo zbog toga. Samo me je dva-tri puta pitao da li se osećam dobro, jer sam jedva jeo i jer nisam prihvatio poziv ljubaznog Alberta Lamijela da izađem na večeru u jednu lokalnu kafanu da slušam moju omiljenu pevačicu Sesiliju Barasu.

Četvrtog dana krenuo sam nazad u Pariz. Stric Ataulfo je svojom rukom napisao pismo nevaljaloj devojčici izvinjavajući

se što joj je ukrao muža ove dve nedelje ali, dodao je, sinovče-
va poseta je bila čudesna, pomogla mu je da prevaziđe težak
trenutak i obezbedila dugovečnost. Nisam spavao i nisam jeo
skoro osamnaest sati koliko je trajao let, zbog vrlo dugačkog
zadržavanja aviona *Er Fransa* u Poant a Pitru, da se popravi
kvar. Šta li će me čekati ovoga puta kada otvorim vrata svog
stana kod Vojne škole? Novo pisamce nevaljale devojčice koje
mi sa starom hladnoćom govori da je rešila da ode jer je već bila
sita tog dosadnog života sitnoburžoaske domaćice, umorna da
sprema doručak i namešta krevete? Da li je u svojim godinama
mogla da nastavi s takvim štosovima?

Ne. Kada sam otvorio vrata stana u Ulici Žozefa Granijea
– ruka mi je drhtala i nisam uspevao da gurnem ključ u bravu
– bila je tamo i čekala me. Raširila je ruke uz veliki osmeh:

– Najzad! Već sam se umorila da budem sama i napuštena.

Obukla se kao za neku svečanu priliku, u haljinu s velikim de-
kolteom i s otkrivenim ramenima. Kada sam je pitao šta je razlog
toj eleganciji, ona mi je odgovorila, grickajući me za usne:

– Ti, ludo, šta bi drugo bilo! Čekala sam te od jutros, zvala
sam *Er Frans* svaki čas. Rekli su mi da je avion ostao nekoliko
sati na Gvadalupu. Da vidim, pokaži mi kako su te pazili u Limi.
Dolaziš sa više sedih, čini mi se. Pretpostavljam zato što sam ti
toliko nedostajala.

Izgledalo je da je zadovoljna što me vidi, a meni je bilo lakše
i postideo sam se. Pitala me je da li želim nešto da popijem ili da
pojedem, i kako je videla da zevam, gurnula me je prema spava-
ćoj sobi: „Hajde, hajde, idi malo odspavaj, ja ću da se pobrinem
za tvoj kofer." Skinuo sam cipele, pantalone i košulju i praveći
se da spavam, uhodio sam je kroz poluzatvorene oči. Raspaki-
vala je kofer polako, usredsređena na ono što radi, vrlo uredna.
Odvajala je prljav veš i stavljala ga u kesu koju će potom odneti
u perionicu. Čist je pažljivo ređala u ormar. Čarape, maramice,
odelo, kravata. Povremeno je bacala pogled na krevet i činilo
mi se da joj se izraz smirivao kad bi me tamo videla. Imala je

četrdeset osam godina i niko to ne bi verovao videvši njenu manekensku figuru. U toj svetlozelenoj haljini koja je otkrivala njena ramena i deo golih leđa, bila je vrlo lepa, i tako pažljivo našminkana. Kretala se polako, graciozno. Odjednom sam video kako prilazi – ja sam sasvim sklopio oči i malo otvorio usta praveći se da spavam – i osetio da me pokriva. Je li sve to moglo da bude farsa? Nikada. Ali, zašto da ne, život s njom je u svakom trenutku mogao da postane pozorište, fikcija. Da je pitam zašto mi nije odgovarala na telefon poslednjih dana? Da pokušam da proverim je li bila na poslovnom putovanju? Ili, bolje, da zaboravim na to i da utonem u nežnu laž domaće sreće? Osećao sam beskrajan umor. Kasnije, kada sam zaista počinjao da tonem u san, osetio sam kako leže pored mene. „Kako sam glupa, probudila sam te." Bila je okrenuta prema meni i jednom rukom mi je prolazila kroz kosu. „Puniš se sedima, starčiću", nasmejala se. Skinula je haljinu i cipele: podsuknja koju je nosila bila je zamućene svetle boje, nalik na njenu kožu.

– Nedostajao si mi – rekla mi je odjednom vrlo ozbiljno. Uperila je u mene svoje oči boje meda, tako da sam se odjednom setio prodornog pogleda graditelja lukobrana. – Noću nisam mogla da spavam misleći na tebe. Skoro svake noći sam masturbirala, zamišljajući kako svršavam od tvojih usta. Jedne noći sam plakala, misleći da je moglo nešto da ti se desi, neka bolest, neka nesreća. Da ćeš mi se javiti da mi kažeš kako si odlučio da ostaneš u Limi s nekom Peruankicom i da te više neću videti.

Naša se tela nisu dodirivala. Ona je stalno držala ruku iznad moje glave, a i sada je prelazila jagodicama prstiju preko mojih obrva, mojih usta, kao da proverava da li su zaista tamo. Oči su joj i dalje bile vrlo ozbiljne. U dnu njenih zenica bio je neki vlažan sjaj, kao da se uzdržavala da ne zaplače.

– Jednom, pre mnogo godina, u ovoj istoj sobi pitao si me šta je za mene sreća, sećaš li se, dobri dečko? I ja sam ti rekla da je to novac, da nađem moćnog i vrlo bogatog čoveka. Grešila sam. Sada znam da si ti moja sreća.

I u tom trenutku, kada sam hteo da je uzmem u zagrljaj jer su joj se oči napunile suzama, telefon je zazvonio, nateravši nas oboje da poskočimo.

– Ah, napokon! – uzviknula je nevaljala devojčica, podižući slušalicu. – Prokleti telefon. Popravili su ga. *Oui, oui, monsieur. Ça marche très bien, maintenant! Merci.*[74]

Pre nego što je spustila slušalicu, ja sam skočio na nju i zagrlio je, stežući je iz sve snage. Ljubio sam je žestoko, nežno, jezik mi se zaplitao dok sam joj govorio:

– Znaš li šta je najlepše, ono što me je najviše razveselilo od svih stvari koje si mi rekla, Čileankice? *„Oui, oui, monsieur. Ça marche très bien, maintenant. "*

Ona je počela da se smeje i rekla da je to bila najmanje romantična banalnost od svih koje sam joj do sada rekao. Dok sam svlačio i nju i sebe, šapnuo sam joj, ne prestajući ni na trenutak da je ljubim: „Zvao sam te četiri dana uzastopno, u svako doba, noću, rano ujutro, i kako mi se nisi javljala, poludeo sam od očajanja. Nisam jeo, nisam živeo sve dok se nisam uverio da nisi otišla, da nisi s nekim ljubavnikom. Vratio mi se život u telo, nevaljala devojčice." Čuo sam kako se davi od smeha. Kada me je obema rukama naterala da odmaknem lice kako bi me pogledala u oči, još nije mogla da govori od smeha. „Stvarno si bio lud od ljubomore? Kakva dobra vest, još si do ušiju zaljubljen u mene, dobri dečko." To je bilo prvi put da smo vodili ljubav ne prestajući da se smejemo.

Na kraju smo zaspali, isprepleteni i srećni. U snu sam povremeno otvarao oči da je gledam. Nikada neću biti tako srećan kao sada, nikada se ponovo neću osetiti tako ispunjenim. Probudili smo se kad je već bila noć; istuširali smo se, obukli i odveo sam nevaljalu devojčicu na večeru u *Klozeri de Lila*, gde smo kao dvoje ljubavnika na medenom mesecu, uz flašu šampanjca, pri-

---

[74] Franc.: Da, da, gospodine. Sada radi kako treba. Hvala. (Prim. prev.)

čali tiho, gledali se u oči, držali se za ruke, smeškali se i ljubili. „Reci mi nešto lepo", molila me je ona povremeno.

Kada smo izašli iz *Klozeri de Lila*, na malom trgu gde statua maršala Neja preti zvezdama svojom sabljom, pored Avenije de l'Opservatoar, dva klošara su sedela na klupi. Nevaljala devojčica je stala i pokazala mi ih je:

– Onaj desno je klošar koji ti je spasao život na mostu Mirabo? Je li tako?

– Ne, mislim da nije.

– Jeste, jeste – lupila je nogom ona, ljutito i nervozno. – To je on, reci mi da jeste on, Rikardo.

– Jeste, jeste, on je, u pravu si.

– Daj mi sve pare koje imaš u novčaniku – naredila mi je. – Novčanice i sitniš.

Učinio sam ono što je tražila. Onda je s novcem u ruci prišla dvojici klošara. Pogledali su je kao retku zverku, bar pretpostavljam, jer je bilo suviše mračno da im razaznam lica. Video sam kako se saginje i razgovara s njim, kako mu daje novac i na kraju, kakvog li iznenađenja, ljubi klošara u obraze. Zatim mi je prišla, smeškajući se kao devojčica koja je upravo dobro izvela svoju tačku. Uhvatila me je za ruku i krenuli smo Monparnasom. Do Vojne škole imali smo dobrih pola sata hoda. Ali nije bilo hladno i nije se spremala kiša.

– Onaj klošar sigurno misli da je sanjao, da mu se pojavila dobra vila s neba. Šta si mu rekla?

– Veliko hvala, gospodine klošaru, što ste spasli život mojoj sreći.

– I ti postaješ trivijalna, nevaljala devojčice – poljubio sam je u usne. – Kaži mi još nešto tako, molim te.

VII
MARČELA U LAVAPJESU

Pre pedeset godina madridska četvrt Lavapjes, stara enklava Jevreja i Mavara, još uvek se smatrala jednom od najautentičnijih četvrti Madrida, gde su se čuvali, kao arheološki kurioziteti, čulapo, čulapa[75] i ostali likovi zarzuela,[76] kicoši u prsluku, s kapom, s maramom oko vrata, u uskim pantalonama, i dame utegnute u tufnaste haljine, s velikim minđušama, suncobranima i maramama vezanim preko raskošnih punđi.

Kada sam došao da živim u Lavapjes, četvrt se promenila tako da sam se ponekad pitao da li je ostao još neki pravi Madriđanin, ili su svi susedi bili, kao Marčela i ja, uvozni Madriđani. Španci iz te četvrti poticali su iz svih krajeva zemlje i njihovi akcenti i raznolikost fizičkih tipova doprinosili su da ta mešavina rasa, jezika, izgovora, običaja, odeće i nostalgija u Lavapjesu izgleda kao mikrokosmos. Ljudska geografija planete kao da je predstavljena u nekoliko ulica.

Kada izađe iz Ulice Ave Marija, gde smo živeli na trećem spratu jedne izbledele i trošne zgrade, čovek bi kročio u Vavilon u kojem su jedni kraj drugih bili kineski i pakistanski trgovci,

---

[75] Šp.: *chulapo, chulapa* - tipični predstavnici narodskih četvrti Madrida. (Prim. prev.)
[76] Šp.: *zarzuela* – španska opereta ili muzička komedija. (Prim. prev.)

indijske perionice i prodavnice, marokanski saloni za čaj, barovi puni Južnoamerikanaca, kolumbijskih i afričkih trgovaca drogom, a na sve strane u grupama, po haustorima i na ćoškovima, mnogo Rumuna, Jugoslovena, Moldavaca, Dominikanaca, Ekvadoraca, Rusa i Azijata. Španske porodice iz kraja preobražajima su suprotstavljale stare običaje ćaskajući preko balkona, sušeći veš na kanapima zategnutim između nadstrešnica i prozora i nedeljnim odlascima na misu u crkvu San Lorenso, na uglu ulica Doktora Piga i Salitre, u parovima: oni sa kravatama, one u crnom.

Naš stan je bio manji od onoga koji sam imao u Ulici Žozefa Granijea, ili mi je tako izgledalo, jer je bio pun modela od kartona, papira i šperploče, Marčelinih dekoracija koje su, kao olovni vojnici Solomona Toledana, okupirali dve sobice, pa čak i kuhinju i kupatilo stana. Iako je bio tako malen i pun knjiga i ploča, nije bio klaustrofobičan zahvaljujući prozorima koji su gledali na ulicu. Kroz njih je u mlazevima ulazila bleštava bela svetlost Kastilje, tako drukčija od pariske; imao je i mali balkon, gde smo uveče mogli da iznesemo sto i da večeramo pod madridskim zvezdama, koje postoje iako su zamagljene odsjajem gradske svetlosti.

Marčela je uspevala da radi u stanu, ležeći na krevetu ako je crtala, ili sedeći na avganistanskom tepihu u maloj dnevnoj sobi ako je pravila svoje modele od parčića kartona, daščica, gume, lepka, tankog kartona i bojica. Ja sam radije išao da radim prevode, koje mi je naručivao izdavač Mario Mučnik, u obližnji kafe *Barbijeri*, gde sam provodio po nekoliko sati dnevno, prevodeći, čitajući i posmatrajući faunu koja je posećivala kafe. Nikad mi nije bila dosadna jer je otelovljavala celo šarenilo ove Nojeve barke koja se rađala u srcu starog Madrida.

Kafe *Barbijeri* je takođe bio u Ulici Ave Marija i izgledao je – tako mi je rekla Marčela kada me je prvi put odvela tamo, a ona je znala te stvari – kao dekor berlinskih ekspresionista dvadesetih godina i grafika Grosa ili Ota Diksa, sa svojim ispucalim zidovima, mračnim uglovima, svojim bareljefima rimskih dama na plafonu i misterioznim sobiccima gde su se, činilo se, mogli počiniti zločini a da klijenti to ne saznaju, ulagati sulude sume u partijama pokera u kojima su sevali noževi ili održavati seanse crne magije. Bio je ogroman, ćoškast, pun budžaka, s mračnim plafonima i srebrnastom paučinom, s nestabilnim stočićima i klimavim stolicama, s klupama i policama koje samo što se nisu srušile od trošnosti, taman, zadimljen, uvek pun ljudi koji su izgledali kao maskirani, gomila statista neke komedije zgurana iza kulisa, čekajući da izađe na binu. Nastojao sam da sednem za stočić u dnu do kojeg je dopiralo malo više svetla i zato što je tamo umesto stolica stajala jedna prilično udobna fotelja, presvučena baršunom što je nekad bio crvenkast, a sada se raspadao, s otvorenim rupama od žara cigareta i dodira toliko zadnjica. Svaki put kada sam ulazio u kafe *Barbijeri*, jedna od mojih zabava bila je da identifikujem jezike koje sam čuo od vrata do stola u dnu i jednom sam na tom kratkom putu od tridesetak metara izbrojao šest.

Kelneri i kelnerice su takođe predstavljali tu raznovrsnost četvrti: Šveđani, Belgijanci, Amerikanci, Marokanci, Ekvadorci, Peruanci itd. Stalno su se menjali, jer su sigurno bili loše plaćeni, i po osam sati, u dve smene, klijenti su im tražili da im donose i odnose piva, kafe, čajeve, čokolade, čaše vina i sendviče. Čim bi me videli za mojim uobičajenim stolom, sa sveskama, olovkama i knjigom koju sam prevodio, žurili su da mi donesu kaficu s malo mleka i flašu negazirane mineralne vode.

Za tim stočićem ujutro sam listao novine, a po podne, umoran od prevođenja, uzimao da čitam, više ne zbog posla nego iz zadovoljstva. Tri knjige koje sam preveo, od Doris Lesing, Pola Ostera i Mišela Turnijea, nisu me koštale mnogo napora, ali mi nije bilo ni mnogo zabavno da ih prenosim na španski. Iako su autori bili u modi, romani koje su mi dali da prevedem nisu bili njihovi najbolji. Kao što sam oduvek podozrevao, književni prevodi su se užasno loše plaćali, mnogo niže nego stručni. Ali ja više nisam bio u stanju da radim ove potonje, jer sam zbog mentalnog umora koji me je obuzimao kada sam ulagao napor da se duže koncentrišem napredovao vrlo sporo. U svakom slučaju, ti slabi prihodi su mi omogućavali da pomognem Marčeli oko kućnih troškova i da se ne osećam izdržavanim. Moj prijatelj Mučnik je pokušao da mi pomogne da dobijem neke prevode s ruskog – to me je najviše privlačilo – i zamalo da ubedimo jednog izdavača da se odvaži na objavljivanje Turgenjevljevih *Očeva i dece*, ili potresnog *Rekvijema* Ane Ahmatove, ali nismo uspeli, jer je ruska književnost još uvek malo zanimala španske i hispanoameričke čitaoce, a još manje poezija.

Ne bih mogao da kažem da li mi se Madrid sviđao ili ne. Malo sam poznavao druge krajeve grada, u koje sam se rešavao da odem samo kada sam išao u neki muzej ili na predstave s Marčelom. Ali u Lavapjesu sam se osećao dobro, iako su me na njegovim ulicama opljačkali prvi put u životu, dva Arapa koji su mi ukrali sat, novčanik sa malo sitnine i olovku monblan, moj poslednji luksuz. Zaista, tamo sam se osećao kao kod kuće, uključen u uzavreli život. Marčela je ponekad po podne dolazila po mene u *Barbijeri* i šetali smo po kraju koji sam upoznao kao svoj džep. Uvek sam nalazio nešto zanimljivo ili neobično. Na primer, prodavnicu s telefonskim govornicama Bolivijanca Alsereke, koji je, da bi mogao bolje da usluži svoje afričke klijente, naučio da govori svahili. Ako se davalo nešto zanimljivo, odlazili smo u Kinoteku da gledamo neki klasični film.

U tim šetnjama Marčela je neumorno govorila, a ja sam slušao. Umešao bih se samo povremeno da bi predahnula i da bih je nekim pitanjem ili primedbom podstakao da mi i dalje priča u kom bi projektu volela da učestvuje. Ponekad nisam posvećivao mnogo pažnje onome što mi je pričala, jer sam pomno posmatrao način na koji je to činila: sa strašću, ubeđenjem, iluzijama i radošću. Nikada nisam upoznao nikoga ko se predavao toliko potpuno – toliko fanatično, rekao bih kad ta reč ne bi imala mračne reminescencije – svom pozivu, ko je tako isključivo znao šta hoće da radi.

Upoznali smo se nekoliko godina ranije u Parizu, u jednoj klinici u Pasiju gde sam ja išao da obavim neke analize, a ona da poseti tek operisanu drugaricu. Za pola sata, koliko smo proveli zajedno u čekaonici, pričala mi je s toliko poleta o Molijerovoj drami *Građanin plemić* postavljenoj u malom pozorištu u Nanteru, gde je ona radila scenografiju, da sam otišao da je vidim. Sreo sam Marčelu u pozorištu i kada se predstava završila, predložio sam joj da odemo na piće u jedan bistro blizu stanice metroa.

Živeli smo zajedno već dve i po godine, prve godine u Parizu, a zatim u Madridu. Marčela je bila Italijanka, dvadeset godina mlađa od mene. Studirala je arhitekturu u Rimu da udovolji roditeljima – oboje su bili arhitekte – i kao student je počela da radi pozorišnu scenografiju. To što nikada nije radila kao arhitekta naljutilo je njene roditelje i nekoliko godina su bili udaljeni. Pomirili su se kada su shvatili da zanimanje njihove kćeri nije hir već pravi poziv. Povremeno je odlazila da provede neko vreme sa svojim roditeljima u Rimu i kako je malo zarađivala – bila je najvrednija osoba na svetu, ali dekori koje su joj naručivali bili su beznačajni, u marginalnim pozorištima, i plaćali su joj malo, ponekad ništa – njeni roditelji, prilično imućni, povremeno su joj slali novac, zahvaljujući čemu je mogla da posveti svoje vreme i energiju pozorištu. Nije trijumfovala, i to joj nije bilo mnogo važno, jer je ona – ja takođe – bila apsolutno sigurna da će pre ili kasnije pozorišni ljudi iz Španije, Italije, iz cele Evrope, na kraju priznati njen talenat. Iako je govorila mnogo mašući rukama, kao Italijanka iz karikatura, nikada mi nije bila dosadna. Bio sam zadivljen slušajući je kako mi opisuje ideje koje su joj se motale po glavi, kako da promeni ambijent *Višnjika, Čekajući Godoa, Arlekina – sluge dvaju gospodara* ili *Celestine*. Jednom su je angažovali i na filmu kao pomoćnika scenografa i mogla je da prokrči sebi put u toj sredini, ali njoj se sviđalo pozorište i nije bila spremna da žrtvuje svoje opredeljenje, iako je bilo teže napredovati dekorišući pozorišne predstave nego filmove ili televizijske emisije. Zahvaljujući Marčeli naučio sam da gledam predstave drugim očima, da posvetim pažnju ne samo pričama i likovima nego i mestima, svetlu pod kojim se kreću i predmetima koje ih okružuju.

Bila je sitna, svetle kose, zelenih očiju, imala vrlo belu, glatku kožu i veseo osmeh. Iz nje je izbijala dinamičnost. Oblačila se kako stigne – u većini slučajeva sandale, farmerke i iznošena jakna – i nosila je naočari za čitanje i za bioskop, sićušne, bez okvira koje su joj pomalo davale izgled pajaca. Bila je nesebična, neproračunata, velikodušna, spremna da posveti mnogo pažnje beznačajnim poslovima, kao što je bila jedina školska predstava komedije Lope de Vege, u čiji se dekor od dve-tri stvarčice i malo obojenog nepromočivog platna unosila s upornošću kakvu bi imao scenograf kome se prvi put poverava dekor pariske Opere. Zadovoljstvo koje je osećala obilato joj je nadoknađivalo ono malo ili nimalo para što je dobijala od te avanture. Ako je nekome pristajala izreka da „radi iz ljubavi prema umetnosti", to je bila Marčela.

Od modela koji su gušili naš stan, manje od desetine se popelo na binu. Većina je propala zbog nedostatka finansiranja; kada bi pročitala neku dramu koja joj se dopala, smišljala bi dekor koji bi ostajao samo na crtežima i maketama. Nikada nije raspravljala o honorarima kada su je angažovali i bila je u stanju da odbije neki važan posao ako su joj režiser ili producent izgledali kao fariseji koje ne zanima estetika i vode računa samo o komercijalnoj strani. S druge strane, kada je prihvatala posao – uglavnom od avangardnih grupa, bez pristupa afirmisanim pozorištima – posvećivala mu se dušom i telom. Ne samo da se ubijala da uradi dobro što je do nje nego je sarađivala u svemu s ostalima, pomažući svojim kolegama da pronađu sponzore, nabave prostoriju, donacije i pozajme nameštaj i garderobu. Radila je rame uz rame sa stolarima i električarima i, ako je bilo potrebno, čistila je binu, prodavala ulaznice i smeštala publiku. Uvek me je oduševljavalo kada bih je video da se tako posvećuje svom poslu, do te krajnosti da sam morao u tim grozničavim razdobljima da je podsetim da čovek ne živi samo od pozorišne scenografije nego da mora da jede, spava i interesuje se malo i za ostale stvari u životu.

Nikada nisam shvatio zašto je Marčela bila sa mnom, čime sam ja doprinosio njenom životu. U onome što je nju interesovalo najviše na svetu, njenom poslu, mogao sam da pomognem vrlo malo. Sve što sam znao o pozorišnoj scenografiji, naučila me je ona, i mišljenja koja sam mogao da joj dam bila su površna jer je, kao i svaki autentični stvaralac, ona vrlo dobro znala šta želi da uradi i nije joj bio potreban savet. Za nju sam mogao da budem samo pažljivo uho kada joj je bilo potrebno da naglas iznese navalu slika, mogućnosti, alternativa, i sumnji koje su je spopadale kada je započinjala neki projekat. Ja sam je slušao sa zavišću, onoliko koliko joj je bilo potrebno. Išao sam s njom u Nacionalnu biblioteku da konsultuje gravire i knjige, da poseti zanatlije i antikvare, u neizostavni nedeljni obilazak Rastra.[77] Nisam to radio samo iz ljubavi, već zato što su njene priče uvek bile nove, iznenađujuće, ponekad genijalne. Pored nje sam svakog dana učio nešto novo. Da je nisam upoznao, nikada ne bih saznao kako na jednu pozorišnu priču tako presudno, iako uvek diskretno, mogu da utiču dekor, rasveta, prisustvo ili odsustvo najobičnijeg predmeta, metle ili obične vaze.

Razlika od dvadeset godina među nama kao da je nije brinula. Mene jeste. Uvek sam govorio sebi da će dobar odnos koji imamo oslabiti kada ja budem imao šezdeset godina, a ona bude još mlada žena. Onda će se zaljubiti u nekoga svojih godina. I otići će. Bila je privlačna uprkos tome što se malo bavila svojim fizičkim izgledom; na ulici su je muškarci gledali. Jednoga dana

---

[77] Rastro je pijaca u Madridu, otvorena nedeljom i praznikom. (Prim. prev.)

kada smo vodili ljubav, pitala me je: „Da li bi imao nešto protiv da imamo dete?" Ne. Ako ona želi, ja pristajem sa zadovoljstvom. Ali odmah me je spopala teskoba. Zašto sam tako reagovao? Možda zato što mi je, s obzirom na moje dugotrajne avanture i nedaće s nevaljalom devojčicom, bilo nemoguće da sa pedeset i nešto godina verujem u večnost jednog para, čak i našeg, koji je funkcionisao bez oscilacija. Zar nije bila apsurdna ta sumnja? Slagali smo se tako dobro da se za te dve i po godine zajedno nijednom nismo posvađali. U najgorem slučaju imali smo male razmirice i prolazne ljutnje. Ali nijednom nešto što bi moglo da liči na raskid. „Drago mi je što nemaš ništa protiv", rekla mi je onda Marčela. „Nisam te pitala da bismo odmah napravili *bambina*, nego kada uradimo važne stvari." Govorila je o sebi, jer će ona, nesumnjivo, u budućnosti postići stvari dostojne tog prideva. Ja ću se zadovoljiti time da mi tokom sledećih godina Mario Mučnik nabavi neku rusku knjigu na kojoj ću raditi sa mnogo napora, ali i zadovoljstva što prevodim nešto kreativnije od ovih *light*[78] romančića koji su mi nestajali iz pamćenja onom brzinom kojom sam ih prebacivao na španski.

Bila je sa mnom nesumnjivo zato što me je volela; nije imala nikakav drugi razlog. Ja sam joj pri tom bio u izvesnoj meri i ekonomski teret. Kako je mogla da se zaljubi u mene kad sam ja za nju star, nimalo zgodan, bez vokacije, malo oslabljenih intelektualnih sposobnosti, i jedini cilj, otkako sam bio dete, bio mi je da provedem ostatak života u Parizu? Kada sam ispričao Marčeli da je to bila moja jedina vokacija, počela je da se smeje: „Dobro, *caro*, uspeo si. Sigurno si zadovoljan, živeo si u Parizu celog života." To je govorila nežno, ali njene reči su mi zvučale malo zajedljivo.

Marčela se interesovala za mene više nego ja sam: da uzmem pilule za pritisak, da svakog dana hodam bar pola sata, da nikad ne popijem više od dve-tri čaše vina dnevno. I uvek je ponavljala

---

78 Engl.: *light* – lak. (Prim. prev.)

da ćemo, kada dobije neku dobru proviziju, potrošiti te pare na put u Peru. Ona je, pre nego Kusko i Maču Piču, htela da upozna Miraflores, četvrt Lime o kojoj sam joj toliko pričao. Ja sam joj povlađivao, iako sam u suštini znao da nikada nećemo otići na to putovanje, jer ću se ja potruditi da to beskrajno odlažem. Nisam mislio da se vraćam u Peru. Od smrti strica Ataulfa moja zemlja se za mene raspršila kao fatamorgana na pesku. Nisam imao tamo ni rođaka ni prijatelja, pa su mi čilela čak i sećanja iz mladosti.

Saznao sam za smrt strica Ataulfa nekoliko nedelja nakon što se dogodila, šest meseci po dolasku u Madrid, iz jednog pisma Alberta Lamijela. Donela mi ga je Marčela u *Barbijeri*, i mada sam znao da će se to desiti svakog trenutka, vest me je užasno pogodila. Prestao sam da radim i otišao da hodam kao poslednji mesečar po uličicama Retira. Od mog poslednjeg puta u Peru, krajem 1984, pisali smo jedan drugome svakog meseca, i u njegovom drhtavom rukopisu koji je trebalo dešifrovati kao paleograf, ja sam, korak po korak, pratio ekonomsku katastrofu koju je Peruu donela politika Alana Garsije, inflaciju, nacionalizacije, prekid sa kreditnim organizacijama, kontrolu cena i deviznog kursa, pad zaposlenosti i životnog standarda. Iz pisma strica Ataulfa izbijala je gorčina s kojom je čekao smrt. Preminuo je u snu. Alberto Lamijel je dodao da je on radio na tome da ode u Boston, gde je zahvaljujući roditeljima svoje žene, Amerikanke, imao mogućnosti za posao. Rekao je da je bio idiot što je verovao u obećanja Alana Garsije, za koga je glasao na izborima osamdeset pete kao toliko nesmotrenih profesionalaca. Verujući predsednikovim rečima da ih neće dirati, sačuvao je obveznice u dolarima u koje je uložio celu ušteđevinu. Kada je novi mandatar doneo dekret o prinudnom pretvaranju deviznih obveznica u peruanski sol, Albertova imovina je propala. To je bio samo početak čitavog lanca nevolja. Najbolje što je mogao da učini jeste da „sledim tvoj primer, striče Rikardo, i da odem u potragu za boljim horizontima, jer u ovoj zemlji više se ne može raditi ako čovek nije povezan sa vladom".

To je bila poslednja vest koju sam dobio o prilikama u Peruu. Kako u Madridu nisam viđao praktično nijednog Peruanca, od tada sam vrlo retko znao šta se događa, kada bi neka vest stigla u madridske novine, a to je obično bilo rođenje petorki, zemljotres ili udes nekog autobusa u Andima sa tridesetak mrtvih.

Stricu Ataulfu nisam nikad rekao da je moj brak propao, tako da je on u svojim pismima do kraja slao pozdrave „mojoj sinovici", i ja sam mu u svojim uzvraćao njene. Ne znam zašto sam to sakrio od njega. Možda zato što bih morao da mu objasnim šta se desilo, a svako objašnjenje bi izgledalo apsurdno i neshvatljivo kao što je izgledalo i meni.

Naš rastanak se desio neočekivano i grubo, kakvi su uvek bili nestanci nevaljale devojčice. Premda ovoga puta nije bila baš reč o bekstvu već o civilizovanom raskidu, uz razgovor. Upravo zbog toga sam znao da je, za razliku od ostalih, ovaj rastanak bio konačan.

Medeni mesec koji smo imali otkada sam se iz Lime vratio u Pariz, uplašen da je otišla zato što mi tri-četiri dana nije odgovarala na telefon, trajao je nekoliko meseci. U početku je bila nežna kao onog popodneva kada me je sačekala s izlivima ljubavi. Dobio sam jednomesečni posao za Unesko i kada sam se vratio kući, ona je već bila tamo; došla je ranije iz kancelarije i već je spremila večeru. Jedne večeri me je sačekala s ugašenim svetlom u dnevnoj sobi i stolom osvetljenim romantičnim svećama. Kasnije je morala da ide na dva puta od po nekoliko dana na Azurnu obalu, jer ju je poslala Martin i odande me je zvala svake večeri. Šta sam još mogao da očekujem? Imao sam utisak da su nevaljaloj devojčici došle godine razuma i da je naš brak već nerazoriv.

Onda su, u jednom trenutku koji moje sećanje ne može da precizira, njeno raspoloženje i ponašanje počeli da se menjaju. To je bila diskretna promena, koju je ona prikrivala, možda zato što je još imala sumnje kojih sam postao svestan tek gledajući unazad. Nije mi privuklo pažnju da tako strasno ponašanje prvih nedelja malo-pomalo ustupa mesto udaljavanju: ona je uvek bila takva, i bilo je neobično da bude srdačna. Primetio sam da je postajala odsutna, da se namrštena gubila u onim razmišljanjima koja kao da su je vodila van mog domašaja. Iz tih bekstava vraćala se uplašena, trzajući se kada bih je vraćao u stvarnost šalom: *„Šta li je princezi sa usnama poput jagoda? Zašto je tako zamišljena? Da princeza nije zaljubljena?"*[79] Porumenela bi i odgovarala mi usiljenim smehom.

Jedne večeri kada sam se vratio iz stare kancelarije gospodina Čarnesa – on se povukao da provede starost na jugu Španije – gde su mi treći ili četvrti put rekli da trenutno nemaju nikakav posao za mene, čim sam otvorio vrata stana u Ulici Žozefa Granijea i video je kako sedi u dnevnoj sobi u smeđem kostimu i s koferčićem u ruci koji je uvek nosila na svoja putovanja, shvatio sam da se dešava nešto ozbiljno. Bila je van sebe.

– Šta ti je?

Uzdahnula je, skupljajući snagu – imala je plave podočnjake, sijale su joj se oči – i bez oklevanja izrekla je rečenicu koju je nesumnjivo pripremila mnogo ranije:

– Nisam htela da odem pre nego što razgovaram s tobom, da ne misliš da bežim – rekla je u jednom dahu, ledenim glasom kojim je obično vršila sentimentalne egzekucije. – Molim te, u ime onoga što najviše voliš, da mi ne praviš scenu i da mi ne pretiš samoubistvom. Nismo više u godinama za takve stvari. Izvini što sam toliko gruba, ali mislim da je tako najbolje.

Pao sam u fotelju ispred nje. Osetio sam beskrajan umor. Imao sam osećaj da slušam ploču koja ponavlja, svaki put sve više deformisanu, istu muzičku frazu. Bila je bleda kao i uvek,

---

[79] *Šta li je princezi...* – poznati stihovi nikaragvanskog pesnika Rubena Darija (1867–1916). (Prim.prev.)

ali sada još i iznervirana, kao da je zbog toga što je morala da mi daje objašnjenja postajala kivna na mene.

– Znaš da sam pokušala da se prilagodim ovakvoj vrsti života, da ti učinim, da ti vratim za ono što si mi pomogao kada sam bila bolesna – njena hladnoća se sada preobrazila u kipteći bes. – Ne mogu više. Ovo nije život za mene. Ako ostanem s tobom iz sažaljenja, na kraju ću te zamrzeti. Ja ne želim da te mrzim. Pokušaj da me shvatiš ako možeš.

Ućutala je u nadi da ću nešto reći, ali sam bio toliko umoran da nisam imao ni snage ni volje da joj bilo šta kažem.

– Ovde se gušim – dodala je, bacajući pogled oko sebe. – Ove dve sobice su zatvor i ne podnosim ih. Znam gde mi je granica. Ubija me ova rutina, ova osrednjost. Ne želim da ostatak mog života bude ovakav. Tebi nije važno, ti si zadovoljan, bolje za tebe. Ali ja nisam kao ti, ja ne umem time da se zadovoljim. Pokušala sam, video si da sam pokušala. Ne mogu. Neću da provedem ostatak života pored tebe iz sažaljenja. Izvini što ti govorim ovako otvoreno. Bolje je da znaš istinu i da je prihvatiš, Rikardo.

– Ko je on? – pitao sam je kada sam video da ponovo ćuti. – Mogu li bar da znam s kim ideš?

– Hoćeš da mi praviš ljubomornu scenu? – reagovala je ljutito. I sarkastično me je podsetila: – Ja sam slobodna žena, Rikardito. Venčali smo se samo da bih dobila papire. Zato nemoj da me prozivaš ni za šta.

Izazivala me je, nakostrešena kao petlić. Sada sam se osećao ne samo umorno već i smešno. Bila je u pravu: već smo bili prestari za ovakve scene.

– Vidim da si već o svemu odlučila i da nemamo o mnogo čemu da razgovaramo – prekinuo sam je, ustajući. – Idem da se prošetam da se na miru spakuješ.

– Već sam se spakovala – odgovorila mi je istim razdraženim tonom.

Bilo mi je žao što nije otišla kao ranije, ostavljajući mi samo dva-tri reda. Dok sam išao prema vratima, čuo sam je kako mi iza leđa govori onim glasićem koji je hteo da bude pomirljiv:

– Za svaki slučaj da znaš, neću ti tražiti ništa što mi pripada kao tvojoj ženi. Ni pare.

„Baš si fina", pomislio sam zatvarajući polako ulazna vrata. „Ali jedino što bi mogla da mi tražiš jesu dugovi i hipoteka na ovaj stan koji će mi, kako je krenulo, uskoro zapleniti." Kada sam izašao napolje, počela je kiša. Nisam poneo kišobran tako da sam se sklonio u kafe na uglu, gde sam dugo sedeo i srkao čaj koji se hladio sve dok nije postao bljutav. Stvarno, bilo je u njoj nešto čemu je bilo nemoguće ne diviti se, zbog onih stvari koje nas teraju da cenimo dobro urađena dela, makar bila perverzna. Osvojila je nekoga, sasvim proračunato, da bi još jednom dobila društveni i ekonomski status koji će joj pružiti veću sigurnost, koji će je izvući iz dve zatvorske sobice u Ulici Žozefa Granijea. I sada je, ne trepnuvši, odlazila bacajući me u kantu za đubre. Ko li je ovog puta bio kavaljer? Neko koga je upoznala zahvaljujući svom poslu sa Martin, na nekom od kongresa, konferencija i proslava koje su organizovali. Vešto zavođenje, bez sumnje. Ona se dobro održavala, ali, ipak, već je imala više od pedeset godina. *Chapeau!* Sigurno neki starkelja, koga će možda da ubije od zadovoljstva, pa da ga nasledi kao junakinja Balzakove *Mutivode*? Kada je kiša prestala, prošetao sam se po okolini Vojne škole da ubijem vreme.

Vratio sam se oko jedanaest sati uveče i već je bila otišla; ostavila je ključeve u dnevnoj sobici. Odnela je svu odeću u dva kofera koja smo imali i bacila je u kese za đubre ono što je bilo staro ili joj je bilo suvišno: jedne patike, neke podsuknje, jedan penjoar i neke čarape i bluze, kao i brojne bočice krema i šminke. Nije ni dotakla franke koje smo čuvali u maloj kasi u ormaru dnevne sobe.

Možda neko koga je upoznala u gimnastičkoj sali u Aveniji Montenj? To je bio skup lokal, tamo su išli da smanje stomak imućni starci koji su mogli da joj obezbede veseliji i udobniji život. Znao sam da je najgore što je moglo da mi se desi bilo da razmatram takve mogućnosti i da sam zbog mentalnog zdravlja morao što pre da je zaboravim. Jer ovoga puta jeste, raskid je bio konačan, to je bio kraj ove ljubavne priče. Da li se mogao zvati ljubavnom pričom ovaj cirkus od preko trideset godina, Rikardito?

Uspeo sam da ne mislim mnogo na nju sledećih dana, nedelja i meseci, táko što sam, osećajući se kao vreća kostiju, kože i mišića, po ceo dan tražio posao kao bez duše. Bilo mi je hitno, jer sam morao da platim dugove i tekuće troškove i zato što sam znao da je najbolji način da prođem kroz ovo razdoblje taj da se iz sve snage posvetim nekoj obavezi.

Nekoliko meseci nalazio sam samo loše plaćene prevode. Napokon su me jednog dana pozvali kao zamenu na jednoj međunarodnoj konferenciji o autorskim pravima pod pokroviteljstvom Uneska. Već nekoliko dana imao sam stalne neuralgije, koje sam pripisao lošem duševnom stanju i kratkom spavanju. Borio sam se protiv toga analgeticima koje mi je davao apotekar sa ugla. Moje zamenjivanje Uneskovog prevodioca bilo je katastrofa. Neuralgije su me ometale da dobro radim svoj posao i posle dva dana morao sam da se predam i da objasnim šefu prevodilaca šta mi se dešava. Lekar iz zdravstvenog osiguranja dijagnosticirao mi je otitis, i poslao me kod specijaliste. Morao sam satima da čekam red u bolnici Salpetrije i da se nekoliko puta tamo vraćam, dok nisam uspeo da uđem u ordinaciju doktora Penoa, otorinolaringologa. On mi je potvrdio da imam malu infekciju uha i izlečio me je za nedelju dana. Ali kako neuralgije i vrtoglavice nisu popuštale, poslao me je kod novog lekara, interniste, u istoj bolnici. Kada me je pregledao, ovaj drugi mi je uradio sve vrste analiza, uključujući i magnetnu rezonancu. Imam ružno sećanje na tih trideset ili četrdeset minuta koje sam proveo u onoj metalnoj tubi, živ sahranjen,

nepokretan kao mumija i sa ušima izmučenim talasima zaglu-
šujuće buke.

Rezonanca je utvrdila da sam pretrpeo mali moždani udar.
To je bio pravi razlog neuralgija i vrtoglavica. Ništa mnogo
ozbiljno; opasnost je prošla. Ubuduće ću morati da se čuvam,
da radim vežbe, pridržavam se uravnotežene dijete, da kontro-
lišem pritisak, pijem malo alkohola i vodim miran život. „Kao
penzioner", propisao je lekar. Moj posao bi morao da se smanji,
mogao se očekivati pad koncentracije i pamćenja.

Na moju sreću, Gravoski su u to vreme došli da provedu
mesec dana u Parizu, ovoga puta sa Jilalom. Mnogo je poras-
tao, i u načinu govora i oblačenja postao je pravi mali Amer.
Kada sam im objasnio da smo se nevaljala devojčica i ja rastali,
napravio je ožalošćeno lice. „Zato mi odavno ne odgovara na
pisma", prošaputao je.

Društvo tih prijatelja bilo je baš pravovremeno. Razgovor s
njima, šale, izlasci na večere, u bioskop, povratili su mi malo
volju za životom. Jedne večeri, dok smo pili pivo na terasi bistroa
na Bulevaru Raspaj, Elena je odjednom rekla:

– Ta ludača te zamalo nije ubila, Rikardo. A bila mi je tako
simpatična sa svim svojim bubicama. Ovo joj neću oprostiti.
Zabranjujem ti da se ponovo sprijateljiš s njom.

– Nikada više – obećao sam joj. – Naučio sam lekciju. Osim
toga, kako sam sada ruina od čoveka, nema ni najmanje opa-
snosti da ponovo uđe u moj život.

– Znači da ljubavne muke izazivaju moždane udare? – rekao
je Simon. – Opet romantika?

– U ovom slučaju da, Belgijanče bezdušni – odgovorila je
Elena. – Rikardo nije kao ti. On je romantičan, senzibilan čo-
vek. Mogla je da ga ubije svojim poslednjim biserom. Neću joj
oprostiti, kunem ti se. I nadam se da ti, Rikardo, nećeš biti toli-
ki bilmez da ideš za njom kao kuče kada te opet pozove da je
izvučeš iz nove gužve.

– Vidi se da me ti voliš više nego nevaljala devojčica, prijateljice – poljubio sam je u ruku. – Pri tom, bilmez je reč koja mi savršeno pristaje.

– U tome se svi slažemo – zaključio je Simon.

– Šta je bilmez? – pitao je mali Amer.

Po nagovoru Gravoskih, otišao sam kod neurohirurga u jednoj privatnoj klinici u Pasiju. Moji prijatelji su tvrdili da je, ma koliko mali, moždani udar mogao da izazove posledice i da treba da znam kako da se ponašam. Ja sam, bez mnogo nade, tražio novi zajam od moje banke da isplatim kamate na hipoteku i na dva prethodna zajma i, na moje iznenađenje, dali su mi ga. Prepustio sam se doktoru Pjeru Žudreu, jednom divnom čoveku, i koliko sam mogao da zaključim, kompetentnom profesionalcu. Podvrgao me je ponovo svim vrstama analiza i prepisao mi lečenje za kontrolu krvnog pritiska i održavanje dobre cirkulacije. U njegovoj ordinaciji, tih dana, jednog popodneva sam upoznao Marčelu.

Te noći u Nanteru, posle predstave *Građanin plemić,* kada smo otišli na čašu vina u jedan bistro, italijanska scenografkinja delovala mi je vrlo simpatično, a strast i ubeđenje s kojima je pričala o svom poslu – fascinantni. Opisala mi je svoj život, svađe i pomirenja s roditeljima, scenografije koje je dizajnirala u malim pozorištima u Španiji i Italiji. Ova u Nanteru bila je jedna od prvih koju je radila u Francuskoj. U tom trenutku, između hiljadu ostalih stvari, uveravala me je da najbolji pozorišni dekori koje je videla u Parizu nisu bili na binama nego u izlozima prodavnica. Da li bih voleo da ih obiđem i tako odagnam skeptični izraz lica s kojim sam je slušao?

Poljupcima u obraze oprostili smo se na stanici metroa i dogovorili se da se vidimo sledeće subote. Ekskurzija je bila vrlo zabavna, ne toliko zbog izloga koje me je odvela da vidim, već zbog njenih objašnjenja i tumačenja. Pokazala mi je, na primer, da bi pesak s palmama i belim svetlom u *Samaritenu* odlično služio za Beketove *Divne dane*, jarkocrvena nadstrešnica jednog arapskog restorana na Monparnasu za pozadinu *Orfeja u paklu*, a izlog jedne popularne prodavnice cipela blizu crkve Sen Pol u Mareu mogao bi biti Đepetova kuća u pozorišnoj adaptaciji *Pinokija*. Sve što je govorila bilo je oštroumno, neočekivano, njen polet i radost su me zabavljali i bio sam zadovoljan. Tokom večere, u *Peti Perigurdinu*, restoranu u Ulici dez Ekol, rekao sam joj da mi se sviđa i poljubio je. Ona mi je priznala da je od dana kada smo razgovarali u čekaonici klinike u Pasiju znala da se „nešto desilo među nama". Ispričala mi je da je oko dve godine živela s jednim glumcem i da su nedavno raskinuli, iako su i dalje bili dobri prijatelji.

Otišli smo u stančić u Žozefu Granijeu i vodili ljubav. Imala je sitno telo s finim malim grudima i bila je nežna, vrela; nije imala problema. Pregledala je moje knjige i prekorila me što imam samo poeziju, romane i neke eseje, ali nijednu knjigu koja ima veze s pozorištem. Ona će se potruditi da mi pomogne da popunim tu prazninu. „Došao si na vreme u moj život, *caro*", dodala je. Imala je širok osmeh koji kao da nije izlazio samo iz njenih očiju i usta, već i iz čela, nosa i ušiju.

Nekoliko dana kasnije Marčela je morala da se vrati u Italiju zbog mogućeg posla u Milanu. Ispratio sam je na stanicu jer je putovala vozom (plašila se aviona). Razgovarali smo telefonom nekoliko puta i kada se vratila u Pariz, došla je u moj stan umesto da ide u hotelčić u Latinskoj četvrti, gde je odsedala. Donela je sa sobom torbu s pantalonama, bluzama, džemperima i izgužvanim jaknama, i jedan sanduk s knjigama, časopisima, figuricama i maketama svojih montaža.

Marčelin ulazak u moj život bio je toliko brz da skoro nisam imao vremena da razmislim, da se zapitam pravim li nepromišljen korak. Zar nije bilo razumnije sačekati malo, upoznati se bolje, videti da li će veza da se održi? Na kraju krajeva, ona je bila devojčurak i mogao sam da joj budem otac. Ali veza je funkcionisala zahvaljujući njenoj sposobnosti da se lako prilagođava, da bude tako jednostavna u svojim ukusima, tako spremna da se spokojno suoči sa svakom nevoljom. Nisam mogao reći da je volim, u svakom slučaju ne kao što sam voleo nevaljalu devojčicu, ali mi je bilo prijatno pored nje, bio sam zahvalan što je sa mnom, i što je čak i zaljubljena u mene. Podmlađivala me je i pomagala mi da sahranim svoja sećanja.

Marčela je povremeno dobijala neke porudžbine, scenografije u malim pozorištima koja su primala opštinsku pomoć. Onda se s takvim ludilom posvećivala svom poslu da je zaboravljala na moje postojanje. Ja sam sve teže nabavljao prevode. Odustao sam od simultanog prevođenja, nisam se osećao sposobnim da radim taj posao s pređašnjom sigurnošću. I možda zato što se u toj sredini pročulo da imam zdravstvene probleme, svaki put su mi davali manje tekstova za prevod. A oni koje sam dobijao kasno, loše, ako ikada, oduzimali su mi mnogo vremena, jer su mi posle sat i po posla ponovo počinjale vrtoglavice i glavobolje. Prvih meseci zajedničkog života s Marčelom moji prihodi su se gotovo sveli na nulu i ponovo sam se osećao utučeno zbog plaćanja hipoteke i kamata na zajam.

Službenik u kancelariji *Sosijete ženerala* kome sam objasnio problem rekao mi je da je rešenje da prodam stan. Procenjen je i mogao sam da dobijem sumu koja će mi, kada odbijem hipoteku i dugove, ostaviti izvesnu svotu novca koja bi, ako se s njom oprezno postupa, mogla da mi izvesno vreme omogući predah. Posavetovao sam se s Marčelom i ona me je takođe ohrabrila da ga prodam. Da izbacim iz glave brigu mesečnog otplaćivanja dugova, zbog čega nisam mogao da spavam. „Nemoj da se brineš za budućnost, *caro*. Ubrzo ću početi da dobijam dobre provizije. Ako ostanemo bez para, otići ćemo kod mojih roditelja u Rim. Smestićemo se u potkrovlju, gde sam kao mala pravila mađioničarske predstave za moje društvo i gde čuvam sve moguće tričarije. Odlično ćeš se slagati s mojim ocem, on je skoro tvojih godina.“ Koja perspektiva, Rikardito!

Prodaja stana je potrajala izvesno vreme. Istina, cena mu se utrostručila, ali kandidati za kupovinu koje su dovodile agencije za nekretnine iznosili su zamerke, obarali cenu ili tražili preuređivanje, pa se stvar odužila oko tri meseca. Napokon sam postigao dogovor s jednim funkcionerom Ministarstva oružanih snaga, elegantnim gospodinom koji je nosio monokl. Onda je počela dosadna papirologija s pisarima i advokatima, kao i prodaja nameštaja. Onog dana kada smo potpisali kupoprodajni ugovor i izvršili prenos, i kada sam izašao od notaroša u jednoj ulici koja je sekla Aveniju Sifran, neka žena je naglo stala i zagledala se u mene. Ne prepoznavši je, pozdravio sam je naklonom glave.

– Ja sam Martin – rekla je resko, ne pružajući mi ruku. – Ne sećate me se?

– Nešto sam se zamislio – izvinio sam se. – Naravno da vas se odlično sećam. Kako ste, Martin?

– Vrlo loše, kako da budem? – odgovorila je ona. Lice joj je postalo kiselo od nezadovoljstva. Nije skidala pogled s mene. – Ali da znate, ja ne dam da me gaze. Odlično umem da se branim. Uveravam vas da se stvar neće ovako završiti.

To je bila visoka i suvonjava žena sede kose. Nosila je mantil i streljala me je pogledom kao da hoće o glavu da mi razbije kišobran koji je držala u ruci.

– Ne znam o čemu mi govorite, Martin. Jeste li imali problema s mojom ženom? Mi smo se rastali pre izvesnog vremena, nije vam rekla?

Zanemela je i zbunjeno me pogledala. Njen pogled mi je govorio da joj delujem kao retka zverka.

– Onda, vi ništa ne znate? – promrmljala je. – Živite u oblacima? S kim mislite da je to nevinašce pobeglo? Ne znate da je pobegla s mojim mužem?

Nisam znao šta da joj odgovorim. Osećao sam se glupo, retka zverka, tačno. Uložio sam napor i procedio:

– Ne, nisam znao. Ona mi je samo rekla da ide i otišla je. Nisam čuo ništa o njoj. Vrlo mi je žao, Martin.

– Ja sam joj sve dala, posao, prijateljstvo, poverenje, nisam pravila problem zbog njenih papira koji nisu bili najčistiji. Otvorila sam joj svoju kuću. I tako mi je platila, otevši mi muža. Ne zato što se zaljubila u njega, nego zbog lakomosti. Iz čistog interesa. Nije marila da upropasti celu jednu porodicu.

Učinilo mi se da će me, ako ne odem odatle, Martin ošamariti kao odgovornog za njenu porodičnu nesreću. Glas joj je bio iskrzan od besa.

– Upozoravam vas da stvar neće na ovom ostati – ponovila je, mašući kišobranom na nekoliko centimetara od mog lica. – Moja deca to neće dozvoliti. Ona samo hoće da ga iscedi, jer ona je to, lovac na bogatstvo. Moja deca su pokrenula pravni postupak i poslaće je u zatvor. I vama bi bilo bolje da ste malo više pazili na svoju ženu.

– Veoma mi je žao, moram da idem, ovaj razgovor nema smisla – rekao sam joj, udaljavajući se dugačkim koracima.

Umesto da se vratim po Marčelu, koja je slala u skladište naše neprodate stvari, otišao sam da sednem u jedan kafe kod Vojne škole. Pokušao sam da se priberem. Sigurno mi je malo skočio pritisak jer sam osećao da mi je krv jurnula u mozak, i bio sam zbunjen. Nisam poznavao Martininog muža, ali jesam njihovog sina, sasvim pristojnog čoveka, koga sam samo jednom video u prolazu. Dakle, novi trofej nevaljale devojčice mora da je bio mnogo stariji, neki starkelja kao što sam zamišljao. Naravno da se nije zaljubila u njega. Nikada se nije zaljubila ni u koga, osim možda u Fukudu. To je učinila da bi pobegla od dosade i osrednjeg života u stančiću kod Vojne škole, i u potrazi za onim što joj je bilo najvažnije otkako je kao mala otkrila pasji život siromašnih i kako su dobro živeli bogati, onom sigurnošću koju garantuje samo novac. Još jednom je zavela samu sebe iluzijom o bogatom čoveku; kada sam čuo Martin da kao u grčkoj tragediji izgovara: „Moja deca su pokrenula pravni postupak", bio sam siguran da se ni ovoga puta stvari neće završiti kako je ona mislila. Bio sam kivan na nju, ali sada, zamišljajući je s tim starčićem, osećao sam takođe izvesno sažaljenje.

Zatekao sam Marčelu iscrpljenu. Već je poslala u skladište mali kamion s onim što nismo mogli da prodamo i nekoliko kutija s knjigama. Sedeći na podu dnevne sobe, s nostalgijom sam razgledao zidove i prazninu oko sebe. Smestili smo se u malom hotelu u Ulici Šerš Midi. Tamo smo živeli mesecima, sve do polaska u Španiju. Imali smo malu i svetlu sobu i prilično veliki prozor s pogledom na obližnje krovove. Golubovi su dolazili na sims da zobaju zrna kukuruza koja im je davala Marčela (ja sam morao da čistim njihov izmet). Ubrzo se ispunila knjigama, pločama, a ponajviše Marčelinim crtežima i maketama. Imala je dugačak sto, koji smo teorijski delili, ali ga je, u stvari, pre svega zauzimala Marčela. Te godine bilo mi još teže da dobijem prevode, tako da je prodaja stana ispala vrlo zgodna. Preostali novac sam oročio, i mali mesečni prihod koji sam dobijao zahtevao je od nas vrlo skroman život. Morali smo da se odreknemo skupih restorana, koncerata, da idemo u bioskop najviše jednom needljno, i samo na predstave za koje je Marčela dobijala pozivnice. Ali bilo je olakšanje živeti bez dugova.

Ideja da se preselimo u Španiju rodila se kada je jedan italijanski ansambl modernog plesa iz Barija, s kojim je Marčela radila i koji je pozvan da prikaže predstavu na festivalu u Granadi, tražio od nje da uradi osvetljenje i dekor. Otputovala je s njima i dve nedelje kasnije vratila se oduševljena. Predstava je išla dobro, upoznala je ljude iz pozorišta i otvorile su joj se neke mogućnosti. Sledećih meseci je uradila scenografiju za dve mlade grupe, jednu iz Madrida, a drugu iz Barselone, i sa oba puta vratila se u Pariz euforična. Govorila je da u Španiji postoji izvanredna kulturna vitalnost i da je cela zemlja puna festivala, režisera, glumaca, igrača i muzičara željnih da špansko društvo osavremene, da rade nove stvari. Tamo je bilo više mesta za mlade nego u Francuskoj, gde je ambijent bio prezasićen. Osim toga, **u Madridu se moglo živeti mnogo jeftinije nego u Parizu.**

Nije mi bilo žao da ostavim grad koji sam odmalena vezivao za ideju o raju. U godinama koje sam proveo u Parizu imao sam divna iskustva, od onih koja kao da opravdaju ceo život, ali sva su bila vezana za nevaljalu devojčicu, koju sam tada, mislim, već pamtio bez gorčine, bez mržnje, čak sa izvesnom nežnošću, znajući vrlo dobro da sam za svoje sentimentalne nedaće bio više kriv od nje, jer sam je voleo na način na koji ona nikada ne bi mogla da voli mene, iako je u nekim retkim prilikama to pokušala: to su bila moja najslavnija sećanja iz Pariza. Sada kada je ta priča izvesno bila okončana, moj budući život u ovom gradu biće postepeno propadanje pogoršano nedostatkom posla, starošću i oskudicom, a i usamljenošću kada *cara* Marčela otkrije da ima važnijih stvari nego da nosi na grbači starijeg čoveka prilično slabe glave, koji je mogao da se pogubi – vaspitan način da kažem „pobudali" – ako mu se ponovi moždani udar. Bolje da odem i da počnem na nekom drugom mestu.

Marčela je našla stančić u Lavapjesu i, kako su ga iznajmljivali s nameštajem, ja sam na kraju ostatak stvari koje smo držali u skladištu, kao i knjige iz moje biblioteke, poklonio dobrotvornim organizacajama. Odneo sam u Madrid samo mali broj omiljenih knjiga, skoro sve ruske i francuske, kao i moje gramatike i rečnike.

Posle godinu i po dana života u Madridu, imao sam predosećaj da će ovoga puta Marčela stvarno napraviti veliki pomak. Jedno popodne došla je vrlo uzbuđena u kafe *Barbijeri* da mi ispriča kako je upoznala nekog sjajnog igrača i koreografa i kako će zajedno da rade na jednom fantastičnom projektu: *Metamorfoza*, moderan balet inspirisan jednim od tekstova koje je Borhes uključio u svoj *Priručnik fantastične zoologije*: „*A Bao A Ku*", legenda koju je zabeležio jedan od engleskih prevodilaca *Hiljadu i jedne noći*. Momak je bio iz Alikantea, obrazovan u Nemačkoj, gde je donedavno profesionalno radio. Sada je okupio grupu od deset igrača, pet žena i pet muškaraca, i napravio koreografiju za *Metamorfozu*. Priča koju je Borhes preveo, i možda obogatio, odnosila se na jednu divnu životinjicu koja je živela na vrhu kule u stanju letargije i samo se aktivirala kada bi se neko penjao uz stepenice. Imajući sposobnost preobražaja, kada se neko spuštao ili penjao stepenicama, životinjica bi počinjala da se kreće, da svetli, da menja oblik i boju. Viktor Almeda iz Alikantea smislio je predstavu gde će se imitirati to čudo: igrači i igračice će se penjati i spuštati tim magičnim stepenicama po Marčelinom nacrtu i zahvaljujući svetlosnim efektima, za koje je takođe ona trebalo da se pobrine, menjaće ličnost, pokrete, izraze, dok ne pretvore binu u mali univerzum u kojem će svaki igrač biti mnogo njih, gde će svaki muškarac i žena sadržavati u sebi bezbroj ljudskih bića. Dvorana *Olimpija*, stari bioskop pretvoren u pozorište na trgu Lavapjesa, gde je radio Nacionalni centar za nove scenske tendencije, prihvatio je predlog Viktora Almede, kao i da bude pokrovitelj predstave.

Nikada nisam video Marčelu da radi s tolikom srećom na scenografiji, niti da pravi toliko skica i maketa. Svakodnevno mi je oduševljeno opisivala bujicu ideja koje su joj vrvele u glavi i napredak čitave ekipe. Nekoliko puta sam išao s njom u trošnu *Olimpiju* i jedno popodne smo popili kafu na samom trgu s Viktorom Almedom, vrlo tamnoputim mladićem duge kose vezane u konjski rep i atletskog tela koje je otkrivalo mnogo sati gimnastike i proba. Za razliku od Marčele, nije bio ni napadan ni otvoren, pre bih rekao rezervisan, ali vrlo dobro je znao šta želi da radi u životu. A ono što je hteo jeste da *Metamorfoza* postigne uspeh. Imao je književnu kulturu i strast prema Borhesu. Za tu predstavu je pročitao i video hiljadu stvari na temu metamorfoze, počev od Ovidija, i mada je govorio malo, sve je bilo inteligentno i za mene novo: nikada ranije nisam čuo kako govori neki koreograf i igrač kao on. To veče, kod kuće, kada sam rekao Marčeli da je Viktor Almeda ostavio dobar utisak na mene, pitao sam je da li je homoseksualac. Reagovala je ljutito. Nije bio homoseksualac. Kakva glupa predrasuda verovati da su to svi baletani! Ona je, na primer, bila sigurna da među simultancima i prevodiocima postoji isti procenat homoseksualaca kao među igračima. Izvinio sam joj se, uveravao je da nisam imao ni najmanje predrasude, da je moje pitanje proisteklo iz čiste radoznalosti, bez ikakvih zadnjih misli.

Uspeh *Metamorfoze* bio je potpun i zaslužen. Viktor Almeda je dobio mnogo publiciteta unapred, i na premijeri *Olimpija* je bila krcata, neki ljudi su čak stajali i većina su bili mladi. Stepenice na kojima se pet parova preobražavalo menjale su se kao i baletani i bile su, kao i rasveta, pravi protagonisti predstave. Nije bilo muzike. Ritam su određivali sami igrači rukama, nogama, proizvodeći zvuke, oštre, grlene, hrapave i pištave, prema tome kako su menjali identitet. Sami baletani su na smenu postavljali na reflektore neka platna koja su menjala jačinu i boju svetla, zahvaljujući čemu su se likovi zaista prelivali, kao da menjaju kožu. Bila je to lepa, iznenađujuća, maštovita predstava od sat vremena koju je publika pratila nepomično, sa iščekivanjem; nije se čula ni muva. Grupa je trebalo da održi pet predstava i na kraju je održala deset. Bilo je vrlo pozitivnih članaka u novinama i u svima se pohvalno spominjala Marčelina scenografija. Televizija je snimala da bi emitovala odlomak u jednoj emisiji posvećenoj umetnosti.

Išao sam da gledam predstavu tri puta. Uvek je bilo puno publike i entuzijazam je bio isti kao na dan premijere. Treći put, kada se završila predstava, dok sam se po krivudavim stepenicama *Olimpije* peo do garderoba u potrazi za Marčelom, skoro sam naleteo na nju, u zagrljaju zgodnog i oznojenog Viktora Almede. Ljubili su se prilično žestoko i kada su me čuli, razdvojili su se vrlo zbunjeni. Napravio sam se kao da nisam video ništa čudno i čestitao im, uveravajući ih da mi se predstava dopala još više nego prva dva puta.

Kasnije, na putu do kuće, Marčela, kojoj je, primećivao sam, bilo vrlo neprijatno, izravno mi se obratila:

– Dobro, pretpostavljam da ti dugujem objašnjenje za ono što si video.

– Ne duguješ mi, Marčela. Ti si slobodna osoba, kao i ja. Živimo zajedno i vrlo dobro se slažemo. Ali to ne sme ni najmanje da umanji našu slobodu. Nemojmo više da govorimo o tome.

– Samo hoću da znaš da mi je vrlo žao – rekla mi je. – Iako izgleda drukčije, uveravam te da se između Viktora i mene nije desilo apsolutno ništa. Ovo večeras je bila glupost bez ikakvog značaja. I neće se ponoviti.

– Verujem ti – rekao sam joj uhvativši je za ruku jer mi je bilo žao što se osećala tako loše. – Zaboravimo sve to. I molim te nemoj da praviš tu facu. Ti si lepa pre svega kad se smeješ.

Tokom sledećih dana zaista nismo opet razgovarali o tome, i ona je uložila mnogo napora da bude nežna. Istinu govoreći, nije me mnogo pogodilo saznanje da se verovatno rodila romansa između Marčele i koreografa iz Alikantea. Nikada nisam imao mnogo iluzija o tome koliko će trajati naša veza. I sada sam, osim toga, znao da je moja ljubav prema njoj, ako je to bila ljubav, bila prilično površno osećanje. Nisam bio ni povređen ni ponižen; samo radoznao da saznam kada ću morati da se preselim da opet živim sam. I od tada sam počeo da se pitam da li ću ostati u Madridu ili ću se vratiti u Pariz. Dve ili tri nedelje kasnije, Marčela mi je najavila da su pozvali Viktora Almedu da predstavi *Metamorfozu* u Frankfurtu, na jednom festivalu modernog plesa. To je bila važna prilika da ona pokaže svoj rad u Nemačkoj. Šta ja mislim o tome?

– Divno – rekao sam joj. – Siguran sam da će *Metamorfoza* imati tamo isto toliko uspeha kao u Madridu.

– Naravno da ćeš ići sa mnom – požurila je da kaže. – Tamo ćeš moći da nastaviš sa prevodima i...

Ali ja sam je pomilovao i rekao joj da ne bude luda i da ne pravi to turobno lice. Neću ići u Nemačku, nemamo para za to. Ostaću u Madridu i raditi na mom prevodu. Imam poverenja u nju. Neka pripremi svoje putovanje i zaboravi na sve ostalo, jer to može da bude odlučujuće za njenu karijeru. Zasuzile su joj oči kada me je zagrlila i rekla mi na uho: „Kunem ti se da se ona glupost više neće ponoviti, *caro*.“

„Naravno, naravno, *bambina*“, poljubio sam je.

Istog dana kada je Marčela otputovala vozom u Frankfurt – išao sam da je ispratim na stanicu Atoča – Viktor Almeda, koji je s ostatkom ansambla trebalo da putuje avionom dva dana kasnije, pozvonio mi je na vrata stančića u Ulici Ave Marija. Imao je vrlo ozbiljan izraz, kao da su ga izjedali duboki problemi. Pretpostavio sam da je došao da mi da neko objašnjenje zbog epizode u *Olimpiji*. Predložio sam mu da popijemo kafu u *Barbijeriju*!

U stvari, došao je da mi kaže da su on i Marčela zaljubljeni i da smatra svojom moralnom obavezom da mi to saopšti. Marčela nije htela da patim i zbog toga se žrtvovala i dalje živela sa mnom, iako je volela njega. Ta žrtva ju je ne samo činila nesrećnom već će i štetiti njenoj karijeri.

Zahvalio sam mu na iskrenosti i pitao ga da li mi priča sve to zato što očekuje da im ja rešim problem.

– Pa dobro – načas je oklevao – na neki način, da. Ako vi ne preuzmete inicijativu, ona je nikada neće preduzeti.

– A zašto bih ja preuzeo inicijativu da raskinem s devojkom koja mi je toliko draga?

– Iz velikodušnosti, iz altruizma – rekao je odmah, tako teatralno da mi je došlo da se nasmejem. – Jer ste džentlmen. I zato što sada znate da ona voli mene.

U tom trenutku sam shvatio da mi se koreograf sada obraća sa „vi“. Ranije smo uvek bili na „ti“. Da li je na taj način hteo da me podseti da sam dvadeset godina stariji od Marčele?

– Ti nisi iskren prema meni, Viktore – rekao sam mu. – Priznaj mi celu istinu. Jeste li Marčela i ti zajedno planirali ovu tvoju posetu? Je li ti ona tražila da sa mnom razgovaraš zato što se sama ne usuđuje?

Video sam kako se meškolji na stolici i odmahuje glavom. Ali kada je otvorio usta, potvrdio je:

– Odlučili smo zajedno – priznao je. – Ona ne želi da patiš. Strašno je grize savest. Ali ja sam je ubedio da čovek prvo treba da bude veran ne onome šta drugi misle, nego svojim osećanjima.

Hteo sam da mu kažem da je ono što je upravo rekao bila banalnost, ali nisam to uradio zato što sam već bio sit i hteo sam da ode. Tako da sam ga zamolio da me ostavi samog, da razmislim o svemu što mi je rekao. Ubrzo ću doneti odluku o tome. Poželeo sam mu mnogo uspeha u Frankfurtu i stegao mu ruku. Zapravo sam već odlučio da ostavim Marčelu s njenim baletanom i da se vratim u Pariz. Onda se desilo ono što je moralo da se desi.

Dva dana kasnije, dok sam radio po podne u mojoj jazbini u dnu kafea *Barbijeri*, jedna elegantna ženska figura odjednom je sela za sto ispred mene:

– Neću te pitati da li si i dalje zaljubljen u mene, jer već znam da nisi – rekla je nevaljala devojčica. – Čedomorac!

Iznenađenje je bilo toliko veliko da sam nesvesno ispustio na pod poluprazmu flašu mineralne vode, koja se razbila u paramparčad i za susednim stolom poprskala mladića s kosom kao bodljikavo prase i s tetovažom. Dok se kelnerica Andalužanka trudila da pokupi srču, ja sam proučavao damu koja je posle tri godine iznenada i na najmanje očekivanom mestu i u najmanje očekivanom trenutku naglo vaskrsla: kafe *Barbijeri* u Lavapjesu.

Iako je bio kraj maja i bilo je toplo, ona je nosila svetloplavi polusezonski sako preko otvorene bele bluze; oko vrata joj je poigravao zlatan lančić. Pažljiva šminka nije sakrivala ispijenost njenog lica, kosti su joj iskočile na jagodicama i imala je upadljive podočnjake. Prošle su samo tri godine, ali na njoj se videlo deset godina više. Bila je starica. Dok je Andalužanka brisala pod, ona je lupkala po stolu rukom sa pažljivo sređenim noktima, kao da je upravo bila kod manikira. Prsti su joj se izdužili i istanjili. Gledala me je ne trepćući, neraspoloženo i – kao vrhunac – prozivala me je zbog mog lošeg ponašanja:

– Nikada ne bih mogla da pomislim da ćeš živeti s balavicom koja može ćerka da ti bude – ponovila je zgrožena. – I pri tom je hipik i sigurno se nikad ne kupa. Kako si nisko pao, Rikardo Somokursio.

Imao sam želju da joj zavrnem šiju i da prasnem u smeh. Ne, nije bila šala: pravila mi je ljubomornu scenu! Ona meni!

– Ti već imaš pedeset tri ili četiri godine, zar ne? – nastavila je, stalno lupkajući po stolu. – A koliko ima ta Lolita? Dvadeset?

– Trideset tri – rekao sam joj. – Izgleda mlađe, tako je. Jer je jedna srećna devojka, a sreća podmlađuje ljude. Ti, naprotiv, ne izgledaš mnogo srećno.

– Da li se nekad okupa? – upitala je iznervirano. – Ili ti se pod stare dane to sviđa, ta prljavština?

– Naučio sam od Jakuze Fukude – rekao sam joj. – Utvrdio sam da prljavština takođe ima svoju čar, u krevetu.

– Ako hoćeš da znaš, u ovom trenutku te mrzim svom dušom i želim ti da umreš – rekla je muklo. Nijednom nije skinula pogled sa mene, niti je trepnula.

– Svako ko te ne poznaje rekao bi da si ljubomorna.

– Ako hoćeš da znaš, jesam. Ali pre svega sam razočarana u tebe.

Uhvatio sam je za ruku i naterao je da se malo približi, da joj nešto kažem a da to ne čuje naš sused, tetovirano bodljikavo prase.

– Šta znači ovaj cirkus? Šta radiš ovde?

Zarila mi je nokte u ruku pre nego što mi je odgovorila. Takođe je spustila glas.

– Ne znaš koliko mi je žao što sam te sve ovo vreme tražila. Ali već znam da će te ova hipi cura namučiti, nabiće ti rogove, i ostaviće te kao prljavu krpu. I nemaš pojma kako me to raduje.

– Sasvim sam istreniran za to, nevaljala devojčice. Kada je reč o rogovima i napuštanju, znam sve što treba znati i još više.

Pustio sam joj ruku, ali ona me je odmah ponovo uhvatila.

– Zaklela sam se sama sebi da ti neću reći ništa za tu hipi curu – rekla je ublažavajući glas i izraz. – Ali čim sam te videla, nisam mogla da se obuzdam. Još imam želju da te izgrebem. Budi malo galantniji i naruči mi čaj.

Pozvao sam kelnericu Andalužanku i pokušao da joj pustim ruku, ali njena je čvrsto držala moju.

– Je l' voliš tu odvratnu hipi curu? – pitala me je. – Da li je voliš više nego što si mene voleo?

– Ne verujem da sam te ikada voleo – uveravao sam je. – Ti si za mene bila ono što je Fukuda bio za tebe: bolest. Sada sam se izlečio, zahvaljujući Marčeli.

Proučavala me je na trenutak i, ne puštajući mi ruku, ironično se osmehnula prvi put, dok mi je govorila:

– Da me ne voliš, ne bi tako prebledeo i glas ti ne bi bio tako iskidan. Nećeš da se rasplačeš, Rikardo? Jer ti si prilično plačljiv, ako se dobro sećam.

– Obećavam ti da neću. Imaš taj prokleti običaj da se iznenada pojavljuješ kao noćna mora, u najmanje očekivanom trenutku. To mi više nije simpatično. Stvarno nisam očekivao da ću te ikada ponovo videti. Šta hoćeš? Šta radiš ovde u Madridu?

Kada su joj doneli čaj, mogao sam malo da je osmotrim dok je ona s gađenjem stavljala kocku šećera, mešala tečnost, i proučavala kašičicu, tanjirić i šolju. Nosila je belu suknju i bele otvorene cipele koje su pokazivale njena mala stopala s noktima namazanim providnim lakom. Njeni članci na nogama opet su bili dve bambusove trske. Je li opet bila bolesna? Tako mršavu sam je video samo dok je bila na klinici u Peti Klamaru. Kosa joj je bila očešljana unazad i pričvršćena šnalama s obe strane u visini kao i uvek dražesnih ušiju. Palo mi je na pamet da je bez kolor šampona, kojem verovatno duguje crnu boju, njena kosa sigurno već proseda, možda bela kao moja.

– Ovde sve izgleda prljavo – rekla je odjednom, gledajući oko sebe i preterujući s izrazom gađenja. – Ljudi, lokal, ima paučine i prašine na sve strane. Čak i ti izgledaš prljavo.

– Jutros sam se istuširao i nasapunjao od glave do pete, časna reč.

– Ali si obučen kao prosjak – rekla je, uhvativši me ponovo za ruku.

– A ti kao kraljica – rekao sam joj. – Ne bojiš se da će te napasti i opljačkati na nekom ovakvom mestu gde se skupljaju bednici?

– U ovoj novoj fazi svog života spremna sam da se zbog tebe izložim bilo kakvom riziku – nasmeja se. – Osim toga, ti si džentlmen, branićeš me do smrti, zar ne? Ili si, otkako se družiš sa hipicima, prestao da budeš mirafloreski gospodin?

Prošao ju je malopređašnji bes i sada se smejala, čvrsto mi stežući ruku. U očima joj je bio daleki trag onog tamnog meda, one svetlosti koja je obasjavala njeno ispijeno i ostarelo lice.

– Kako si me našla?

– Teško. Mesecima sam te tražila. Proveravala na hiljadu mesta. Potrošila sam gomilu para. Umirala sam od straha, pomislila sam da si se ubio. Ovoga puta stvarno.

– Takve gluposti se rade samo jednom, kada čovek poblesavi od ljubavi prema nekoj ženi. Srećom, to više nije moj slučaj.

– Pokušavajući da te nađem, posvađala sam se sa Gravoskima – rekla mi je odjednom; ponovo se razljutila. – Elena je bila vrlo neprijatna prema meni. Nije htela da mi da ni tvoju adresu, ni da mi kaže bilo šta o tebi. I još je počela da me preslišava. Da sam te unesrećila, da samo što te nisam ubila, da sam ja kriva što si imao moždani udar, da sam bila tragedija tvog života.

– Elena ti je rekla čistu istinu. Ti si bila nesreća mog života.

– Poslala sam je u bestraga. Nemam nameru nikada više da pričam s njom ni da je vidim. Žao mi je zbog Jilala, jer mislim da ni njega neću ponovo videti. Šta misli ta idiotkinja, ko je ona da mene proziva! Da nije zaljubljena u tebe?

Pomerila se na stolici i odjednom mi se učinilo da je prebledela.

– Može li da se zna zašto si me tražila?

– Htela sam da te vidim i da razgovaram s tobom – rekla je ponovo se smeškajući. – Nedostajao si mi. Jesam li i ja tebi, bar malo?

– Ti se ponovo pojavljuješ i tražiš me uvek između dva ljubavnika – rekao sam joj pokušavajući da izbegnem njenu ruku. Ovoga puta sam uspeo. – Je li te oterao Martinin muž? Dolaziš na napraviš pauzu u mom zagrljaju dok u tvoju mrežu ne upadne sledeći starčić?

– Ne više – prekinula me je, hvatajući me opet za ruku i poprimajući onaj stari podrugljivi ton. – Rešila sam da konačno stavim tačku na svoja ludila. Provešću poslednje godine sa svojim mužem. Kao uzorna žena.

Počeo sam da se smejem. Ona takođe. Češkala me je po ruci, a ja sam imao sve veću želju da joj iskopam oči.

– Ti imaš muža, ti? Da li se može znati ko je on?

– Još uvek sam tvoja žena i to mogu da dokažem, imam papire – rekla je uozbiljivši se. – Ti si moj muž. Ne sećaš se više da smo se venčali u opštini petog arondismana?

– To je bila farsa da dobiješ papire – podsetio sam je. – Nikada nisi zaista bila moja žena. Bila si sa mnom u periodima kada si imala problema, kada nisi nalazila ništa bolje. Hoćeš li da mi kažeš zašto si me tražila? Ovoga puta, ako si u problemima, ne bih mogao da ti pomognem ni da želim. Ali ne želim. Bez para sam i živim s devojkom koju volim i koja mene voli.

– Ona je jedan prljavi hipik koji će svakog časa da te ostavi – rekla je ponovo se naljutivši. – Uopšte se ne brine o tebi, sudeći po tome kako si obučen. Naprotiv, od sada pa nadalje ja ću da te čuvam. Brinuću se o tebi dvadeset četiri sata dnevno. Kao uzorna žena. Zbog toga sam došla, samo da znaš.

Govorila je s negdašnjim podrugljivim izrazom, poništavajući ironičnim sjajem u očima reči koje mi je govorila. Povremeno bi otpila gutljaj čaja. Ta glupa igrica uspela je da me iznervira.

– Znaš šta, nevaljala devojčice? – rekao sam joj privlačeći je malo da bih mogao da govorim vrlo tiho, sa svim besom koji mi se skupio. – Da li se sećaš one noći u stanu kada sam ti zamalo zavrnuo šiju? Hiljadu puta sam požalio što to nisam uradio.

– Još imam onu haljinu arapske igračice – prošaptala je, sa svim nestašlukom koji joj je preostao. – Vrlo dobro se sećam te noći. Tukao si me, a onda smo tako dobro vodili ljubav. Rekao si mi neke vrlo lepe stvari. Danas mi još nisi rekao nijednu. Počeću da verujem da me stvarno više ne voliš.

Imao sam želju da je ošamarim, da je šutnem i izbacim iz kafea *Barbijeri*, da joj nanesem sav fizički i duševni bol koji ljudsko biće može da učini drugom i u isto vreme, kao velika budala, poželeo sam da je zagrlim, da je pitam zašto je toliko mršava i dokrajčena, da je mazim i ljubim. Dizala mi se kosa na glavi od ideje da bi mogla da mi pročita misli.

– Ako hoćeš da priznam da sam se ružno ponašala prema tebi i da sam bila egoista, priznajem – prošaputala mi je, prinoseći mi lice, ali ja sam udaljio svoje. – Ako hoćeš da provedem ostatak života govoreći ti da je Elena u pravu, da sam ti nanela zlo i da nisam umela da cenim tvoju ljubav i te budalaštine, onda dobro, učiniću to. Je l' to hoćeš da uradim da te prođe kivnost, Rikardito?

– Hoću da odeš. Da jednom zauvek nestaneš iz mog života.

– Kakva banalnost! Već je bilo vreme, dobri dečko.

– Ne verujem ni u jednu reč koju govoriš. Vrlo dobro znam da me tražiš zato što misliš da mogu da ti pomognem u nekoj tvojoj gužvi, sad kad te je onaj jadni starčić oterao.

– Nije me oterao, ja sam oterala njega – popravila me je vrlo mirno. – Bolje rečeno, izručila sam ga živog i zdravog njegovoj dečici, kojoj je tatica toliko nedostajao. Trebalo bi da si mi zahvalan, dobri dečko. Kada bi znao koliko sam ti glavobolja i para uštedela otišavši sa njim, ruke bi mi ljubio. Ne znaš koliko je jadnika skupo koštala ta avantura.

Nasmejala se prodorno, podrugljivo, ne može biti opakije.

– Optužili su me da sam ga otela – dodala je, kao da priča nešto smešno. – Pokazali su sudiji lažna lekarska uverenja govoreći da njihov otac ima senilnu demenciju, da nije znao šta radi kada je pobegao sa mnom. Stvarno nije vredelo da gubim vreme i da se borim za njega. Vratila sam im ga sa zadovoljstvom. Neka mu oni i Martin brišu sline i mere mu pritisak dva puta dnevno.

– Ti si najperverznija osoba koju sam upoznao, nevaljala devojčice. Egoistično i bezosećajno čudovište. Spremna da krajnje hladnokrvno zariješ nož u osobe koje se najbolje ponašaju prema tebi.

– Dobro, da, možda je tako – potvrdila je ona. – I meni su naneli mnogo udaraca u životu, uveravam te. Ne kajem se ni zbog čega što sam uradila. Dobro, osim što sam tebe naterala da patiš. Rešila sam da se promenim. Zbog toga sam ovde.

Gledala me je sa izrazom nevinašceta, koji me je još više nervirao.

– Ko te ne zna, skupo bi te platio. Misliš da ću ozbiljno da shvatim taj šou pokajničke supruge? Ti, nevaljala devojčice?

– Da, ja. Došla sam da te tražim zato što te volim. Jer si mi potreban. Jer ne mogu da živim ni sa kim sem sa tobom. Iako ti izgleda malo kasno, sada to znam. Zbog toga, od sada pa nadalje, čak i ako treba da umirem od gladi i da živim kao hipik, živeću s tobom. I ni sa kim više. Da li bi voleo da postanem hipik i da prestanem da se kupam? Da se oblačim kao ono tvoje strašilo? Kako god hoćeš.

Spopao ju je napad kašlja i pocrvenele su joj oči od snažnog grča. Popila je gutljaj vode iz moje čaše.

– Imaš li nešto protiv da izađemo odavde? – rekla mi je, ponovo kašljući. – Od ovog dima i prašine ne mogu da dišem. Ovde u Španiji svi puše. To je jedna od stvari koja mi se ne sviđa u ovoj zemlji. Kuda god odeš, ljudi te obavijaju oblacima dima.

Zatražio sam račun i platio, pa smo izašli. Kada smo bili na ulici i kada sam je video pri dnevnoj svetlosti, užasnulo me je koliko je mršava. Dok je sedela, primetio sam samo kako joj je mršavo lice. Ali sada, dok je stajala, bez senke, bila je prava ruina. Malo se zgrbila i koračala je nesigurno, kao da zaobilazi prepreke. Grudi kao da su joj se smanjile i gotovo nestale, a koščice ramena jasno su se isticale pod bluzom. Osim tašne nosila je debelu fasciklu.

– Ako ti se čini da sam postala vrlo mršava, vrlo ružna i vrlo stara, molim te nemoj to da mi kažeš. Kuda možemo da idemo?

– Nikuda. Ovde u Lavapjesu svi kafei su podjednako stari i prašnjavi kao ovaj. I svi su puni pušača. Tako da je bolje da se ovde pozdravimo.

– Moram da razgovaram s tobom. Neće biti predugo, obećavam ti.

Držala mi se za ruku i njeni prsti, tako tanki, tako koščati, ličili su na prste male devojčice.

– Hoćeš da ideš kod mene? – rekao sam joj, kajući se istovremeno dok sam joj to predlagao. – Živim blizu. Ali, upozoravam te, biće ti odvratnije nego ovaj kafe.

– Hajdemo bilo kuda – rekla je. – Ali to da, ako se pojavi ona smrdljiva hipi cura, iskopaću joj oči.

– Ona je u Nemačkoj, ne brini.

Uspon na četvrti sprat bio je dug i komplikovan. Penjala se uz stepenice vrlo sporo i na svakom spratu se zaustavljala da se odmori. Ni u jednom trenutku nije mi pustila ruku. Kada smo stigli na poslednji sprat, bila je još bleđa i čelo joj je sijalo od znoja.

Čim smo ušli, sručila se u jednu fotelju u dnevnoj sobi i duboko udahnula. Zatim je, ne rekavši ni reči, niti se pomerivši s mesta, počela da razgleda sve oko sebe, vrlo ozbiljno i namršteno: Marčelini modeli i krpe i crteži raštrkani na sve strane, časopisi i knjige nagomilani po ćoškovima i na policama; opšti haos. Kada je došla do nenameštenog kreveta, video sam da se njen izraz lica menja. Otišao sam u kuhinjicu da joj donesem flašu mineralne vode. Našao sam je na istom mestu kako netremice gleda u krevet.

– Ti si imao maniju reda i čistoće, Rikardito – promrmljala je. – Neverovatno mi je da živiš u ovakvoj rupi.

Seo sam pored nje i obuzela me je velika tuga. Ono što je govorila bilo je tačno. Moj stančić kod Vojne škole, mali i skroman, uvek je bio besprekorno čist i sređen. Naprotiv, ovaj burdelj vrlo dobro odražava tvoju nepovratnu dekadenciju, Rikardito.

– Potrebno mi je da potpišeš neke papire – rekla je nevaljala devojčica pokazujući mi fasciklu koju je spustila na pod.

– Jedini papir koji bih tebi potpisao jeste za razvod, ako ovaj brak još uvek važi – odgovorio sam joj. – Znajući te, ne bi me čudilo da me nateraš da potpišem neku podvalu i da završim u zatvoru. Znam te već četrdeset godina, Čileankice.

– Ne znaš me dobro – rekla je vrlo mirno. – Možda bih drugima mogla da učinim takvu gadost. Ali tebi ne.

– Meni si učinila najgore gadosti koje žena može da učini muškarcu. Naterala si me da poverujem da me voliš, dok si potpuno mirno zavodila druge muškarce jer su imali više para i ostavljala si me bez i najmanje griže savesti. Nisi to učinila jednom, već dva-tri puta. Ostavljala si me uništenog, utučenog, bez imalo volje. I povrh svega, još jednom se usuđuješ da se vratiš i da mi kažeš, onako mrtva hladna, da želiš da opet živimo zajedno. Stvarno, treba te pokazivati u cirkusu.

– Pokajala sam se. Neću ti ponovo učiniti nikakvu gadost.

– Nećeš imati prilike, jer nikada neću ponovo živeti sa tobom. Niko te nije voleo kao ja, niko nije učinio sve što sam ja... Dobro, osećam se glupo dok govorim ove budalaštine. Šta hoćeš od mene?

– Dve stvari – rekla je. – Da ostaviš onu prljavu hipi curu i da živiš sa mnom. I da potpišeš ove papire. Nije nikakva zamka. Prebacila sam na tebe sve što imam. Kućicu na jugu Francuske, blizu Seta, i neke akcije Francuske elektrodistribucije. Sve to je stavljeno na tvoje ime. Ali moraš da potpišeš te papire da bi prenos važio. Pročitaj ih, pitaj advokata. Ne radim to zbog sebe, nego zbog tebe. Da ti ostavim sve što imam.

– Veliko hvala, ali ne mogu da prihvatim tako velikodušan poklon. Jer su verovatno ta kućica i te akcije opljačkane od mafijaša i nemam nikakvu želju da budem tvoja marioneta ili posrednik novog gangstera za koga radiš. Nadam se da nije opet čuveni Fukuda?

Onda me je pre nego što sam mogao da je sprečim, zagrlila oko vrata i iz sve snage se uhvatila za mene.

– Prestani da me grdiš i da mi govoriš gadosti – žalila se dok me je ljubila u vrat. – Kaži mi bolje da si zadovoljan što me vidiš. Reci mi da sam ti nedostajala i da voliš mene, a ne onu hipi devojku s kojom živiš u ovom svinjcu.

Ja se nisam usuđivao da je odgurnem, uplašen od toga što sam osećao skelet u koji se pretvorilo njeno telo, struk, leđa, ruke iz kojih kao da su nestali svi mišići i ostali samo kost i koža. Iz krhke, tanane osobe koja se stiskala uz mene izbijao je miris koji me je podsećao na vrt pun cveća. Nisam mogao više da se pretvaram.

– Zašto si tako mršava? – šapnuo sam joj.

– Reci mi prvo da me voliš. Da ne voliš tu hipi curu, da si počeo da živiš s njom samo iz inata što sam te ostavila. Reci mi. Otkako sam saznala da si s njom, malo-pomalo umirem od ljubomore.

Sada sam osećao njeno malo srce kako kuca spram mog. Potražio sam joj usta i polako je poljubio. Osetio sam kako njen jezik dodiruje moj i gutao sam njenu pljuvačku. Kada sam stavio ruku pod njenu bluzu i pomilovao je po leđima, osetio sam pod prstima sva njena rebra i kičmu, kao da ih od mojih prstiju nije razdvajala ni najtanja opna mesa. Nije imala grudi; njene sićušne bradavice bile su u ravni kože.

– Zašto si tako mršava? – ponovo sam je pitao. – Da li si bila bolesna? Šta ti je bilo?

– Ne mogu da vodim ljubav s tobom, nemoj da me diraš tamo. Operisali su me, sve su mi izvadili. Ne želim da me vidiš nagu. Telo mi je puno ožiljaka. Ne želim da ti budem odvratna.

Plakala je očajnički i nije uspevala da se smiri. Onda sam je postavio na svoja kolena i dugo milovao, kao što sam radio u Parizu kada je imala napade straha. I njena guza se istopila, kao i njene grudi, a butine su joj bile mršave kao ruke. Ličila je na jedan od onih živih leševa koje pokazuju fotografije iz koncentracionih logora. Milovao sam je, ljubio, govorio joj da je volim, da ću da je čuvam, i istovremeno sam osećao neopisiv užas, jer sam bio potpuno siguran da ona nije *bila* ozbiljno bolesna, nego da je takva sada i da će ubrzo umreti. Niko ne može toliko da oslabi i da se oporavi.

– Još mi nisi rekao da me voliš više od one hipi cure, dobri dečko.

– Naravno da te volim više nego nju i bilo koga, nevaljala devojčice. Ti si jedina žena na svetu koju sam voleo i koju volim. I mada si mi učinila gadosti, takođe si mi pružila čudesnu sreću. Dođi, želim da te zagrlim nagu, da vodimo ljubav.

Odveo sam je u krevet, položio i svukao. Ona je zatvorenih očiju pustila da je skinem, okrećući se na bok da mi izloži svoje telo što je manje moguće. Ali od mojih milovanja i poljubaca ona se opustila i ispružila. Nisu je operisali, nego uništili. Odstranili su joj grudi i ružno vratili bradavice, od čega su joj ostali veliki okrugli ožiljci, kao dve crvenkaste krunice. Ali najgori ožiljak polazio je od njene vagine; penjao se do pupka, krivudajući, jedna smeđe-ružičasta krasta, izgleda prilično nova. Toliko sam se šokirao da sam je, ne shvatajući šta činim, pokrio čaršavom. I shvatio sam da nikada više neću moći s njom da vodim ljubav.

– Ja nisam htela da me vidiš ovakvu; da ti tvoja žena bude **odvratna** – rekla je. – Ali...

– Ali ja te volim i sada ću se brinuti za tebe dok se potpuno ne izlečiš. Zašto me nisi zvala da idem s tobom?

– Nisam nigde mogla da te nađem. Već mesecima te tražim. To me je najviše bacalo u očajanje: da umrem a da te ponovo ne vidim.

Operisali su je drugi put tek pre tri nedelje, u jednoj bolnici u Monpeljeu. Lekari su bili vrlo iskreni. Tumor u vagini je bio otkriven vrlo kasno i mada su ga izvadili, postoperativna analiza je pokazala da je metastaza počela i da praktično nema šta da se uradi. Hemoterapija bi samo usporila ono neizbežno i osim toga, u stanju krajnje slabosti u kojem je bila, verovatno je ne bi izdržala. Grudi su joj operisali pre godinu dana, u Marselju. Zbog tog stanja nisu mogli da je ponovo operišu da bi joj rekonstruisali poprsje. Otkako su pobegli, ona i Martinin muž su živeli na mediteranskoj obali, u Frontinjanu, blizu Seta, gde je on imao posed. Ponašao se vrlo dobro prema njoj kada su joj otkrili rak. Bio je velikodušan, ljubazan i obasipao je pažnjom, ne pokazujući joj, kada su joj odstranili grudi, da je bio razočaran. Naprotiv, s obzirom da je kocka bačena, ona je bila ta koja ga je malo-pomalo ubedila da bi bilo najbolje da se pomiri sa Martin i okonča spor sa svojom decom od kojeg bi samo advokati imali koristi. Gospodin se vratio porodici oprostivši se velikodušno s nevaljalom devojčicom: kupio joj je kućicu u Setu koju je ona sada htela da prenese na mene i u banci je na nju prebacio neke akcije Francuske elektrodistribucije kako bi joj omogućio da bez finansijskih teškoća proživi ono što joj je ostalo od života. Ona je počela da me traži bar pre godinu dana, i pronašla me je u Madridu zahvaljujući jednoj detektivskoj agenciji „koja me je odrala". Kada su joj saopštili gde sam, bila je usred analiza u bolnici u Monpeljeu. Kako je bolove u vagini imala još od vremena s Fukudom, nije obraćala mnogo pažnje na njih.

Sve to mi je ispričala u vrlo dugom razgovoru koji je trajao celo popodne i dobar deo večeri, dok smo ležali na krevetu, ona stisnuta uz mene. Ponovo se obukla. Na trenutke je ćutala da bih mogao da je ljubim i govorim joj da je volim. Ispričala mi je tu priču – Istinitu? Vrlo ukrašenu? Potpuno netačnu? – bez dramatičnosti, naizgled objektivno, bez samosažaljenja ali, to da, sa olakšanjem, zadovoljna, kao da nakon toga može da umre na miru.

Trajala je još trideset sedam dana, tokom kojih se ponašala, kako mi je obećala u kafeu *Barbijeri*, kao uzorna žena. Bar onda kada je užasni bolovi nisu terali da leži i bude pod dejstvom morfijuma. Preselio sam se da živim kod nje u apartman hotela *Heronimos*. Poneo sam samo jedan kofer sa dve-tri stvari za oblačenje i nekoliko knjiga i ostavio Marčeli vrlo licemerno i dostojanstveno pismo, rekavši joj da sam odlučio da odem, da joj vratim slobodu, jer nisam hteo da budem prepreka za sreću koju, to sam dobro shvatio, ja nisam mogao da joj pružim, s obzirom na razliku u godinama i stremljenjima, već neki mladić njenih godina i sličnih sklonosti kao Viktor Almeda. Tri dana kasnije, nevaljala devojčica i ja smo vozom otputovali u njenu kućicu na periferiji Seta, na vrhu jednog brda odakle se videlo divno more koje je opevao Valeri u *Mornarskom groblju*. To je bila dobro sređena, jednostavna, lepa kućica, s malim vrtom. Dve nedelje je bila toliko dobro, toliko zadovoljna, da sam potpuno nerazumno pomislio kako bi mogla da se oporavi. Dok smo jednom, predveče, sedeli u vrtu, rekla mi je da ako jednoga dana rešim da napišem našu ljubavnu priču, nju ne predstavim u ružnom svetlu, jer će onda njen duh svake noći dolaziti da me vuče za noge.

– Otkud ti je to palo na pamet?

– Zato što si uvek hteo da budeš **pisac, a nisi se usuđivao**. Sada, kad ostaneš sam, možeš to da iskoristiš, tako ću manje da ti nedostajem. Priznaj bar da sam ti dala temu za roman. Zar ne, dobri dečko?

O AUTORU

Mario Vargas Ljosa rodio se u Arekipi, u Peruu 1936. godine. Iako je u Pjuri izvedena jedna njegova drama i objavljena zbirka priča *Šefovi*, koja je dobila nagradu „Leopoldo Alas", postao je poznat posle objavljivanja romana *Grad i psi*, za koji je dobio Nagradu Kratke biblioteke kuće *Seix Barral* 1962. i Nagradu kritike 1963. godine. Njegov drugi roman *Zelena kuća*, objavljen 1965, dobio je Nagradu kritike i Međunarodnu nagradu Romulo Galjegos. Potom je objavio dramska dela (*Gospođica iz Takne, Kati i nilski konj, La Čunga, Ludak sa balkona* i *Lepe oči, ružne slike*), studije i eseje (kao *Neprekidna orgija, Istina o lažima* i *Izazov nemogućeg*), sećanja (*Riba u vodi*), priče (*Štenad*) i, pre svega, romane: *Razgovor u katedrali, Pantaleon i posetiteljke, Tetka Hulija i piskaralo, Rat za smak sveta, Povest o Majti, Ko je ubio Palomina Molera?, Pripovedač, Pohvala pomajci, Lituma u Andima, Jarčeva fešta* i *Raj na drugom ćošku*. Dobio je najvažnije književne nagrade, od već spomenutih do nagrade Servantes, nagrade Princa Asturije, PEN/Nabokov i *Grinzane Cavour*.

SADRŽAJ

Nino Riči

ŽIVOTI SVETACA

U malom planinskom selu u Apeninima ništa se ne
može sakriti i ništa se ne prašta. *Životi svetaca* su
priča o sukobu jedne hrabre i nesvakidašnje žene i
uskogrudih, sujevernih meštana, slika viđena očima
sedmogodišnjeg dečaka. Nino Riči je vrhunski
pripovedač, čiji majstorski, svedeni stil izuzetno
vešto dočarava život italijanskog sela neposredno
posle Drugog svetskog rata i duhovni svet jednog
deteta suočenog sa neshvatljivim i često nerazumnim
postupcima odraslih. Ovaj izuzetni roman, preveden
na dvadesetak jezika, umnogome podseća na najbolje
filmove Felinija i braće Tavijani.

„*Životi svetaca* su istinski dragulj od romana, a pred
nama je pisac koji poseduje onaj redak dar da stvori
čitav svet i natera nas da u njega poverujemo."
Gloub end mejl

„Mudar roman, plemenit i pun ljudskosti."
Otava sitizen

„Nino Riči je ostvario roman retke lepote i
nezaboravne snage…"
Timoti Findli

Alvaro Pombo

TAMO GDE SU ŽENE

Tamo gde su žene je duboka i potresna priča
o naizgled samodovoljnim ženama, suvišnim
muškarcima, ljudima koji svesno i slobodno biraju
svoj put i drže ga se do kraja. Junakinja, najstarija
ćerka u porodici, mislila je da su svi – njena
ekscentrična majka, još ekscentričnija tetka Lusija,
njena braća, i tetkin momak nemačkog porekla
– superiorna bića koja zrače sama od sebe usred
romantičnog pejzaža poluostrva na kom su živeli
izolovani i ponosnoprezrivi prema bednoj stvarnosti
epohe. Međutim, niz događaja i otkrivanje jedne
porodične tajne koja direktno pogađa junakinju,
otkriva pravo – hladno, praktično, tiransko a na
kraju i otrovno – lice mistifikovanih stanovnika tog
utvrđenja u kom „ očevi, muževi, muškarci nisu bitni.
Razmenljivi su." To otkriće će junakinji nepovratno
izmeniti smisao života.

Alvaro Pombo je jedan od najznačajnijih španskih
savremenih pisaca. Za ovaj roman dobio je špansku
nacionalnu nagradu za najbolji roman.

Mario Vargas Ljosa
AVANTURE NEVALJALE DEVOJČICE

Za izdavača
Dejan Papić

Urednik
Branko Anđić

Slog i prelom
Laguna

Lektura i korektura
Dragana Matić-Radosavljević

Tiraž
1500 primeraka

Štampa i povez
Margo-art, Beograd

Izdavač
Laguna, Beograd
Resavska 33
tel. 011/3347-547
www.laguna.rs
e-mail: info@laguna.rs

CIP – Каталогизација у публикацији
Народна библиотека Србије, Београд

VARGAS Ljosa, Mario
    Avanture nevaljale devojčice / Mario Vargas Ljosa ; sa španskog prevela Ljiljana
Popović-Anđić. - Beograd : Laguna, 2008 (Beograd : Margo-art) . – 336 str.; 20 cm. –
(Biblioteka Bolero ; knj. br. 1)

Prevod dela: Travesuras de la niña mala / Mario Vargas Ljosa. - Tiraž 1.500. – Str. 7-11:
Barokni realizam Marija Vargas Ljose / Branko Anđić. – O autoru: str. 329.

ISBN 978-86-7436-860-2

821.134.2(85)-31
821.134.2(85).09 Vargas Ljosa M.
a) Vargas Ljosa, Mario (1936-)
COBISS .SR-ID 146327308